Biblioteca

Connie Brockway

Connie Brockway

DEL ODIO AL AMOR

Traducción de
Aranzazu Sumalla de Benito

CISNE

Título original: *My Dearest Enemy*

Primera edición: junio, 2009

© 1998, Connie Brockway
  Publicado mediante acuerdo con The Bantam Dell
  Publishing Group, una división de Random House, Inc.
© 2009, Random House Mondadori, S. A.
  Travessera de Gràcia, 47-49. 08021 Barcelona
© 2009, Aranzazu Sumalla de Benito, por la traducción

Printed in Spain – Impreso en España

ISBN: 978-84-8346-919-4 (vol. 68/6)
Depósito legal: B-20998-2009

Fotocomposición: Revertext, S. L.

Impreso en Liberdúplex, S. L. U.
Sant Llorenç d'Hortons (Barcelona)

M 869194

Agradecimientos

Como siempre, este libro es el resultado de la amabilidad de la gente, de su interés y de su ayuda tanto con los hechos verídicos como con los ficticios. Quiero dar las gracias a Chandra Tauer y a Rachel Brockway por describirme con todo detalle lo que se siente al sufrir un ataque de asma. También a Maggie Crawford, por editar y pulir el texto; tengo en alta estima tu talento. Gracias a Damaris Rowland, mi maravillosa agente, que es también un maravilloso apoyo. Como siempre, mi gratitud a las participantes en los foros por aportarme material diverso. Y por encima de todo, gracias a Jennifer Suarino, el modelo de Lily, solo que infinitamente más hermosa y más inteligente.

1

La noticia de la muerte de Horatio Algerton Thorne llegó acompañada de una carta suya.

Avery James Thorne
Bloomsbury, Londres
1 de marzo de 1887

Avery:

Mis médicos me dicen que no me queda mucho tiempo de vida y que debería poner en orden mis asuntos. Y eso es lo que pretendo hacer. Asegurándome de que esta carta llegue a tus manos antes de la lectura de mi testamento, te hago el favor de adelantarte el contenido del mismo. Quizá esta cortesía mía te sirva para agradecer el respeto que siento hacia mis obligaciones familiares, una sensibilidad de cuya experiencia, al parecer, no has disfrutado.

Probablemente habrás dado por sentado que, después de mi muerte y siendo tú el único pariente varón que le queda con vida a tu primo Bernard, te convertirás en su tutor. Estás equivocado y te diré por qué.

En primer lugar y lo que es más importante, eres demasiado parecido a tu padre. A pesar de mis ímprobos esfuerzos por corregir esa similitud de carácter, has continuado siendo irresponsable, testarudo y polémico. Estas dos últimas características tuyas podrían haberte resultado de gran utilidad de haber sido una persona sana y robusta, como fui yo en mi juventud, y podrían haberte convertido en un líder. Pero físicamente eres un pobre espécimen y ningún hombre acepta de buen grado órdenes de un enclenque.

Considero que serías un mal ejemplo para Bernard, especialmente en este momento de su vida en el que él mismo muestra tu misma desafortunada inclinación hacia la debilidad física. No creas que he olvidado la cantidad de veces que utilizaste tu enfermedad como excusa para guardar cama en la enfermería del colegio, o las cartas que les hacías escribir a tus tutores pidiendo que te dejasen volver a casa antes de acabar el trimestre debido a tu terrible debilidad. El consentido de Bernard se te parece demasiado, y como heredero de una gran fortuna, debe superar esta inclinación.

Así que, en tu lugar, he asignado como tutores de Bernard a consejeros de los bancos a los que conozco desde hace muchos años.

Y ahora, en lo que a ti respecta, Avery, tal como he señalado, soy consciente de mis obligaciones familiares. Durante los próximos cinco años recibirás una razonable asignación mensual bien a través de estos mismos consejeros del banco o de una tal señorita Lillian Bede. A ella le ha sido ofrecida la gestión de Mill House a mi muerte y será quien, después de cinco años, heredará la finca si queda demostrado que, bajo su dirección, dicha gestión ha resultado fructífera. Si no hay beneficios, tú heredarás la finca.

No es de tu incumbencia el porqué de estas condiciones. Solo a mí me corresponde decidir cómo y a quién cedo Mill House.

Sin embargo, como probablemente recordarás que en el pasado sugerí que en su día serías tú el dueño de la finca, me siento obligado como caballero que soy a informarte de que no he olvidado ese comentario que pudiste interpretar como una promesa. Confío plenamente en que todavía puedas convertirte en el dueño. Al fin y al cabo, la señorita Bede es solo una joven de diecinueve años, y si eso sirve para herir tu orgullo masculino, mejor que mejor.

Considera que tu herencia se halla en suspenso hasta que, espero, te hagas merecedor de ella. Tampoco confío en que dediques demasiado tiempo a lamentar la pérdida de dicha responsabilidad. De hecho, incluso es probable que estés contento por disponer de un aplazamiento. Da la impresión de que sientes la misma indiferencia hacia tu herencia que hacia tu primo.

Al acabar este período de cinco años, serás nombrado el tutor legal de Bernard. En el ínterin, desde la tumba te invito a que cultives la humildad, la austeridad y tus obligaciones familiares.

HORATIO ALGERTON THORNE

«Y yo te invito a arder en el infierno.» Avery se echó hacia atrás, apartándose del maltrecho escritorio que ocupaba una de las paredes de su apartamento de alquiler. Pasó la mirada por los pocos muebles desparejos que incluía el cuarto, cosas que otra gente había dejado atrás y que él había podido soportar únicamente porque había creído que algún día tendría algo suyo: Mill House.

Quince años atrás, una semana después de que una epidemia de gripe se hubiese llevado a sus padres, había llegado a Devon para conocer a su tío Horacio, su tutor. Él tenía siete años.

Recordaba su llegada por la avenida de piedra de la entrada desde el sendero bordeado de cipreses y cómo, al asomar la cabeza por la ventanilla, había visto la solariega casa de piedra reluciendo como el ámbar en medio del prado de un verde veraniego. Se había enamorado apasionadamente de ella.

Horatio, quien todavía no conocía el «intolerable resuello» de Avery, había encontrado graciosa la fascinación del niño que observaba la casa con los ojos abiertos de par en par y dejándose llevar por un impulso muy poco propio de él, le había prometido la casa. Era un acto de generosidad que se podía permitir sin problemas. Para Horatio, Mill House no significaba nada. Simplemente era otra casa más de su propie-

dad, que estaba incluida en los acres de la finca que en su día
había comprado su padre.

A pesar de las infrecuentes visitas a Mill House que se
sucedieron después —un par de vacaciones navideñas y algunas semanas que pasó allí durante un otoño incomparable—,
Avery había seguido manteniendo firmemente en su mente la
imagen de la casa. Y durante aquellos largos períodos de convalecencia que había pasado en la enfermería de Harrow, había huido de su dolor paseando mentalmente por los salones
de Mill House.

La había estado esperando durante prácticamente toda su
vida. Como el pretendiente más devoto, la había admirado y
deseado, sin revelar nunca el alcance de su pasión para que no
pudiese usarse en su contra. Y ahora su fingida indiferencia
parecía ser su perdición. ¡Habían ofrecido su casa a una sufragista de diecinueve años!

Apretó el sobre con fuerza entre sus dedos y en sus labios
se formó una amarga sonrisa. Mucho tiempo atrás, para sobrevivir y para compensar su fragilidad física, había desarrollado una gran fortaleza de espíritu. Se había vuelto un experto
en encajar los reveses como un auténtico hombre, como el caballero que se había propuesto llegar a ser algún día. Fueran
cuales fuesen los golpes que recibía, físicos o emocionales,
provenientes del azar, de su tutor o de otros muchachos, los
encajaba con una dignidad furibunda y alguna broma mordaz.
Así se había ganado el respeto y la admiración, por lo menos
de sus compañeros.

De hecho, había suplicado a menudo a sus maestros que
no escribiesen a Horatio para explicarle sus recaídas físicas.
Sabía muy bien que solo iba a servir para disgustar a su tutor.
A juzgar por la carta de Horatio, sus maestros no siempre habían accedido a cumplir sus deseos.

En la vida, solo había tenido tres cosas: su mente despierta, su estatus de caballero y la promesa de una casa. Y ahora
esto último quedaba «en suspenso» e iba a parar a manos de
una tal... Lillian Bede.

El nombre le resultaba vagamente familiar. Recordaba haber visto un retrato de ella a manos de algún artista en un periódico. Una chica alta, de cejas oscuras y aspecto agitanado, el ídolo de las sufragistas.

¿Cómo había podido esa mequetrefe conseguir colarse en el testamento de Horatio y cómo había podido aceptar un desafío tan absurdo? La verdad es que lo que Horatio decía en su carta era cierto: ninguna chiquilla podía dirigir la finca de Mill House durante cinco años con éxito.

Cinco años. Avery apoyó la cabeza en el respaldo de la silla giratoria. Empezó a dar vueltas lentamente, obligándose a pensar, pero por más que se repetía a sí mismo que debía estar tranquilo, sentía que la rabia le ardía en su interior. Cinco malditos años.

Estaba harto de tener que conformarse. Lentamente, rompió la carta en pequeños pedazos. El orgullo era un lujo costoso, pero en aquella ocasión era el único lujo que podía permitirse. Abrió su delgada mano y observó cómo los pedazos de papel caían revoloteando hasta el suelo. Sabía qué tenía que hacer.

La oscura puerta de nogal que daba a la recóndita y silenciosa oficina de Gilchrist y Goode, Abogados, se abrió de par en par y Lily Bede salió bruscamente del interior. Llevaba un sobre en la mano. Tenía la palma de las manos cubierta de una capa de sudor y la punta de los dedos pegados al grueso papel.

Miró a su alrededor. No la había seguido nadie hasta la antesala. Ni la encantadora viuda, ni el flacucho chiquillo, ni la atractiva hija de mediana edad. Sin duda, todos seguían sentados boquiabiertos alrededor de la mesa de los abogados. Solo había una persona a la que afectaba el testamento de Horatio Algerton Thorne y que no había estado presente en su lectura: Avery Thorne, el presunto heredero de Mill House y, caso de que ella aceptase las condiciones de aquel extraño testamento, ¿su... custodio? ¿Su carga?

A Lily le empezaron a temblar las piernas al pensarlo.

Vio un pequeño banco bajo una ventana abierta y se acercó tambaleante hasta él, dejándose caer agradecida sobre la dura superficie. Aquella misma mañana había estado buscando algún modo de pagar el alquiler de su minúsculo y humilde ático, apenas una habitación. Y por la tarde, le ofrecían una mansión.

Y la cantidad equivalente al montante de la custodia legal de un hombre adulto.

Volvió a marearse. ¿Quién podía haber previsto algo así? Solo había visto a Horatio Thorne en una ocasión hacía tres años, después de la prematura muerte de sus padres. Un hombre reservado, de aspecto severo y que, según dijo, solo se había acercado a ofrecer a Lily ayuda económica por respeto hacia su querida esposa fallecida, la tía de Lily.

Lily no tenía un centavo así que se había tragado su orgullo y había utilizado el dinero del señor Thorne para asistir a una de las recientemente creadas universidades para señoritas. Después de acabar su educación, había descubierto que los estudios superiores no se traducían necesariamente en un empleo superior. De hecho, no tenía empleo alguno. Cuando recibió la sorprendente citación para acudir a la lectura del testamento de Horatio, sintió un penoso alivio.

Había confiado en una pequeña cantidad y, por el contrario, le habían ofrecido un auténtico desafío. Bajó la vista y observó el sobre que apretaba entre los dedos. ¿Por qué? Lo rasgó y de él sacó una carta de varias páginas.

1 de marzo de 1887

Señorita Bede:

Como usted sabe, nunca tuve un alto concepto del cuñado de mi esposa, su padre. Debería haber legalizado su relación con su madre casándose con ella y, por consiguiente, convirtiéndola en su hija legítima. Por respeto hacia mi esposa, intenté paliar sus malas acciones ofreciéndole apoyo económico.

¡Imagínese cuál fue mi sorpresa y desilusión cuando leí su nombre en los periódicos! El artículo versaba sobre eso que se hace llamar Movimiento Femenino y la citaba a usted atacando sin piedad la institución «de esclavitud legal llamada matrimonio».

Teniendo cuenta su situación personal, pensaba que usted, más que nadie, apoyaría la sagrada institución que protege a las mujeres. Y en cuanto a su proclamación de que las mujeres son capaces de hacer lo mismo que cualquier hombre, solo que mejor, ¡tonterías! Desgraciadamente, sé muy bien lo inútil que resulta predicar ante jóvenes tozudos. Así que, en lugar de eso, le quiero dar una lección a través de la experiencia.

Le ofrezco la posibilidad de demostrar su proclama convirtiendo Mill House en una finca rentable. Si dentro de cinco años lo ha conseguido, heredará la mansión y todos sus activos. Habrá cumplido con sus ambiciones y podrá vivir absolutamente independiente de cualquier influencia masculina. Y además tendrá el formidable placer de demostrarle a un muerto que estaba equivocado. Pero, caso de que no lo consiga, la casa será para mi sobrino, Avery Thorne.

Avery Thorne tiene actualmente tan poca capacidad para dirigir la finca como usted. Pero él, por lo menos externamente, posee las cualidades masculinas para hacerlo. Desgraciadamente, todavía no ha dado muestra de dichas cualidades. De ahí el doble sentido de mi propuesta.

Avery necesita autodisciplina y humildad. Convirtiéndola a usted en la responsable de su mantenimiento económico, espero poner las bases para ambos rasgos de carácter.

Por supuesto, si usted es ya consciente de cuán equivocadas son sus ideas, puede renunciar. Avery heredará Mill House y usted, después de aceptar públicamente que el lugar de una mujer está en su hogar bajo el cuidado de un hombre, recibirá un generoso estipendio anual. Pero, caso de que su nombre vuelva a aparecer asociado a esos personajes sufragistas, le será retirado inmediatamente.

Respetuosamente,

HORATIO ALGERTON THORNE

Lily arrugó la carta y la convirtió en una pequeña bola de papel, disfrutando de lo lindo al hacerlo. ¡El muy entrometido y engreído...! Apretó los labios y sus mejillas se tiñeron de rojo. ¿Cómo se atrevía a emitir juicios sobre su familia?

Puede que ella fuese una bastarda, pero por los menos sus padres la habían protegido de hipócritas piadosos como Horatio Thorne. Y en lo que respectaba al matrimonio, no era una garantía de protección, seguridad o felicidad. El matrimonio lo único que garantizaba era que una mujer fuera un bien legal sujeto a los caprichos y a la brutalidad de los hombres. Hasta sus hijos se convertían en propiedad legal del hombre. Sus propios hermanos... Alejó aquel doloroso pensamiento, volviendo a lo que le concernía en esos momentos.

No podía aceptar la propuesta de Horatio. Era sorprendente que el viejo zorro hubiera logrado que las condiciones de aquel testamento fueran legalmente aceptables. Sin duda, alguien lo impugnaría. ¿La hija de Horatio? ¿La nuera viuda? Con toda seguridad, el tal Avery Thorne.

Pero —pensó, sintiendo un nudo en el estómago de aprensión y esperanza al mismo tiempo— si nadie lo impugnaba y ella se encargaba de gestionar la finca y lo hacía con éxito... La idea era tentadora. No debería preocuparse de lo que podría comer, de si iba a poder pagar el alquiler y, lo más increíble, podría conocer a gente con las mismas ideas y convicciones que ella. A lo mejor incluso conocería a su alma gemela, un hombre que no se limitase a robarle el corazón y ofrecerle la esclavitud.

Se le borró la ligera sonrisa de los labios. Era absurdo. Sin duda, alguien impugnaría el testamento.

La hoja de papel que tenía en las manos se cubrió con una sombra. Sintió un aroma de lilas penetrándole por la nariz. Levantó la cabeza.

La nuera de Horatio, Evelyn Thorne, estaba de pie junto a ella, iluminada por la luz del sol que entraba a través de la ventana. Apretaba ligeramente sus manos temblorosas. La luz daba a su piel un color translúcido y convertía en casi blanco el color rubio de sus cabellos. Tenía el aspecto de un espectro lunar, demasiado tímido para explorar la noche.

—Imagino que querrá recoger sus cosas —le dijo Evelyn con una voz suave y vacilante—. Debería mandar al chófer. Si cree que es lo correcto, claro.

Lily la miró sin comprender.

El rostro de Evelyn mostró un asomo de sonrisa.

—Va a venir a Mill House, ¿no? —dijo. Después de una pausa, añadió—: Resulta un derroche mantener dos alojamientos al mismo tiempo.

Lily esperaba solo resentimiento, así que su simpatía le pareció irresistible. Contestó a la sonrisa de Evelyn con una compungida sonrisa:

—Nadie podría llamar a mi habitación un alojamiento, señora Thorne.

Evelyn se puso colorada.

—Perdóneme —dijo Lily poniéndose en pie. Al hacerlo, se dio cuenta de que sacaba una cabeza a Evelyn, y viéndola de cerca, pudo detectar las finas arrugas junto a sus hermosos ojos grises, unos suaves pliegues en su esbelto cuello. Era mayor de lo que había supuesto Lily en un primer momento, más cerca de los treinta y cinco que de los veinticinco.

Lily se metió la carta en el bolsillo de la falda.

—Estoy llamada al fracaso, señora Thorne. De ningún modo podré cumplir los términos del testamento de su suegro. No tengo ni idea de cómo empezar a dirigir una finca.

—Lo comprendo —dijo Evelyn, mostrándose de acuerdo con ella—. No osaría entrometerme, pero me aventuro a suponer que Mill House debe de tener ya algún sistema establecido para su funcionamiento.

Tragó saliva.

Lily observó a Evelyn pensativamente. Tenía razón. Presumiblemente, el funcionamiento de Mill House no se habría quedado en punto muerto desde la muerte de Horatio. Si pudiera disponer de tiempo suficiente para averiguar cómo iban las cosas...

—Pero ¿qué pasa con la hija del señor Thorne? Me parece una mujer formidable. ¿No le molestará que llegue una extraña a su hogar y pase a encargarse de la gestión, sobre todo tratándose de alguien tan inexperto como yo?

—¿Francesca? —preguntó Evelyn abriendo los ojos de par en par—. Solo utiliza Mill House como hogar temporal. Le puedo asegurar que a Francesca no le importa quién vive en la casa ni quién lleva la finca. Además, Horatio nos ha provisto, tanto a ella como a mí y a mi hijo, con recursos más que suficientes.

—Bueno, pero sigue quedando el señor Avery Thorne —dijo Lily—. Mill House podría ser suya. Sin duda, impugnará el testamento. —Y continuó insistiendo en el tema—: Solo necesita presentarse ante un tribunal y el sistema judicial le dará la razón sean cuales sean sus argumentos, solo por virtud de su sexo. Él...

—Se ha marchado a África, señorita Bede —le cortó Evelyn con suavidad—. El viernes pasado.

—¿Qué?

—Hemos recibido una carta suya. Sus planes son pasar los próximos cinco años viajando.

—Viajando —repitió Lily estupefacta.

—Sí. Él... él declaró su, bueno, su desilusión por los términos del testamento y su convencimiento de que habrá de tomar posesión de Mill House a su regreso dentro de cinco años.

Evelyn le tendió la mano.

—Fuera de Inglaterra, Avery no podrá impugnar el testamento. Así que hasta que descubramos cuáles son sus planes, ¿no estará más cómoda en casa?

—¿En casa? —dijo Lily.

No podía creer que Avery Thorne hubiera renunciado a reclamar Mill House sin batallar. A lo mejor la casa no significaba nada para él. A lo mejor él no necesitaba una casa tan desesperadamente como ella.

Evelyn enrojeció y sus pestañas temblaron.

—Yo... nosotros dejaremos libres nuestros aposentos, claro. Tan pronto como usted quiera.

—¡No! —exclamó Lily azorada—. Por favor. Aunque sintiera la inclinación a aceptar las condiciones del testamento, jamás lo haría sabiendo que este inesperado favor tiene como consecuencia su desahucio.

—Bueno, podemos instalar nuestra residencia en la casa de la ciudad. Es muy... moderna. Bastante grande.

—Pero no es su hogar —insistió Lily.

—Bueno, no podría seguir viviendo en Mill House sabiendo que al hacerlo le impedimos aceptar el testamento.

El ceño fruncido de Evelyn delataba su suave empeño.

—Supongo... —dijo Evelyn, lanzando a Lily una mirada ansiosa—. Quizá, si ayudásemos con los gastos, podríamos...

—¿Sí? —le apremió Lily.

—¿Podríamos vivir todos allí? —Lily la miró fijamente—. En casa —aclaró Evelyn.

«En casa.» La expresión envolvió a Lily como una marea de añoranza. Ella nunca había tenido un hogar, solo buhardillas de alquiler, desvanes en el centro de la ciudad o casuchas prestadas.

Consideró sus diferentes opciones. Podía recibir un espléndido estipendio durante todos los años que lograse mantener la boca cerrada en relación a un tema sobre el que definitivamente tenía una opinión firme. O podía arriesgarse.

—Sí —dijo débilmente—. Creo que podríamos. Pero primero tengo algunos asuntos que resolver. Iré a Mill House hacia finales de semana.

Al fin y al cabo, nunca había conseguido mantener la boca cerrada.

2

Devon, Inglaterra, septiembre de 1887

—Ya casi hemos llegado, señorita Bede —dijo el cochero con un guiño, y volvió a centrar su atención en el caballo.

Lily se dijo a sí misma que debía evitar quedarse boquiabierta. Al fin y al cabo, ya había estado con anterioridad en mansiones. Varios amigos de su padre poseían fincas fabulosas. Pero —pensó con una abierta sonrisa— nunca había visto una mansión que pudiera ser suya.

El jamelgo dio la vuelta y dejó atrás el camino de cipreses para acceder al patio de la entrada. Lily olvidó lo que se había prometido a sí misma y observó la casa boquiabierta.

Mill House era preciosa. Solo tenía cien años de antigüedad y había sido construida con la piedra brillante de una cantera local. Los bloques de piedra extraídos manualmente resplandecían con su color de miel y trébol en medio de cálida luz del mediodía. En la fachada frontal orientada al sur, una entrada simple y elevada estaba flanqueada por altas ventanas perfectamente simétricas en cuyo brillante cristal se proyectaba el reflejo de un cielo completamente despejado, algo muy poco habitual.

Fiel a sus orígenes rurales, la casa no estaba rodeada de árboles ni de jardines. Solo había un viejo ciprés que se alzaba detrás de una de las esquinas de la mansión. Un pequeño riachuelo atravesaba un verde prado salpicado de milenramas y prímula y dejaba circular su caudalosa corriente bajo abruptas orillas cubiertas de musgo. Más allá, Lily pudo ver a un labrador que trabajaba el campo. Cerró los ojos y tomó aire profundamente. Pudo oler el rico aroma a tierra recién arada. Un aroma exquisito.

El cochero detuvo el carruaje, bajó de su asiento y dio la vuelta al vehículo para ayudarla a bajar. Como si estuviera orquestado, en ese momento se abrió la puerta y en lo alto de la escalera apareció un hombre de mediana edad vestido pulcramente. Tenía un rostro campechano en cuyo centro parecían ir a parar todas sus facciones y una buena mata de pelo hirsuto de color gris.

En el recibidor poco iluminado que había tras él, parecía haberse congregado una interminable hilera de gente: jóvenes, viejos, sobre todo mujeres, algunos muchachos, unos vestidos con delantal y otros con bastas vestimentas. Sirvientes.

Los padres de Lily nunca habían tenido empleado más de un sirviente.

Lily subió las escaleras exteriores y el hombre más mayor se apresuró a acercarse hasta ella.

—Permítame que me presente. Soy Jacob Flowers, señorita Bede.

—¿Y cuál es su puesto, señor Flowers?

—Soy el mayordomo. Superviso al personal que sirve dentro de la casa, señorita —dijo, y señaló con la mano la fila—. Este personal. ¿Se los presento?

Consciente de las decenas de ojos que se posaban sobre ella, Lily solo pudo asentir. El señor Flowers la hizo pasar delante de él y empezó a pronunciar nombres a medida que recorrían la hilera de sirvientes. Éstos agachaban la cabeza y hacían una reverencia. Parecían conejos de hojalata alcanzados por perdigones en uno de los puestos de tiro de una feria campestre.

Para cuando llegaron a la última empleada de la cocina,

una muchacha con cara de manzana y un delantal sospechosamente prieto, a Lily la cabeza le daba vueltas.

—¿Cuántos son? —preguntó.

—Veintinueve, señorita Bede —proclamó el señor Flowers con orgullo—, y sin contar el servicio fuera de la casa.

—Aunque está claro —añadió el señor Flowers, posando la mirada en la sirvienta embarazada— que pronto seremos veintiocho.

—¿Tanta gente para cuidar de una sola vivienda? —le preguntó—. ¿Qué es lo que hacen?

Las ásperas manos, las manchas de carbón y el fuerte olor a lejía indicaban lo que hacían las mujeres pero Lily se preguntó a qué se dedicaban los seis altos mozos inmaculadamente vestidos y provistos de almidonados guantes.

—¿Qué hacen ellos?

—Llevan las bandejas de plata y traen encargos de la ciudad.

Como Lily seguía mirándole con expresión contrariada, el señor Flowers añadió:

—Se ocupan de servir en las cenas, de sujetar los caballos que tiran de los carruajes, de bajar la araña de luz del recibidor. Y de subirla, claro.

—Claro —murmuró Lily.

Volvió a repasar la hilera de sirvientes. Todos tenían el rostro vuelto hacia ella; algunos con expresión inescrutable, otros con expresión curiosa, unos pocos con una desalentadora mirada de desprecio, que venía a declarar abiertamente: «No eres mejor que yo, gitanilla; ni siquiera estás a mi altura».

El corazón empezó a latirle a toda velocidad. Buceó en su cerebro para encontrar algo que decir.

—En las próximas semanas —empezó con voz temblorosa— van a cambiar las cosas en Mill House. Dejaré marchar a aquellos cuyo trabajo considere superfluo. Con una carta de recomendación, por supuesto.

—¿Qué quiere decir con «superfluo»? —preguntó una voz.

—Me refiero a aquellos cuyas aptitudes no sean necesarias para el funcionamiento cotidiano de la finca.

—No te preocupes, Peg. Siempre habrá alguien que requiera tu particular aptitud, chiquilla —dijo una voz masculina, a la que siguió una carcajada general.

La mirada de Lily se posó en un muchacho de aspecto chulesco.

—Márchese.

—¿Qué? No puede...

—Puedo. Ya no trabaja para mí.

Durante un largo minuto se desafiaron con la mirada. Gracias a Dios, la falda tapaba las temblorosas piernas de Lily. Al final, ahogando una maldición, el muchacho salió de la fila y se dirigió a trompicones hacia la puerta de entrada de la casa, todavía abierta. Los demás se quedaron mirando cómo se marchaba, boquiabiertos e incrédulos.

—A partir de ahora en esta casa, mi casa, se valorará el trabajo de todas las mujeres y las pinches de cocina serán tratadas con el mismo respeto que los cocineros.

—No nos entusiasmemos —murmuró una cocinera bajita de pelo gris, con el peculiar nombre de señora Kettle.*

—Quiero que Mill House sea un éxito, no solo por mí, sino por el bien de todas las mujeres. Porque si una mujer como yo, sin apellido, posición social o cuna, puede a través de la perseverancia y el trabajo duro conseguir una finca como Mill House, ¿qué no tendréis a vuestro alcance? Se lo digo francamente. Necesito su ayuda. No puedo hacer esto sola. Si no están por la labor, si no pueden darme su lealtad incondicional, no hay sitio aquí para ustedes.

—¡Yo estaré a su lado, señorita! —dijo la criada embarazada con voz temblorosa.

—¡Bien! —dijo Lily—. El resto de ustedes piensen en lo que he dicho. Tengan en cuenta su futuro y cuando acabe la semana ya veremos dónde estamos. Pueden retirarse.

* *Kettle* en inglés significa «tetera». *(N. del T.)*

Las filas se rompieron al unísono. Los criados se pusieron en movimiento y desaparecieron por los vestíbulos, a través de las puertas y escaleras arriba, dejando a Lily a solas con el señor Flowers.

—No apruebo su actitud, señorita —dijo él, frunciendo el ceño con aire furibundo—. Me veo obligado a decirle que no apruebo la aplicación de las tácticas comunistas en mi casa.

Lily le miró directamente a los ojos y dando un profundo suspiro, dijo:

—No es su casa, señor Flowers. Es mi casa. Pero viendo que no tengo su aprobación ni tampoco la tienen mis... tácticas, estoy segura de que estará encantado de saber que no necesito el servicio de un mayordomo.

—¿Qué?

—Está despedido, señor Flowers.

Por un momento creyó que el señor Flowers iba a replicar, pero se limitó a lanzar un resoplido. Después se dio la vuelta y se marchó dando grandes zancadas.

Lily cerró los ojos, sorprendida ante su audacia. Sintió un alivio tan grande que notó cómo las rodillas se le doblaban.

—Tengo que decir que tendría mi voto —dijo una voz gutural de mujer detrás de ella— si tuviera derecho a votar, claro está.

Lily enrojeció. Abrió los ojos y descubrió junto a ella a Francesca, la hija soltera de Horatio.

Era lo menos parecido a una solterona. Tenía un cabello rubio ceniza cuyos rizos caían sobre unos ojos claros y soñadores. Sus labios, de un rosa demasiado uniforme para ser natural, esbozaban una juguetona sonrisa. Iba vestida con un traje de tafetán color azul pavo real que delataba una sensual insinuación visto de cerca y que no parecía tampoco la vestimenta habitual de una solterona.

—Soy Francesca Thorne —dijo—. Lamento que Evie no esté aquí para recibirla. La llamaron de Eton ayer mismo. Bernie no está bien. Nada de lo que preocuparse; tiene los pulmones delicados y de vez en cuando sufre uno de sus ataques.

Si está tranquilo, no hay mayor complicación. Evie, por si no se ha fijado, es una persona de exagerada calma.

Lily asintió.

—Me pidió que le diese un recibimiento adecuado —dijo Francesca—. Así que bienvenida, señorita Bede.

Y esbozó una sonrisa burlona.

—Señorita Thorne, siento haber dado la impresión de ser impetuosa...

—Llámeme Francesca —dijo—. Debo reconocer que tenía todo listo para marcharme a París, pero después de esta actuación... —y volvió a lanzarle su misteriosa sonrisa— bueno, he pensado que me quedaré una temporada. Me está permitido, ¿verdad?

—Por supuesto —dijo Lily, lanzando una mirada preocupante al elaborado peinado de Francesca y a su caro vestido.

—No debe preocuparse por mí ni por mi reducido servicio, señorita Bede —dijo Francesca, dándose cuenta de lo que Lily estaba observando—. A mi padre le encantaba pensar que dependía totalmente de él para mis gastos. No hace falta decir que mi padre estaba equivocado. —Y encogiéndose de hombros, añadió—: El caso de Evelyn es totalmente distinto. Después de la muerte de su marido, empaquetó a Bernard y sus pocas pertenencias y huyó de su casa despavorida. Se instaló aquí y aquí es donde ha vivido desde entonces. Claro que siempre puede volver a obligarla a hacer las maletas.

Lily, totalmente indignada, se apartó de la mujer.

—¡Jamás haría eso!

—¿Por qué no? —le preguntó Francesca—. Los hombres lo hacen constantemente.

—Una más de las mil y una razones por las que las mujeres están mejor sin ellos.

—Espero que nuestro amado Altísimo lo recuerde —dijo Francesca, poniéndose la mano en el pecho y levantando los ojos hacia el cielo—. Es ella quién lo ha dicho, no yo. Que no me incluyan a mí el día del Juicio Final. Venga, señorita

Bede, he pedido que sirvan el té en mi habitación. Por aquí, por favor.

Lily siguió a Francesca, fijándose con avidez en todos los detalles de la hermosa mansión: la alfombra oriental, la mesa con incrustaciones de malaquita, un jarrón de Sèvres de valor incalculable del que pendía una cascada de crisantemos color bronce. A pesar de las provocaciones de Francesca, las cosas iban mejor de lo que Lily había previsto. Había conocido a casi todos los afectados por el testamento de Horatio Thorne y ninguno de ellos parecía que causaría problemas, excepto...

—Excepto Avery Thorne —murmuró.

Había dedicado muchas horas a pensar en el que debería haber sido heredero de Mill House. Eran pensamientos desagradables, ya que su nombre iba asociado a un amago de sentimiento de culpa. Y Lily había descubierto que la culpa siempre estaba acompañada de cierta suspicacia.

—Está planeando algo. Lo sé.

—No la he oído, señorita Bede —dijo Francesca.

—Creo que Avery Thorne intentará hacer valer sus derechos para eliminar mis opciones de quedarme con Mill House.

Maldijo su costumbre de pensar en voz alta.

Sin embargo, Francesca no pareció ofendida.

—¿Y qué le hace pensar eso?

Lily consideró la opción de mentirle, pero por otro lado pensó que aquella mujer podía darle algo de información sobre Avery Thorne.

—Porque no es que haya querido cumplir con su deseo de ver mundo, sino que se ha ido a la zona del mundo más inaccesible —dijo Lily—. Creo que, alejándose de mí de forma que no pueda llegar a él, Avery Thorne está intentando que pierda Mill House.

—Pero ¿cómo? —le preguntó Francesca perpleja.

—Haciendo que parezca que soy negligente e incapaz de proporcionarle un sustento razonable mientras me hago cargo de su asignación legal, logrando que sea imposible que le haga entrega de dicha asignación que debo, obligatoriamente y según los términos del testamento, proporcionarle —dijo Lily. Y cruzándose de brazos con resolución y con una sonrisa triunfante, continuó—: No lo conseguirá. Mis padres tenían amigos repartidos por todo el mundo, se lo aseguro, y si Avery Thorne está a una distancia salvable por cualquiera de ellos, tendrá su asignación.

—Creo que está equivocada —dijo Francesca en un tono que sonaba sincero—. Avery no es de los que pierde el tiempo con tretas. —Francesca suspiró, y con expresión afectuosa pero compungida, explicó—: Nunca haría nada por detrás. Por innumerables razones, cualesquiera que sean, Avery siempre ha actuado creyéndose ilusamente que era la quintaesencia de la caballerosidad. No lo es. Ha tenido poco trato con la alta sociedad y se nota, a veces hasta extremos lamentables. De hecho, su caballerosidad tiene más que ver con el honor que con la etiqueta. Aunque él sería el primero en rebatirlo.

—Es un hombre, señorita Thorne, y como hombre —le dijo Lily en un tono aleccionador— es capaz de cualquier cosa para salirse con la suya.

Francesca levantó las manos y Lily supo que era un gesto de derrota ante su lógica aplastante.

—Perdóneme, señorita Thorne —dijo Lily rápidamente—, por hablar de manera tan poco delicada sobre su hogar. Soy consciente de que debe de ser difícil ver cómo la ponen de algún modo a disposición de otros y considero que se está comportando usted de un modo increíblemente cortés.

Francesca se giró en redondo.

—Oh, querida, no. Nunca ha sido mi hogar. Tampoco el de Evie, realmente. Como le he dicho, solo vino a vivir aquí después de que su esposo Gerald falleciese.

—Lo lamento.

—Será la única —dijo Francesca, tomando a Lily por el brazo y haciéndola subir por una escalera en espiral—. Mi hermano Gerald se pasó años intentado que la pobre Evie se quedase embarazada de un varón. Cuando supo que lo había logrado, el viejo Ger inmediatamente se puso a beber como un loco, insistió en que le ensillasen su semental (un hombre que acaba de tener un hijo varón no puede cabalgar a lomos de un caballo castrado) y salió disparado a informar al vecindario. Se rompió el cuello antes de que se hubiera acallado el primer llanto de su heredero.

—Pero eso es trágico —exclamó Lily.

—Gerald era un monstruo maltratador. Evie todavía se está recuperando de su matrimonio. Es mejor que se lo explique yo que los criados. Oh, cariño, es un shock para usted, ¿verdad?

—No del todo —dijo Lily.

Había oído la misma historia cientos de veces. Era poco habitual que las mujeres basasen una demanda de divorcio en el maltrato. Las pruebas físicas no solían ser concluyentes y muy pocas mujeres optaban por abandonar a sus maridos, ya que generalmente ello implicaba abandonar también a sus hijos. Como lo había hecho su madre al abandonar a los suyos.

Lily irguió la barbilla. Hacía mucho tiempo que no había pensado en sus hermanastros.

Francesca la miró con curiosidad, pero Lily no hizo ningún comentario. Habían llegado al final de la escalera y a ambos lados del descansillo se abrían sendos salones.

—Aquí empieza el verdadero *tour* —dijo Francesca, y adoptando un impostado tono formal, continuó—: Mill House tiene veintidós habitaciones. O puede que más. O quizá menos. Nunca las he contado. Sin embargo, lo que sí sé es que tiene ocho dormitorios. Estoy segura de que, en un momento u otro, he dormido en todos ellos.

Su mirada era deliberadamente sugerente.

Lily se la devolvió con satisfacción. A pesar de la concienzuda protección de su madre, había crecido en una sociedad abierta. Francesca debería esforzarse más si lo que pretendía era escandalizarla.

—Entonces quizá puedas recomendarme cuál de ellas tiene el mejor colchón.

La mirada sorprendida de Francesca se transformó inmediatamente en una carcajada.

—Sí, definitivamente, debería quedarme.

Francesca condujo a Lily a través de una puerta arqueada y entraron en una pequeña galería. Frente a las ventanas, había una serie de retratos. Todos ellos compartían una semejanza familiar que se reflejaba en unos ojos color turquesa de una intensidad indudable y en unos labios sensuales.

Se detuvieron frente a un retrato reciente de un muchacho adolescente con aspecto desgarbado. Tenía los ojos y los labios de los Thorne y una nariz grande que parecía haber sufrido una fractura. El pintor había decidido —al parecer de Lily sin mucho tino— que el retratado tuviera una pose aristocrática, y el chico apoyaba una de sus largas y huesudas manos en la cadera y alargaba una de las piernas hacia delante. Desgraciadamente, la pose solo conseguía acentuar sus flacuchas pantorrillas y las minúsculas muñecas de sus antebrazos.

—¿Quién es este? —preguntó Lily.

—Este es el único Thorne que tiene algún apego a Mill House. Este es Avery Thorne.

¿Aquel flaco y narigudo muchacho era Avery Thorne? ¿Aquel era el otro contendiente para hacerse con Mill House?

—El retrato lo pintaron hace cinco años —continuó Francesca—, cuando tenía diecisiete. Hace varios años que no le veo, pero me han dicho que ha engordado un poco.

—Me alegro. ¿Es muy... inteligente? Lo digo porque tiene aspecto de un chico debilucho y malhumorado —soltó Lily, sonrojándose después de manera evidente.

—La verdad —comentó Francesca, riéndose por debajo de la nariz— es que acabas de describir a mi querido primo. Pero contestando a tu pregunta, sí. Si baso mi criterio en las pocas cartas que escribía a mi padre, es inteligente. Sin duda, lo es.

Lily estudió el retrato con recelo. Seguramente al chico le habrían roto la nariz por meterla en asuntos que no eran de su incumbencia. Sus ojos eran demasiado profundos..., inescrutables. Su boca tenía una expresión desdeñosa.

Le asaltó la idea de que quizá estaba siendo dura con Avery Thorne solo porque su intención no era otra que hacerse con la herencia que a él le correspondía. Rechazó la idea. Como hombre que era, tendría un montón de oportunidades para asegurarse el futuro. Ella tenía solo una. Aquella.

3

Congo francés, África central,
marzo de 1888

Avery recuperó el ritmo de la marcha y con la mano aplastó contra su cogote los mosquitos que le chupaban la sangre. En las profundidades de aquella zona interior, los malditos bichos eran tan grandes como pájaros. Retiró la gastada colilla del puro que tenía entre los dientes y lanzó una bocanada de humo azulado con la intención de espantar a los chupasangres menos aventureros.

Cuando Avery llegó al campamento, Karl Dhurmann, que había ido con él a la universidad, levantó la vista de una compota de olor nauseabundo que estaba removiendo. Apoyado en el tronco de una caoba, estaba John Neigl, el líder americano de su expedición. A pesar del calor, se encontraba envuelto en varias sábanas y su cuerpo temblaba notablemente. Tenía los ojos semicerrados.

Había contraído la malaria seis semanas atrás. Ahora era un espectro con las mejillas hundidas, nada que ver con el fornido joven que había dirigido los pasos de todos con tanta seguridad. Por suerte, estaban a tan solo diez kilómetros de Stanleyville, donde Avery había ido a buscar el billete de regreso a Europa para John.

—¿Cómo va, amigo? —preguntó Avery.

—Genial —masculló John—. ¿Has podido arreglar las cosas? ¿Me voy a casa?

—Sí —dijo Avery—. Te vas a casa.

Viendo cómo el rostro de John delataba su alivio, Avery se preguntó adónde le habrían enviado a él en el caso de haber sucumbido a la malaria. Estaba claro que no había hogar alguno esperándole, ningún refugio al que tuviera derecho y donde siempre pudiera ser bien recibido. Todavía no.

—Y eso no es todo —dijo Avery, sacando un paquete del bolsillo—. He recibido esto de Inglaterra.

—¿De quién? —preguntó John. Avery sintió un gran alivio al ver un brillo de curiosidad en los ojos de su amigo.

Como respuesta, Avery rasgó el envoltorio. Cayó un sobre con el nombre de Avery escrito con trazo firme en él. El remite era «Lillian Bede. Mill House, Devon, Inglaterra».

—Es de esa mujer —dijo.

—¿Qué mujer? —preguntó Karl con interés—. No conoces a ninguna mujer. No eres un tipo mujeriego. Nunca lo has sido. A no ser que llevases una doble vida mientras estábamos en la universidad y fueses a la vez un delicado e irascible estudiante y un cortés seductor.

—No me sorprendería —murmuró John—. El viejo Avery es una especie de camaleón humano.

El sudor pegajoso del rostro de John brillaba a la luz de la lámpara del campamento.

—Este viaje de pesadilla no parece haberle causado ningún daño —continuó John—. Odio tener que recordároslo, pero se suponía que el líder hirsuto y áspero de la expedición debía ser yo. El papel de Avery debía limitarse a ser el cronista tuberculoso e ingenioso.

Avery se encogió de hombros algo incómodo. No había por qué negar el sabor agridulce de la realidad. Avery nunca habría pensado en llevar una vida tan peligrosa. Y desde luego, nunca habría imaginado que pudiera desenvolverse en ella.

—Estoy seguro de que todo volverá a su cauce una vez puedas mantenerte de nuevo en pie, John.

Incómodo ante el cariz que había tomado la conversación, Avery levantó la carta.

—Lo me gustaría saber es cómo diablos ha logrado que este sobre llegue hasta aquí.

—Las mujeres tienen sus métodos —dijo Karl con aire misterioso.

Metió el último pedazo de ternera de lata pinchado con un cuchillo en el cazo oscuro y después limpió la hoja con la lengua.

—¿No te enseñaron unos mínimos modales en tu casa? —le preguntó el petulante de John.

La respuesta de Karl fue el sonido de su reloj de bolsillo al abrirse y cerrarse. En una ocasión, había explicado a Avery que ese ruido le recordaba que nadie tenía ni prometida ni asegurada ni la siguiente hora de su vida ni el siguiente amanecer. Y que el nombre y la familia y el hogar, todo aquello que un hombre poseía, todo aquello que amaba, podía desvanecerse en cuestión de minutos.

Una guerra civil había acabado con el país de Karl y con toda su familia aristocrática.

Como si hubiera leído sus pensamientos y no quisiera aceptar su compasión, Karl, sin levantar la vista, dijo:

—¿Por qué no lees la maldita carta?

Avery abrió el sobre, sopló para ampliar la apertura y le dio la vuelta. Ocho billetes de diez libras cayeron flotando hasta el suelo embarrado.

—¿Qué demonios?

—A lo mejor la carta da una explicación —sugirió John.

—Está bien —dijo Avery, y leyó en voz alta—: «Señor Thorne, me han asegurado que cualquiera que esté viajando por el Congo acabará pasando por un lugar llamado Stanleyville y que, por consiguiente, esta carta llegará a sus manos.

»Quizá en el futuro se molestará en informarme de dónde debo enviarle la correspondencia. Estoy segura de que no se habrá dado cuenta de que, caso de que no pueda hacerle llegar su asignación, estaré incumpliendo los términos de mi custodia legal y, por consiguiente, con toda probabilidad, poniendo en peligro mi anticipada herencia».

¿Cómo osaba esa tipeja cuestionar su honor?, pensó Avery sin dar crédito. ¡Le estaba provocando! Estaba claro que creía que era capaz de salir victoriosa de aquel absurdo desafío al que Horatio la había forzado, no solo a ella, sino a todos.

—«De hecho —continuó leyendo Avery—, estoy convencida de que su continua inaccesibilidad es fruto del más puro azar y no de un intenso esfuerzo por situarse donde yo no pueda alcanzarle.» ¡Pero menuda hembra desconfiada y mal pensada! —estalló Avery, ganándose una mirada de sorpresa de Karl—. Escuchad esto: «De todos modos, tratando con hombres, ninguna precaución es poca». ¿Hombres? —dijo levantando las cejas—. Yo soy un caballero. Aunque me atrevería a decir que esa tal señorita Bede, alternando con los sufragistas con los que se codea, debe de haber tenido tan poco trato con caballeros que probablemente sería incapaz de reconocer a uno si lo viese.

Karl le miró con expresión divertida.

—Qué imaginación tan maravillosa —murmuró.

—No quiero siquiera intentar averiguar a quién o a qué te refieres con eso —le replicó Avery.

—Bien —dijo Karl, y le invitó a seguir—. Continuemos con la carta...

Avery continúo leyendo.

—«Le haré entrega de su asignación trimestral en mano. Y ahora, vayamos al grano: me he hecho cargo de las facturas que dejó pendientes de pago antes de abandonar Londres en avión.» ¡Abandonar Londres en avión! Esta tipa insufrible hace que parezca que huí de Londres del modo más vil imaginable.

John resolló y dejó escapar una carcajada.

—Te juro que no recuerdo haberme divertido tanto en mi vida. Una mujer que es capaz de igualar tu letal sarcasmo.

Avery prefirió ignorar el comentario. Al fin y al cabo, el hombre estaba enfermo. Le dio la vuelta a la hoja.

Me he hecho cargo de las facturas que dejó pendientes de pago antes de abandonar Londres en avión y las he pagado. Será sin duda por mi origen plebeyo, pero casi me desmayo al tener que pagar una factura de 50 libras por una chaqueta de caza. Sírvase, señor, a satisfacer mi curiosidad. ¿No podría salir de caza vestido, digámoslo así, con una chaqueta más sencilla? ¿O puede que el zorro tenga algo que objetar?

No hace falta decir que no voy a seguir pagando facturas de ese tipo. He tomado la decisión de concederle una asignación trimestral de 180 libras y aquí las tiene. Es el primer pago.

Caso de que considere que es insuficiente para cubrir sus necesidades, le sugiero que se limite a necesitar menos.

Cordialmente,

LILLIAN BEDE

Posdata: Le esperamos gustosamente en Mill House para Navidad. Su viaje a África tiene fascinado a su primo Bernard.

—Qué mujer tan maravillosa —dijo Karl—. Juro que le propondré matrimonio en cuanto regrese a Inglaterra.

Avery enarcó una ceja y miró a su amigo.

—Tonterías. No es para nada tu estilo.

—¿Cómo lo sabes? —preguntó burlonamente Karl.

—Porque tú, Karl, como cualquier hombre con criterio, admiras a las mujeres dulces y femeninas. Y ella no lo es. En uno de esos periodicuchos socialistas, pude ver una ilustración de ella. Y lo mejor que puede decirse es que es una brujilla escuálida de ojos hundidos.

—¿Una brujilla? —dijo John, inclinando la cabeza con gesto de perplejidad.

—Una brujilla; todavía no se ha ganado el sombrero de bruja. Se halla aún en la fase adolescente de la bruja británica —explicó Avery.

—Pero puede ser que el periódico la hubiera retratado fea a propósito —protestó John.

Avery vio la renovada energía en el rostro de sus dos amigos y dio interiormente las gracias a Lily Bede.

—John, viejo amigo, una mujer hermosa puede tener todo lo que desee únicamente gracias a la simetría perfecta de sus rasgos, al color de sus ojos, a la forma del poro que moldea la textura de su cabello. Si es una mujer inteligente, lo único que tiene que hacer es completar los dones que la naturaleza le ha otorgado con una boca que esboce más sonrisas que morros. Haciendo eso, puede garantizarse una vida en la que será mimada, cuidada y consentida.

—¿Qué quieres decir? —le preguntó Karl.

—Lo que quiero decir —continuó Avery— es que lo que demuestra la carta es que la señorita Bede es una mujer inteligente, aunque molesta. Por consiguiente, si tuviera un ápice de belleza, habría utilizado esa inteligencia para conseguir casarse.

John no parecía muy convencido.

—Pero puede que el ilustrador la hiciese parecer fea porque no le gustaba su postura política.

—Sí, su postura política. Lo que no hace sino corroborar mi teoría sobre su falta de belleza. Preguntaos una cosa, caballeros —dijo Avery, sonriendo amablemente como muestra de su paciente actitud ante la obcecación de sus amigos—, ¿habéis visto alguna vez a una sufragista atractiva?

Devon, Inglaterra, agosto de 1888

—¡Bomba va! —gritó Lily, saltando en el aire con los brazos alrededor de las rodillas. Cayó en medio del estanque que formaba el agua del molino cercano, como una estupenda bomba que levantó una buena cantidad de agua. Emergió riendo y sacudiendo la cabeza, salpicando alrededor toda la superficie ondulada del estanque.

Desde la orilla, Bernard la observaba fascinado.

—¡Ahora te toca a ti, compañero! —gritó Lily, levantando la mano y haciendo señales al niño.

—Creo que es mejor que me espere a saber nadar mejor —dijo Bernard dubitativo.

Lily arrugó la nariz.

—Nadas estupendamente.

El pálido rostro del niño enrojeció de satisfacción y Lily se sintió feliz por haber sido capaz de conseguir, si no escapar, sí esquivar la excesiva supervisión que Evelyn ejercía sobre aquellas lecciones ocasionales de natación.

Ser la hija de dos inconformistas tenía sus ventajas, pensó Lily, tumbada de espaldas a la espera de que Bernard bajase a gatas por la orilla del lago. Nadar era una de esas ventajas.

Al cabo de un momento oyó a Bernard entrando en el agua. Un trago, un grito ahogado. Esperó. El corazón le dio un vuelco momentáneo hasta que oyó su respiración, acompasada y libre de aquel jadeo espantoso que a veces le atormentaba.

—¿De verdad crees que nado estupendamente? —le preguntó tímidamente, nadando como un perrito a su lado.

—De maravilla —le confirmó Lily, dando la vuelta y dejando que su barbilla entrase y saliese del agua—. Dudo mucho que alguno de los otros chicos del colegio naden igual de bien que tú. Si es que saben nadar. —Sonrió burlonamente—. No es precisamente un pasatiempo que se asocie con un caballero.

—Bueno, a mí me gusta —proclamó Bernard—. Y soy un caballero... ¿verdad?

—Sin duda alguna.

La confirmación de Lily hizo que una expresión de alivio sustituyese la de preocupación en el rostro de Bernard.

—¿Tan importante es ser un caballero, Bernard? —le preguntó suavemente.

La pregunta de Lily provocó el asombro de Bernard, que se reflejó en su diminuto rostro.

—Por supuesto, soy un Thorne. Es mi patrimonio. Es... es británico. Sin caballeros, el mundo sería un lugar incivilizado.

—¿Quién dice eso? —preguntó Lily con ganas de confundirle.

Pero Bernard no iba a permitir que le confundieran sobre algo tan importante.

—Avery Thorne.

—Hum.

Debería haberlo supuesto. Avery Thorne. El ídolo de los niños y de los lectores de periódicos en todo el país.

—¿Pasa algo? —le preguntó Bernard, quien siempre mostraba una especial sensibilidad hacia las emociones de los que le rodeaban. De nuevo, tenía una expresión de preocupación.

Cómo odiaba ver esa expresión en la carita de aquel niño de diez años. Si dependía de ella, no iba a volver a aparecer en toda la tarde. Ambos iban a hacer novillos aquel día, ella de sus responsabilidades como encargada de la finca y él de sus obligaciones de futuro caballero.

—Nada —dijo Lily.

Se dio la vuelta de nuevo y flotó en el agua fresca, notando el calor del sol en el rostro. El cabello flotó alrededor de ella como si fuera seda de color negro. Sonrió de nuevo y Bernard se contagió del placer que Lily sentía estando simplemente así. Le devolvió la sonrisa.

—¿Quieres aprender a bucear?

Lily estaba de pie junto a Francesca y a Evelyn en lo alto de la escalera que daba al patio de entrada a la casa. Tenía un sobre en las manos con el que se golpeaba la barbilla. Entre el conductor del camión y Hob, el jardinero en jefe, habían bajado a pulso una inmensa caja de madera de la parte trasera de la camioneta.

—¿Es una carta de una de tus antiguas criadas? —le preguntó Francesca, mirando con indiferencia hacia el camión—. No sé cómo te las arreglas para colar a todas esas chicas como viudas con niños pequeños en las casas sin levantar sospechas. ¿No le parece a nadie sospechoso que hayas conseguido colocar nada más y nada menos que a doce viudas recientes en los últimos dos años?

Lily no contestó. Apenas le estaba prestando atención. Ya habían hablado de aquel tema con anterioridad. Entre el servicio de Mill House abundaban jovencísimas muchachas solteras que se habían quedado embarazadas.

Lily no solo les daba habitación, comida y un pequeño salario, sino que, una vez las chicas habían dado a luz, les escribía unas excelentes cartas de recomendación, les daba un extra considerable y, si era necesario, fabricaba licencias falsas de matrimonio. Después las mandaba a casas lejanas donde necesitaban urgentemente sirvientes. Era un arreglo perfectamente satisfactorio para todos. Así que no entendía por qué le hacía tanta gracia a Francesca.

—¿Qué crees que puede ser? —susurró Evelyn, señalando la caja embalada.

Lily miró a su alrededor y, al hacerlo, se percató de que por encima de la puerta principal crecía una hiedra. Habría que podarla. Su mirada se paseó con un intenso orgullo de propietaria por el resto de Mill House. Los escalones de granito rosa estaban brillantes y el metal de la puerta estaba resplandeciente, al igual que la pátina de madera.

—A lo mejor es una bomba que las amigas sufragistas de Lily quieren que guardemos —sugirió Francesca—. Os aseguro que no pondría la mano en el fuego por esa tal Polly Makepeace.

Lily lanzó una mirada reprobadora a Francesca. Polly Makepeace podía tener una personalidad poco agradable, pero su grado de compromiso con algunas de las más importantes causas femeninas era indudable.

—¿Iba la carta con la caja? —preguntó Evelyn.

Lily asintió.

—Bueno, ¿por qué no la lees? —sugirió Francesca.

—No viene a mi atención, sino a la de Bernard —contestó Lily, sin disimular la desilusión que aquello le causaba.

—Bernard acaba de volver al colegio —dijo Francesca—.

Estoy segura de que querría que leyésemos las instrucciones que puedan acompañar a lo que quiera que sea el paquete, para que podamos ocuparnos de ello adecuadamente.

—Sí —corroboró Evelyn—. Creo que es lo que Bernard querría.

—¿De verdad? —preguntó Lily.

Las dos mujeres asintieron enérgicamente.

—Bueno, si estáis tan seguras de que no me acusaría de ser una entrometida...

—¡Oh, no! —exclamó Evelyn.

—¿A ti, Lily? —continuó Francesca, con los ojos abiertos fingiendo sorpresa—. Nunca.

Lily se dio por vencida. Abrió el sobre y sacó la carta de su interior.

—Es suya —dijo en un apagado tono triunfal.

No hacían falta más explicaciones. Evelyn hizo una mueca de reprobación y Francesca sonrió burlonamente.

Lily se aclaró la garganta:

—Empieza «14 de marzo de 1888. Querido primo y quien tenga la oportunidad de leer esta carta». —Lily interrumpió la lectura con un resoplido burlón y continuó—: «Espero que te guste Billy, la aberración de la naturaleza más irritable y más antihuma que jamás ha poblado la tierra. De hecho, Billy es una hembra. Por favor, informa a tu tutora de que cualquier posible parecido entre la vieja Billy y quienquiera que imagine no ha sido intencionada. Incluso el nombre de Billy, con una cadencia tan similar a su propio nombre, es simplemente una mera coincidencia».

—¿Por qué te ríes por debajo de la nariz? —le preguntó Evelyn ofendida—. Ese canalla te está ridiculizando.

—Lo sé —dijo Lily, dejando escapar la risa abiertamente—. Es absolutamente imposible. ¡Y tan predecible...!

—Sigue leyendo —le apremió Francesca.

—«Así que realmente considero que por caballerosidad debemos cambiar el sexo del animal, ya que a Billy ya no puede importarle. Estaba aterrorizando un poblado cuando eso (él o ella) sucumbió al disparo de mi Ruger 44, un disparo que, debo añadir modestamente, me convirtió ante los ojos de los hombres de la tribu en un dios.» Ya —exclamó Lily.

—Lily, por favor —le suplicó Francesca.

—Vale, está bien —dijo, y continuó—: «Está bastante bien lo de ser un dios, primo. Te sugiero que lo pruebes algún día, aunque debo señalar que en tus actuales circunstancias es poco probable que te eleven a la categoría de dios. Pero sé valiente, Bernard, puedo asegurarte que todavía hay hogares en América y África donde un hombre es el dueño de su destino». Engreído y estirado...

—Bien —dijo Francesca exasperada —déjame que acabe de leerla yo.

Y cogiéndole la carta a Lily de las manos, repasó rápidamente el papel hasta dar con el punto en el que Lily se había quedado.

—«De todos modos, la divinidad tiene sus contratiempos y uno de ellos es que, de momento, estoy comprometido con estos sujetos. Quieren que les acompañe en su peregrinaje anual en busca del animal que se convertirá en su tótem.

»Desgraciadamente, eso significa que tardaré un año más en poder volver a Inglaterra. Quizá las próximas Navidades. Mientras tanto, sigues en mi pensamiento y formas parte de mis planes. Saluda a tu madre de mi parte, a tu tía Francesca y, por supuesto, a Aquella Que Debe Ser Obedecida». Y termina: «Tu primo, Avery Thorne».

Francesca dobló la carta.

—¿Qué crees que será Billy? —preguntó Evelyn, fijando la vista en la caja que los dos hombres estaban intentando abrir.

—Vete tú a saber. Lo que me gustaría es que el señor Thorne dejase de deleitar a Bernard con recuerdos de su Maravillosa Aventura —dijo Lily, consciente de que sonaba petulante—. La casa se está llenando de un sinfín de bobadas: tocados maoríes, esculturas de fertilidad, cadáveres de animales...

—Ten cuidado, Lily —le dijo Francesca—. Suenas celosa.

—Lo estoy —admitió Lily tranquilamente—. ¿Cómo no estar celosa de alguien que se dedica a perder el tiempo dando la vuelta al mundo, escribiendo historias, vendiéndolas a los periódicos y ganando una millonada mientras disfruta de un capricho infantil?

Francesca se encogió de hombros haciéndose la loca. Ella misma acababa de regresar de una estancia de tres meses en París, dejándose llevar por sus propios caprichos.

—Yo no estoy celosa —dijo Evelyn—. Yo estoy contenta tal como estoy. Creía que tú también, Lily.

—Lo estoy —dijo Lily—. Pero pensaba que el propósito de Horatio Thorne era imponer a su sobrino cinco años de seriedad y austeridad. Bueno, nos quedan solo tres años más y no hay evidencia alguna de que el señor Thorne se haya rehabilitado. De hecho, parece volverse cada mes más irresponsable. Si nos atenemos a lo que escribe (algo que quizá no deberíamos hacer), ha arriesgado su vida un montón de veces en el último año. ¿Quién iba a creerse que un debilucho tan birria era capaz de llevar una vida tan atlética? ¿Ha mostrado alguna vez la prensa una fotografía suya? No, claro que no. Le quitaría al señor Thorne cualquier credibilidad, ¿verdad, Evie?

La joven viuda asintió a la fuerza.

—¿Ves, Francesca? Evelyn está de acuerdo conmigo.

—Evelyn siempre está de acuerdo contigo —dijo Francesca en tono aburrido y con la atención puesta en el conductor del camión que se había remangado la camisa y dejaba al descubierto unos fornidos brazos morenos—. Creo que sus historias son muy emocionantes.

—No hay manera, señorita Lily —dijo Hob, quitándose el sudor de la frente con el dorso de la mano—. Sellada completamente. Tendré que ir a buscar a Drummond; a ver si con la ayuda de algunos hombres más...

—¡Maldita sea! —exclamó Lily.

Odiaba tener que pedir favor alguno al responsable de la granja. Drummond era un misógino declarado. Desgraciadamente, también era el mejor granjero del condado.

—Sería una pena —dijo Francesca.

Al oír el suspiro de decepción de Francesca, el conductor del camión levantó la cabeza. Sus ojos se iluminaron con una expresión de fiera y resuelta concentración, y en un gesto de ostentosa exhibición de masculinidad, se subió sobre la caja. Como si fuese un hombre de Neanthertal clavando su lanza sobre el cuerpo peludo de un mamut, el tipo empezó a golpear la caja con una palanca, levantando astillas de madera. Francesca soltó una carcajada, el conductor jadeó y la cubierta de la caja saltó y cayó al suelo con gran estruendo.

Sí, pensó Lily con cierta admiración, digan lo que digan, hay que admitir que Francesca sabe manejar a los hombres.

Mientras agitaba la mano delante de su rostro para apartar el polvo, Lily bajó las escaleras y miró en el interior de la caja.

—¿Qué es? —preguntó Evelyn.

La monstruosa criatura la miraba con ojos vidriosos y torvos. Lily le devolvió la mirada estudiándola.

—Creo que un cocodrilo. Doce pies como mínimo —dijo Lily, dando un profundo suspiro—. Hob, póngalo junto a la piel de búfalo.

4

Alejandría, Egipto, abril de 1890

—«Querido Thorne.» ¿Adivino un frío tono en el saludo o estoy siendo demasiado sensible? —preguntó Avery.

Apartó el puro de sus labios y paseó la mirada por su audiencia: Karl, John, que acababa de regresar de ocho meses de convalecencia, y un nuevo compañero que habían encontrado en Turquía, Omar Salimann.

Karl y John le indicaron impacientes que continuara. Sus rostros estaban parcialmente iluminados por la luz de las antorchas que colgaban de las paredes del balcón del hotel. Debajo, en el puerto de Alejandría, se apretujaban las pálidas y fantasmales embarcaciones, falúas, *dahabiyas* y *zeheri*.

—«Querido Thorne, aquí tiene su dinero.» Está claro que el tono es frío. Está bien, está bien, sigo leyendo. Aunque sigue siendo un misterio para mí por qué las cartas de esta bruja os interesan tanto.

Una completa mentira, se dijo Avery a sí mismo, dejando caer la ceniza del puro. Sabía perfectamente por qué. Lily Bede no solo lograba localizarle fuera cual fuese el rincón del mundo en el que se hallase, sino que había convertido las cartas que intercambiaban en una especie de combate de boxeo, un combate en el que parecía que ella le llevaba unos puntos de ventaja.

Avery debía reconocer que la correspondencia se había convertido en interesante e incluso importante para él; hasta cierto punto, claro está. Era evidente que, cuando un hombre pasa tantos meses sin contacto femenino, cualquier muestra de interés por parte de una mujer, aunque fuera un interés tan cuestionable como el de Lily Bede, estaba llamado a ser bien recibido.

—Deja de mirar fijamente la carta, Thorne, a no ser que la señorita Bede dé una noticia sorprendente.

—No —contestó Avery—. Y no hace falta que se te vea tan esperanzado, John.

Ladeó la hoja para que le diese la luz de la antorcha y siguió leyendo:

—«Una vez más, Bernard se ha empeñado en que lea su carta y que abra su nuevo envío antes de mandárselo (la carta, Thorne, no el envío). Por favor, Thorne, no hace falta que siga invadiendo Mill House con los patéticos recuerdos de sus, supuestamente, desafíos a la muerte. Su último regalo se halla junto a la piel de búfalo y... ¿cuál era el nombre con el que había dotado a ese pobre felino sarnoso? Ah sí, el Fantasma de la Muerte Nepalí.

»Intente controlar su entusiasmo literario, Thorne. El pobre Bernard se tomó muy en serio lo que le explicó sobre el ataque de dicho animal.» Qué gracia —apuntó Avery girando el brazo como si quisiera encajarlo en su hombro—. También mi hombro se lo tomó muy en serio.

—¿No se cree que el tigre te atacó? —preguntó Omar, que había permanecido sentado en silencio—. ¿Cómo puede una simple fémina dudar del gran Avery Thorne?

Avery lanzó a Omar una sonrisa beatífica. El hombre se había unido al grupo después de expresar en público su deseo de viajar con «uno de los más grandes exploradores del mundo».

—Ciertamente, ¿cómo? —preguntó Avery, y continuó leyendo antes de que Karl pudiera colar ningún comentario—: «En el improbable caso de que haya algo de verdad en la historia del tigre, considero que por el bien de Bernard debo aconsejarle que no arriesgue su vida tontamente. Como si hubiera modos inteligentes de arriesgar la vida. Solo a un hombre es necesario hacerle semejante observación sin resultar ridículo.»

—Uau —exclamó John—. Esa ha sido buena.

—Ja —dijo Avery—. Es pura improvisación. Escuchad lo que sigue: «Por si el sentido del tiempo le falla, perdido como está en ese perenne estado de adolescente deambular», cállate, Karl, tus bufidos me desconcentran, «creo que debería empezar a tener en cuenta sus inminentes responsabilidades. Y no me refiero a Mill House, ya que preveo que muy pronto dejará de ser una preocupación para usted».

—No puede hablar en serio —dijo Karl.

Pero la muy puñetera sí hablaba en serio. Avery apretó el puro firmemente entre los dientes. La obsesión de la joven por hacerse con Mill House se le estaba yendo de las manos y solo podía desembocar en una profunda desilusión. No le gustaba imaginarse a Lily Bede sintiéndose desolada. Después de tantos años entreteniéndole, estaba en deuda con ella.

Avery había empezado a pensar que Lily deseaba Mill House tanto como él. Y eso no era nada positivo. Mill House era de él. Se lo habían prometido desde niño. Era suya.

—¿Sabes? —dijo Karl, mirando a Avery con gesto de preocupación—, si la señorita Bede se hiciera con Mill House, no sería tan desastroso. Me da la impresión de que no te gustaría tener que asumir responsabilidades en relación a..., ¿cómo la llamas?, a esa presunta hembra de lengua viperina.

Avery lanzó un gruñido.

—No había pensado en eso, pero está claro que tienes razón. Bueno, ese es el problema.

—No lo entiendo —protestó Omar—. Si la señorita Bede pierde Mill House, ¿por qué tendría Avery que asumir ninguna responsabilidad en relación con ella? Por lo que me habéis explicado, el testamento de Horatio Thorne le legaba un sustento.

—Solo —dijo Avery— si hace una declaración pública

retractándose de su apoyo a la emancipación de las mujeres y después se limita a llevar una vida tranquila y sencilla y no vuelve a confraternizar con sus revoltosas hermanas.

Avery hizo un gesto a Karl, que estaba abriendo y cerrando la tapa de su reloj, y le dijo:

—Díselo, Karl. Tú llevas tres años escuchándola. ¿Podría esa mujer mantener la boca cerrada?

—No hay posibilidad alguna.

—Pero ¿por qué eso te convierte en responsable de ella? —preguntó Omar.

Avery agitó la mano con la que sujetaba el puro, cuyo extremo resplandeció en la semioscuridad.

—Omar, querido amigo, soy un caballero británico.

John gruñó y Karl se rió entre dientes, pero Avery les ignoró.

—Desde tiempo inmemorial, los caballeros británicos han sido educados para que sean prácticamente incapaces de permitir que las mujeres más testarudas sufran las consecuencias de sus actos. No te molestes en preguntarme por qué. Es un enigma para el que no hay respuesta.

—Por favor —dijo Omar con evidente exasperación—. Sigo sin entenderlo.

Avery volvió a intentarlo,

—Cuando esta pequeña farsa acabe, la señorita Bede será destituida. Puesto que soy un caballero, no puedo expulsarla de Mill House. Por consiguiente, tendré que ocuparme de su cuidado y de su manutención, una tarea que, comprensiblemente, no me es de mucho agrado. ¿Puedes imaginarte la perspectiva de desayunar diariamente con una mujer que se refiere a la vida de uno como «una monótona letanía de afectada masculinidad»?

—Entiendo —dijo Omar, todavía dubitativo.

Avery dio una profunda calada a su cigarro y dejó escapar entre los labios el aromático humo. El caso es que, sin saber por qué, la perspectiva no le resultaba tan molesta como habría pensado.

—¿Puedes por favor acabar la carta ahora? —le pidió John.

—¿Por dónde iba? Ah, sí, la señorita Bede había dejado entrever, con su habitual sutileza, que tenía intención de hacerse con Mill House. Y después, continúa: «Estoy hablando de Bernard. Aunque el muchacho todavía sufre esporádicos ataques relacionados con sus problemas pulmonares que preocupan a su madre —leyó Avery frunciendo el ceño—, sus resultados académicos siguen siendo buenos. A Evelyn le gustaría sacarle del colegio, pero los consejeros del banco nos han dicho que hay que cumplir con los deseos de Horatio y que Bernard debe continuar en la escuela a no ser que podamos demostrar que su condición física implica peligro de muerte. Es abominable que en este país tenga más poder un hombre muerto que una mujer viva. Sin duda, estará en desacuerdo».

Pero no estaba en desacuerdo. Era abominable. Recordaba muy bien que Horatio había dado las mismas instrucciones en lo referente a él: «El chico debe aguantar mientras no se desmaye», «No habrá nadie en mis propiedades que esté en disposición de proteger a un enfermo, así que el niño debe quedarse en la enfermería del colegio», «Bajo ninguna circunstancia, los directores permitirán...».

—¿Por qué frunces tanto el ceño, Avery? —le preguntó John, mientras hacía un gesto a uno de los camareros de turbante para que le llenase de nuevo la copa.

Avery apagó el puro en un cenicero de cristal.

—Por nada. «Quizá pueda usted ofrecer a Bernard unas palabras de ánimo. Él le considera a usted un héroe.»

Lily Bede debía de estar realmente preocupada por el chico para dejar pasar la ocasión de reprenderle.

—«Le gustó mucho su historia en la que le había sido otorgado el estatus divino. De hecho, a mí también me gustó. Prueba la teoría que llevo mucho tiempo defendiendo de que los europeos minusvaloramos el sentido del humor de otros pueblos. Sinceramente suya, Lily Bede» —terminó Avery, lanzando una carcajada.

—La adoro —declaró Karl, levantando la copa para hacer un brindis.

—Con cada una de sus cartas, afirmas lo mismo —dijo Avery, metiendo la carta en el bolsillo de su chaqueta.

—Así es. Nunca había visto a nadie poner a un hombre en su sitio con tanto entusiasmo. Es un arte maestro.

—Sí —dijo Avery suavemente—, y ese es el problema. Es un maestro cuando debería ser una maestra.

Mill House, Devon, diciembre de 1891

—Buenos días —dijo Francesca, sentándose a la mesa para desayunar junto a Evelyn.

La nueva criada, una joven de pelo rizado a la que se le empezaba a notar el resultado de «una excursión detrás de los establos» sirvió el té a Francesca.

—Buenos días, Francesca —dijo Lily, ausente, repasando un montón de cartas.

Se hizo un distendido silencio entre ellas, solo interrumpido por el delicado sonido de las púas de los tenedores al rozar la porcelana y el crujido de los troncos de la chimenea. Lily levantó la vista y observó a su familia adoptiva con un sentimiento de suprema felicidad. En verdad, no podía querer más a aquellas dos mujeres que a los hermanos a los que nunca había visto. Pero, al fin y al cabo, nunca tendría la oportunidad de comprobar si era así o no, ¿verdad?

Aquel pensamiento tiñó de tristeza su buena y amigable predisposición.

—¿Algo interesante? —preguntó Francesca.

—Pues no —contestó Lily—. El señor Camfield pide mi opinión en relación con una nueva oveja.

— Creo que nuestro nuevo vecino está enamorado de Lil —dijo Francesca.

—Tonterías —dijo Lily.

Martin Camfield era el nuevo propietario de la granja adyacente, y no solo se trataba de un hombre atractivo, sino que era de los pocos de su género capaz de tratar a las mujeres como a iguales.

—Solo quiere tener en cuenta mi opinión, nada más.

—El señor Camfield parece un hombre progresista —dijo Francesca con aire despreocupado—. Un tipo de hombre del que una podría esperar una actitud moderna. No se lo imagina una sujeto a las convenciones.

—Así es, creo que tienes razón —contestó Lily despacio, mirando a Francesca con suspicacia.

—Alguien con quien una puede imaginarse manteniendo un tipo de asociación moderna.

Lily notó que se ponía colorada. El hecho de que Francesca estuviese diciendo en voz alta algo que ella ya había pensado no hacía más que acentuar su bochorno. Martin Camfield podía pedirle su opinión sobre el ganado, pero, desde luego, nunca la había invitado a tomar el té. Sin embargo, ¿qué hombre lo haría? Al fin y al cabo, ella era una bastarda, sin nombre ni dinero. Con cada temporada que pasaba, veía sus pequeñas y muy escondidas esperanzas de vivir un romance tornándose más y más improbables.

—¿Algo más por ahí escondido? —preguntó Evelyn.

—¿Perdón?

—Te preguntaba si había más noticias.

—Veamos. El señor Drummond me dice que debería dragar el estanque del molino y construir nuevos terraplenes de tierra alrededor, algo que está claro que no puedo permitirme. Polly Makepeace me pregunta si el consejo anual de la Coalición para la Emancipación Femenina podría reunirse aquí el próximo abril.

— Todas esas horribles mujeres con sus atuendos masculinos... —dijo Evelyn con desagrado, y después de echar un rápido vistazo a los anchos pantalones que llevaba Lily, añadió—: Y no es que tú no estés simplemente encantadora con tus... tu... con eso que llevas. Pocas mujeres tienen tu estilo, querida.

—Gracias —contestó Lily.

Era muy consciente de la opinión de Evelyn acerca de su vestuario.

—No solo estoy en contra de sus ropas —continuó Evelyn—. Simplemente me parece que no son las personas adecuadas con las que alternar, Lil.

Lily la miró fijamente. A veces no podía evitar sorprenderse ante los inesperados impulsos de Evelyn por hacerle de madre.

—Estoy de acuerdo —añadió Francesca, sorprendiendo a Lily aún más—. Esa tal Makepeace te utiliza con completo descaro, Lily. Tiene celos de ti. Tú tienes todas las cualidades para ser una líder y ella no tiene ninguna.

A pesar de que encontraba desconcertantes los comentarios de Francesca, no dejaban de parecerle de lo más dulces. Y totalmente innecesarios. Aunque Polly Makepeace realmente la utilizaba, Lily consideraba que era un pequeño precio a pagar para lavar su conciencia. Sacar adelante la finca había ocupado toda su atención durante cuatro años, un tiempo que podría haber aprovechado para promocionar la igualdad de las mujeres. Lily pensó detenidamente en sus palabras. No le gustaba herir a ninguna mujer.

—Bueno, no soy ninguna amenaza para la designación de Polly Makepeace como presidenta de la coalición. Apenas estoy involucrada ya en la organización, algo de lo que me avergüenzo. Las exigencias de Mill House ocupan todo mi tiempo.

—¡Pero recibirla en nuestro hogar, Lily! ¿Qué es lo que realmente sabemos de ella? —le preguntó Evelyn—. O de las otras. A lo mejor no son buena gente, querida. ¿Quién sabe de dónde vienen?

Lily suspiró.

—Queridas, si no queréis que estén aquí bajo ningún concepto, decidlo. Pero si vuestra única objeción son sus antecedentes, entonces debo aclarar que la gente educada me consideraría a mí más contaminante que posible víctima de contaminación.

—Oh, ¡no vuelvas a decir eso nunca más! —exclamó Evelyn horrorizada—. Te queremos, Lily. No sé qué haríamos sin ti. Has convertido esta casa en un hogar confortable, un hogar más relajado.

—Creo que más laxo que relajado —contestó Lily.

Evelyn parecía haber vivido los últimos cuatro años con Lily como propietaria de Mill House como una inacabable fiesta de amigas.

—Y no soy yo la que hago un hogar de Mill House, sino tú. Cuando acabe este plazo de cinco años —continuó Lily, intentando mantener un tono calmado— seré yo la que tenga que marcharse.

—Pero ¿por qué? —preguntó Evelyn mientras Francesca sorbía el té con un semblante grave muy poco habitual en ella.

—Si pierdo, dudo que el señor Thorne me pida que me quede. —La sola idea hizo aflorar una sarcástica sonrisa a sus labios—. Y si gano, no puedo afrontar el mantenimiento de la granja. Necesita una buena inyección de dinero que yo no tengo. Tendré que venderla.

Lily ocultaba su angustia con sumo cuidado. Quería a Evelyn y a Francesca y amaba Mill House. Amaba su cocina cálida y luminosa y sus dormitorios silenciosos y cubiertos de polvo. Amaba su insólito salón de baile y el inapropiado ventanal con sus vidrieras que se escondía bajo el alero del tercer piso. Amaba la imagen de los patos peleándose en el estanque y las gordas ovejas de aspecto atontado que la miraban fijamente cada mañana cuando recorría el paseo central, y sus desgarbados caballos de carreras.

—Debe de haber alguna solución —gimió Evelyn.

—Ya nos preocuparemos cuando llegue el momento —dijo Lily con seguridad—. Mira, una carta de Bernard. Toma, Evie.

Bernard tenía ya doce años y había llegado a ese momento de la vida en que un muchacho entra en la edad adulta por su tamaño. Pero, en el caso de Bernard, las cosas no acababan de encajar. Aunque era excepcionalmente alto para su edad, no pesaba más de lo que había pesado cuando medía seis pulgadas menos. La piel se le había llenado de manchas y le salían gallos al hablar en los momentos más desconcertantes.

—¿Qué explica? —preguntó Francesca.

Evelyn leyó rápidamente la carta.

—Dice que vendrá a Mill House al comienzo del verano.

—¿Está bien? —preguntó Lily, intentando esconder su preocupación. No podía creerse que aquellos viejos y desaprensivos machos cabríos fueran a dejarle marchar antes de tiempo sin ninguna razón de peso.

—Asegura que no es nada serio. Simplemente ha convencido al director de que unas semanas más de descanso le irán la mar de bien.

Pero el rostro valiente de Evelyn se desencajó.

—Oh, Lily, si no está bien, podemos tenerle aquí, ¿verdad?

—Claro que sí —le aseguró Lily sintiéndose una inútil.

La multitud de notas y las instrucciones que había dejado Horatio en manos de los consejeros bancarios gobernaban la vida del muchacho.

—Estará bien tenerle aquí con nosotros todo el verano, ¿verdad? —preguntó Evelyn con patético agradecimiento, ante la seguridad mostrada por Lily.

—Maravilloso —dijo Francesca—. Cuantos más hombres cerca, mejor.

—¡Francesca! —exclamó Evelyn—. No puedes hablar así delante de Bernard.

—No, claro que no. Compórtate, Fran —murmuró distraídamente Lily.

Su mirada se había posado en la última carta del montón. Era de Avery Thorne e iba dirigida a la señorita Lillian Bede, no a Aquella Que Debe Ser Obedecida, no a la Emancipada Señorita Bede, no A Ella. Sintió un escalofrío premonitorio que le recorría el cuerpo. Algo no iba bien. Puso la carta debajo del montón para leerla más tarde.

Quince minutos después estaba de pie mirando por la ventana de su estudio. Bajo la ventana florecían las rosas de

San Miguel y sus pétalos color crema brillaban como si fueran nieve entre el verdor del follaje. Abrió la carta.

Mi Adversaria:

Karl Dhurmann murió ayer. Cruzábamos los campos helados de Groenlandia en trineos tirados por perros. Iba delante de mí, no muy lejos, a unas veinte yardas. Estaba allí y al minuto siguiente ya no estaba. Había caído en una grieta cubierta por un montón de nieve. Tardamos un día en recuperar su cuerpo.

He pensado que debería informarle de su muerte. Solía declarar a menudo su intención de casarse con usted. Sus cartas le hacían reír y Karl se reía muy poco. Había perdido todo y murió sin patria, ni hogar ni familia. Pero usted le hizo reír.

Creo que a él le gustaría que usted supiese que había muerto y he pensado que quizá pueda dedicarle una sonrisa por esa ridícula intención de convertirse en su esposo, por apreciar sus cartas o por lo que usted desee. No soy un hombre creyente y su sonrisa es lo más cercano a una plegaria que puedo pedir por él.

AVERY THORNE

Lily dobló despacio la carta. Estuvo mirando a través de la ventana durante mucho rato, y cuando se apartó finalmente de ella, no abandonó la habitación. Escribió una carta.

5

Islas dominicanas, abril de 1892

Aquella letra infantil y de trazo cuidado hizo sonreír a Avery
Thorne.

> Querido primo:
> Espero que cuando recibas esta carta, te encuentres bien.
> Este año mi salud ha sido algo mediocre y voy a ir a Mill
> House antes de lo habitual para pasar el verano.
> Madre dice que debemos aprovechar y disfrutar de la fin-
> ca ahora que todavía es un hogar feliz. Comenta que la seño-
> rita Bede tiene la intención de vender Mill House si se con-
> vierte en su propietaria, algo que no creo que suceda porque
> los campos se han anegado y toda la cosecha de trigo de la
> primavera se ha echado a perder.
> La pobre señorita Bede estaba muy preocupada. Madre
> me ha escrito contándome que se la encontró llorando, y la
> señorita Bede no es el tipo de mujer que suele llorar.
> Me gustaría poder hacer algo por ella, pero todavía tar-
> daré diez años en poder ofrecerle mi protección. Madre dice
> que lo que la señorita Bede quiere es protegerse a sí misma.
> ¿Por qué crees que querría hacer algo así? Madre no pudo
> darme ninguna pista al respecto. Creo que la señorita Bede
> simplemente se está haciendo la fuerte.

Por consiguiente, debo señalar que, si fueras un caballero, deberías ofrecerle tu protección. Estoy seguro de que es lo que harás cuando regreses, algo que confío que suceda pronto.

Acabo de leer el relato por entregas de tu viaje por el Amazonas. ¡Genial! La señorita Bede también está impresionada y estás equivocado si piensas que ella considera que tus viajes son una muestra de egoísmo. Cuando le pregunté sobre este tema, me contestó rápidamente una carta señalando enfáticamente que no cree que exista otro hombre que pertenezca más a la jungla que tú.

Tu primo,

BERNARD THORNE

—Así que pretende vender mi casa, ¿no? —En los labios de Avery murió su ligera sonrisa—. ¿Y qué demonios quiere decir el chaval con lo de si fuera un caballero?

Con aire ausente, sacó del bolsillo el reloj de oro de Karl. Los cinco años de suspenso estaban tocando a su fin, y tal como había previsto, parecía ser que Lily Bede se hallaba en una situación desesperada. Así que la cosecha de primavera se había echado a perder, ¿no? Sería un milagro si quedaba algo en pie en la finca cuando ella hubiese terminado su período como responsable de la misma.

Quizá debía regresar a Inglaterra pronto y ver qué desafío le aguardaba cuando llegase el momento de hacerse cargo de la casa. Para ser sincero, estaba cansado de deambular por el mundo. Su añoranza de un hogar nunca había sido tan acusada ni tan intensa. Un mes antes de lo previsto. ¿Qué daño podía ocasionar? Además, así podría decidir qué debía o podía hacerse con Lily Bede.

Sí —pensó, metiendo de nuevo el reloj en el bolsillo—, había varias razones por las que debía regresar ya a Inglaterra. Y se alejó con calma del embarcadero.

Mill House, Devon, mayo de 1892

Lily cruzó el vestíbulo a toda prisa, lanzando imprecaciones en voz baja contra Evelyn por haberse marchado aquella misma mañana a pasar una semana en Bath.

¿Por qué precisamente entonces la maldita escuela había accedido a sus repetidas peticiones y había dejado a Bernard regresar a casa? ¿Y cómo había podido hacer Bernard un viaje tan largo solo? Había enmudecido cuando Teresa, tan hinchada como una calabaza en el mes de octubre y a la que todavía le quedaban dos meses para dar a luz, había sonreído mostrándole todos los dientes y le había anunciado que un tal señor Thorne la esperaba para recibirla en la biblioteca.

¿«Señor» Thorne y además «que quería recibirla»? Menudos aires gastaba el chico.

Maldita sea esta Teresa. Sabía que el chico la importunaba. La última vez que Bernard había estado en Mill House se había convertido en la sombra de Lily desde que amanecía hasta que anochecía. Lily sabía distinguir las señales de un incipiente enamoramiento, pero no tenía ni idea de cómo manejarlo.

No quería destruir su joven y masculina seguridad, pero la verdad era que Bernard, con su largo cuerpo desgarbado, su pecho estrecho y sus redondos ojos negros, iba a necesitar el mayor de los apoyos. No debía tratarle como a un niño. Pero tampoco como a un hombre. Quizá como a un hombrecillo o como a un muchacho a punto de ser hombre.

¡Por Dios! Vamos, Lily —pensó, deteniéndose en el umbral del salón para arreglarse el cabello—, tiene doce años. No hay duda de que podrás manejar a un chico que es prácticamente un niño y ponerle en su sitio. Gástale una broma, muéstrate cálida y familiar, pero sin embargo y sobre todo, evita darte por aludida ante sus miradas tiernas. O cualquier otro tipo de ternura en ese sentido.

Respiró con fuerza, entró en la biblioteca y miró a su alrededor. Allí estaba, sentado en una silla de elevado respaldo con reposabrazos, dirigida hacia la ventana. Unos desordenados mechones de pelo negro sobresalían por encima del respaldo. El pobre chaval debía de haberse estirado aún más.

—¡Querido! —le saludó Lily—. Veo que te has puesto cómodo. Estupendo.

No hubo respuesta.

Se estaba mostrando tímido; a lo mejor estaba reuniendo fuerzas antes de enfrentarse a ella. Le dio lástima. Había llegado y su madre no estaba; a saber dónde se encontraba su tía, y la única persona que le recibía era una mujer de la que se creía enamorado. Ella recordaba los enamoramientos. Dolían.

—Vamos, mi chico —continuó Lily irradiando simpatía—. Vamos a asaltar la despensa juntos. Debes de estar muerto de hambre después de un viaje tan largo y yo sé dónde esconde Francesca los mejores bombones de Bond Street.

Se quedó esperando pero no se oyó siquiera una risa ante su tono animoso.

—Hemos estado hablando del regalo que te gustaría para tu cumpleaños. Últimamente es el tema que ocupa las veladas. —Se acercó un poco—. ¿Soldaditos de plomo? Quizá demasiado infantil. ¿Una de esas nuevas cámaras fotográficas? ¿Y una caña de pescar? En Mill House hay riachuelos muy prometedores.

Sacó el as que escondía en la manga.

—He oído que tu primo Avery es un fantástico pescador.

No podría resistirse a ese comentario. La adoración que Bernard sentía por su primo estaba más que probada. Y así era, porque notó un leve movimiento en la silla.

—Sé que no hemos pasado mucho tiempo juntos últimamente y me apena —dijo suavemente—. Pero podemos arreglarlo enseguida. ¿Qué mejor lugar para recuperar ese tiempo que la orilla de algún hermoso riachuelo? ¿Qué me dices, señor? Ven aquí y deja que tu tía Lil te dé un abrazo de bienvenida.

Finalmente hubo movimiento en la silla. Unas manos fuertes y morenas —la izquierda luciendo un anillo con sello de oro en el dedo meñique— se agarraron a los reposabrazos de la silla y la empujaron hacia atrás. Una silueta alta, demasiado alta, ancha de hombros, recta y masculina, se irguió y se dio la vuelta.

—Aunque el abrazo suena de lo más placentero —dijo el hombre en un tono dulce y sardónico—, me temo que me quedaré con los bombones... tía Lil.

Lillian Bede era impresionante. La sorpresa ante su aspecto echaba por tierra todas sus ideas preconcebidas y dejó a Avery sin palabras.

Gracias a Dios, antes de darse la vuelta, había forzado una expresión educada, porque no estaba seguro de haber sido capaz de decir ni una sola palabra inteligente si primero la hubiera visto. A los dos minutos de encontrarse por primera vez, Lily Bede le habría llevado ya la delantera. Y es que, impresionante o no, los cinco años de correspondencia con aquella mujer le habían enseñado que Lily Bede nunca, bajo ningún concepto, debía llevarle la delantera.

Tenía un rostro y una frente anchos que acababan en una barbilla pequeña y cuadrada. La forma de sus ojos era exótica. Los entornaba estudiándole a través de sus espesas pestañas. Sus labios eran carnosos, como los de una egipcia, y de un rojo tan profundo que parecían haber estado sumergidos en un batido de cerezas. Llevaba el cabello —de un color más negro que la tinta— recogido formando caprichosos tirabuzones. El peinado acentuaba su largo y esbelto cuello y hacía que pareciese aún más alta.

Impresionante, pensó de nuevo Avery. Lily Bede. Algo no concordaba.

Ella levantó un brazo y se llevó la mano al cuello en un gesto seductor y defensivo a la vez, haciendo que Avery fijase su atención en su vestimenta. Iba vestida con lo que parecía una sencilla camisa de lino masculina y unos..., ¡por el amor de Dios, llevaba unos bombachos de lana oscura y gastada!

A pesar del atuendo sobrio y masculino, o quizá a causa del mismo, tenía un aspecto exótico y fuera de lugar, como una odalisca vestida de monja.

De pronto, Avery se dio cuenta de que había estado mirándola fijamente durante un minuto entero. Por supuesto, ella también le estaba observando detenidamente. Pero la expresión en los ojos de Lily no era de gran aprecio.

—Perdóneme —dijo al fin—. Creía que era usted otra persona.

Su acento encantadoramente correcto, propio de las clases altas, contribuía a acentuar su aspecto extranjero.

Avery pensó que se había vuelto loco. No solo encontraba a Lily Bede impresionante, sino también encantadora.

—Es un placer conocerla...

—¿Hay mucho equipaje? —preguntó.

—No, no mucho.

Avery cruzó la habitación y se acercó a ella. La piel de la joven era del color de la arena de Tahití, y cuando levantó la cabeza para mirarla, Avery pudo ver una cicatriz bajo una de sus oscuras y perfiladas cejas.

—Tal como iba a decir, estoy encantado de conocerla por fin, señorita Bede. Aprecio su...

—No creo que debamos perder el tiempo con ademanes corteses —dijo ella, dando un paso hacia atrás—. ¿Dónde está Bernard?

Así que estaba haciendo ante él el papel de gran dama de la mansión.

—No lo sé —contestó—. ¿Le ha perdido?

—¿Yo? —exclamó ella, sorprendida y abriendo los ojos de par en par.

Eran del color del café turco, claros y brillantes. Los entrecerró repentinamente.

—Escúcheme, señor. No me gusta que el acompañante de Bernard muestre tanta familiaridad y tampoco creo que les guste a los decanos de Harrow. ¿Quién es usted, por cierto? ¿El entrenador de fútbol?

Por el amor de Dios. La chica no sabía quién era. Sintió como si le hubiesen dado un mazazo. Era cierto que él tampoco habría adivinado entre una multitud que ella era la autora de las antipáticas cartas que le habían perseguido a lo largo y ancho de cuatro continentes, pero él solo tenía una caricatura borrosa de un periódico como guía. Ella no tenía excusa. Su maldito retrato colgaba de la galería del piso de arriba. Se quedó paralizado. O por lo menos, había estado colgado allí.

Olvidando su resolución de permanecer frío, tranquilo e impecablemente educado, pasó de largo junto a ella y se dirigió hacia el vestíbulo. Detrás de él, pudo oír el ruido de sus pantalones bombachos.

—He dicho que no puede...

Avery la ignoró, decidido a averiguar dónde estaba su retrato. Era el único retrato que existía de él y había sido pintado ante la insistencia de su tío. Cierto era que nunca había significado nada para él, pero acababa de convertirse, hacía tan solo unos segundos, en algo de suma importancia. Era una cuestión de principios. ¿Cómo se había atrevido a descolgarlo?

—Pero ¿quién se cree usted que es? —jadeó Lily, intentando alcanzarle y moviéndose al son del frufrú de sus pesados pantalones—. ¡Haré que se quede sin trabajo!

Avery atravesó el vestíbulo principal percibiendo solo vagamente la elegante austeridad de las habitaciones que cruzaba: una mesa de ébano desnuda pero reluciente, la gastada alfombra oriental de bordes deshilachados, el olor a cera y a aceite de limón. Subió la escalera de caracol y se dirigió hacia el ala de la casa donde siempre habían estado colgados algunos de los innumerables retratos de la familia. Ahí, justo junto al retrato de su bisabuela, Catherine Montrose, debería estar...

Se quedó parado. Ahí, como siempre, tan claro como el día, estaba su retrato. Ni siquiera estaba torcido.

Frunciendo el ceño, Avery se dio la vuelta. Lily Bede se hallaba a apenas un paso de donde él se encontraba, con las manos en las caderas, y las mejillas sonrojadas.

—Si no sale de mi casa antes de dos minutos, me veré obligada a echarle.

Mantenía todavía su acento impecable, pero su imperiosa actitud de dueña y señora se había esfumado.

¿Echarle de su casa? Lily le miró fijamente a los ojos mientras Avery se le acercaba. No se apartó. Prefería enfrentarse a él a batirse en retirada. Ahora sí podía reconocer a la mujer que imaginaba: combativa, seca, autosuficiente.

—En primer lugar, ¿cómo ha logrado entrar por la puerta principal...?

Su voz se apagó al mismo tiempo que dirigía su mirada más allá de la figura de Avery hacia el retrato. Lo observó y luego dirigió de nuevo los ojos hacia el hombre que tenía ante ella. Tenía un rostro excepcionalmente expresivo, tan fácil de leer que resultaba ridículo. En aquel momento todos sus gestos expresaban su horror. Genial.

Avery adoptó la pose que había tenido que forzar durante los meses que duró la creación del retrato.

—Un buen parecido, ¿no cree?

—Thorne —musitó, casi enmudecida.

—Sí.

—¿Qué está haciendo aquí?

—¿Es esa la manera de recibir a su fiel interlocutor durante todos estos años?

—¿Fiel? —repitió ella fríamente—. Me da la impresión de que la fiel he sido yo. Yo he tenido que cargar con el peso de descubrir su paradero durante cinco años. Me he sentido como si fuera un ridículo cazador carroñero. Gracias por las pistas y señales que me mandaba sobre su siguiente destino. Si no hubiera sido por los amigos que mis padres tenían por todo el planeta, dudo que hubiera logrado localizarle. A veces no lo logré. Ni una sola vez me informó de dónde se encontraba. El invierno pasado pensé que había muerto. —Se detuvo y movió la cabeza como si, al enfadarse, hubiera perdido el hilo—. ¿Qué ha dicho que estaba haciendo aquí? —le preguntó.

—No he dicho nada —dijo él levantando la mano—. Creo que mi presencia aquí no necesita explicación. El período de cinco años de tenencia de la casa está a punto de expirar, no tengo ningún deseo especial de prolongar mis viajes y pensé que estaría bien venir y observar cómo iban las cosas. Ver en qué situación me deja. Siempre es recomendable realizar una exploración previa del terreno antes de iniciar una incursión en él.

—Está dando por hecho algo de forma totalmente equivocada —dijo Lily fríamente—. ¿Y si Mill House está generando beneficios?

Avery sonrió. Aparentemente, era una sonrisa cortés. Pero Lily no la interpretó así.

—Bueno, si se demuestra que estoy equivocado, estas semanas me servirán como un descanso de mis viajes. No hay ninguna necesidad de mostrarse tan suspicaz.

—Soy suspicaz por naturaleza. Si Dios quiere, es algo que no voy a cambiar.

Lily seguía mirando al cuadro y a Avery como si intentara encontrar alguna anomalía que le permitiese echarle de la casa como si fuera un impostor. Pero, con cada mirada, su expresión era más adusta.

—¿Dónde va a alojarse?

—¿Qué? —Miró a su alrededor y extendió las manos para indicar el espacio que le rodeaba—. Aquí. En Mill House. Todavía tengo permiso, ¿no? Me refiero a que no habrá un propietario definitivo hasta agosto, ¿verdad?

—Así es —contestó Lily a regañadientes y abriendo levemente sus tensos labios, unos labios que tenían mucho mejor aspecto cuando estaban relajados.

Avery apartó la mirada.

No es muy inteligente pensar esas cosas, Avery, viejo amigo, se dijo a sí mismo. No es nada inteligente.

—Bien —dijo él—. Solo quería tener claro que entendía cuál era la situación. Además, Bernard me invitó a venir. Como actual responsable de Mill House, por supuesto, puede rechazarme —dijo, ladeando la cabeza y reconociendo su autoridad burlonamente.

—No se me ocurriría hacer eso. Como invitado de Bernard, es usted absolutamente bienvenido.

—Gracias.

Lily frunció el ceño y la consternación se reflejó claramente en su rostro. Tenía la piel del cuello sonrojada, una visión que a Avery le resultó fascinante.

Tenía poca experiencia con las mujeres. Sus padres habían muerto cuando tenía solo siete años, y como llevaba ya varios años viviendo en un internado cuando ocurrió, su vida apenas había cambiado. Unos tutores ausentes habían sido sustituidos por otro: sus padres por Horatio Thorne. Así que evidentemente eso no le había ayudado a tener relación con el sexo opuesto.

Era consciente de su susceptibilidad ante las mujeres hermosas, algo que escondía celosamente, como también era consciente de las razones de la misma. Al mismo tiempo, sabía lo ridículos que resultaban los suspiros de los poco agraciados por las mujeres bellas. Afortunadamente, no tenía tendencias masoquistas.

Así que había intercambiado parcos comentarios con unas cuantas mujeres en las pocas fiestas a las que había asistido, y se había conformado con admirarlas de lejos. Nunca se había permitido desearlas. Nunca.

Pero en el viaje a Inglaterra, una hermosa heredera rubia había hecho esfuerzos por conocerle. Ella se encontraba en su primer trayecto de un viaje alrededor del mundo, y al cabo de una hora de conocerse, Avery se había dado cuenta de que había decidido que él sería su primera parada.

La mujer se había mostrado cálida y bien dispuesta, y había suspirado soñadoramente al contarle que nunca antes había estado con un aventurero. Si no le había deseado a él, al menos aparentemente había deseado algo que él representaba, aunque solo Dios podía saber qué, y él tampoco había pretendido cuestionar con demasiada profundidad qué era exactamente. Después de separarse, Avery solo había pensado en ella como algo interesante pero remoto, tal como sabía que ella le recordaría. Y es que la hermosa rubia nunca había supuesto una amenaza para su corazón. O él para el de ella.

Pero esa Lily Bede era una cuestión totalmente diferente.

Lily Bede había estado leyendo sus cartas durante cuatro años. Avery sentía por ella un profundo respeto, el respeto que solía reservar a los oponentes que lo merecían, y también sentía, en cierto modo, un extraño aprecio por su innegable ingenio. Todo ello, en conjunto, ya era suficientemente peligroso. Eso, sin contar con el añadido de que representara la realización de todos sus sueños carnales. Y era muy peligroso, además de estúpido, otorgar ese tipo de poder a una mujer que había declarado abiertamente que tenía la intención de robarle su herencia. Estaba claro que no había que dejar que descubriese las armas que poseía.

Se miraron con ojos inquisidores un buen rato. Aquella esbelta mujer morena había ocupado durante casi cinco años su imaginación, había sido una antagonista irritante y divertida. ¿Por qué demonios tenía que ser tan dolorosamente hermosa?

—¿Cuánto tiempo va a quedarse?

Avery salió de su ensimismamiento y se sintió ofendido.

—¿Perdón?

—He dicho que cuánto tiempo va a quedarse.

Avery se puso tenso. Una sonrisa triunfal iluminó los labios de Lily. Podía tener el suave aspecto de una pasión de verano, pero su lengua podía ser una afilada navaja. Si le daba la mínima oportunidad, Avery sabía que ella le utilizaría como el cuero con el que afilarla.

A lo largo de los años, se había encontrado en muchas situaciones peligrosas. Había tomado decisiones de vida o muerte solo guiado por su instinto. El tiempo y ese instinto le habían dado la razón, y en aquel instante, este último le estaba avisando a gritos de un peligro.

Que Dios se apiadase de él. Se sentía atraído por Lily Bede.

Avery Thorne se aclaró la garganta y respondió:

—Hasta que logre aquello a lo que he venido: Mill House. —Y dicho esto, se dio la vuelta y se marchó.

6

Lily le observó mientras se alejaba completamente enmudecida. Aunque lo único que había hecho era arrojarle el guante, prácticamente amenazándola con sus intenciones, Lily solo era capaz de pensar que Francesca tenía razón: Avery Thorne se había transformado en efecto en un hombre fuerte.

Las costuras de su entallada y estrecha chaqueta apenas podían contener sus hombros. Debía de llevar el botón superior de la camisa desabrochado para dejar su ancho cuello despejado, y las muñecas que escondían los puños blancos de la prenda eran fuertes y musculosas. De reojo, le vio atravesar el vestíbulo a grandes zancadas. Se percató de que llevaba el pelo demasiado largo, pues le tapaba el cuello de la camisa. También se fijó en sus anchos hombros y en sus largas y musculosas piernas. Desapareció doblando una esquina.

Lily no se había dado cuenta de que había estado conteniendo la respiración. Se dejó caer contra la ventana y sus hombros la golpearon con un ruido seco. Observó fijamente el retrato que había frente a ella. El joven delgaducho y torpe que posaba con aspecto cohibido le devolvió la mirada. El pintor había acertado al dibujarle aquellas enormes manos. Ahora eran grandes, con unas palmas anchas y unos dedos largos y flexibles.

Lily dirigió la mirada hacia el rostro del retrato. Una nariz sobresaliente, unos ojos turquesa, como brillantes gemas, y una boca ancha. Estaba claro que los rasgos eran los correctos, pero no era el hombre que ella había imaginado escribiendo aquellas cartas. Se había hecho a la idea de un hombre larguirucho, más parecido a una cigüeña que a otra cosa. Le suponía excitable, no un hombre seguro de sí mismo; con ademanes abruptos y nerviosos, no pausados y confiados.

Y no tenía la voz que habría supuesto para Avery Thorne, la típica voz nasal masculina que la ponía de los nervios. Por el contrario, tenía una voz que la hacía temblar, dulce como la nata; su entonación era moderada como la de un cortesano cuando hace una reverencia y su sonido producía un efecto que iba mucho más allá de sus oídos. La voz de Avery parecía penetrar en su cerebro, tocar una fibra auditiva profunda en ella. Su voz la hacía sentirse liviana.

Lanzando un gruñido incómodo, se irguió. No era justo. Avery Thorne no debería tener el cuerpo de un atleta, unos brillantes ojos como los de un antiguo icono tribal y una voz parecida a la de un inmenso gato en celo después de pasar una exitosa noche de ronda. Avery Thorne era sencillamente el hombre más...

Lily dejó caer los brazos. Abrió los ojos de par en par al darse cuenta de lo que había descubierto e inspiró profundamente. Era la criatura más masculina que nunca había conocido. Y la más atractiva. Desde luego.

Irguió la barbilla felicitándose a sí misma por ser tan increíblemente honesta consigo misma. Y al mismo tiempo, sintió un escalofrío.

Sacudió la cabeza para despejar la mente y alejar a Avery Thorne de sus pensamientos. Tenía que proteger su futuro. No podía permitirse perder un solo penique por un aturdimiento. Apenas había logrado evitar que las cuentas cayeran en números rojos después de perder la cosecha de trigo.

Estaba claro que Avery Thorne había llegado convencido de que iba a fracasar. Un buitre temprano, pensó, que ya está intentando vislumbrar un cadáver, pero, maldita sea, ella todavía no era un cadáver. Y no tenía ninguna intención de serlo.

Se le pasaría el aturdimiento, se dijo a sí misma con seguridad. Al fin y al cabo, ya había experimentado algo similar con anterioridad.

A los quince años se había enamorado de uno de los jóvenes protegidos de su padre que había pasado el verano en su apartamento. Le había visto como el hombre más maravilloso y fascinante del mundo. Le había bastado una semana junto a él de manera continuada para descubrir que él tenía esa misma opinión de sí mismo.

¡Esa era la respuesta! Se detuvo de nuevo y se golpeó la palma de la mano con el puño. Pasaría el mayor tiempo posible con Avery y, *voilà*, aquella fiebre psicológica se le pasaría.

Se dirigió hacia su habitación, satisfecha con su receta. Pero aquel estado de ánimo le duró el tiempo que tardó en lavarse las manos, arreglarse el peinado y cambiarse la blusa por algo con un poco de encaje en el cuello. Media hora más tarde bajó a almorzar.

En el comedor solo estaba Kathy, una de las tres criadas empleadas en aquel momento en Mill House. Kathy era una morena bajita aficionada a llevar faldas demasiado ceñidas. Embarazada de seis meses, todavía había logrado enfundarse una de las faldas con las que había llegado a la casa, para consternación de Lily.

—¿Qué estás haciendo? —le preguntó Lily.

Kathy colocó cuidadosamente un tenedor de plata junto a la magnífica porcelana con un gesto de profunda concentración. Dio un ligero golpe a la cucharilla de postre para alinearla sobre el plato de acompañamiento.

—Entonces, ¿le ha visto? —preguntó al fin.

—¿He visto a quién?

—Al señor Avery Thorne. Ha vuelto de África o de donde estuviese y se encuentra aquí, en esta misma casa, ahora mismo.

—Sí, le he visto —contestó fríamente Lily.

—¡Genial! ¿Y a que es un aventurero de la cabeza a los píes? He leído todo lo que ha escrito. Cada una de sus historias. Ha llevado a cabo gestas de gran valor, gestas que te ponen los pelos de punta. Y tiene ese aspecto, la verdad. Tan grande y tan fuerte y...

—Ya está bien, Kathy.

Lily había promovido un hogar peculiarmente democrático, así que las criadas muy a menudo expresaban sus opiniones aunque nadie se las hubiera pedido.

—Y ahora por favor explícame por qué estás poniendo la porcelana buena para comer. ¿Es que la señorita Francesca espera a alguien?

Kathy colocó el último cuchillo para la mantequilla.

—No, que yo sepa. La señora Kettle me dijo que preparase lo mejor para el señor Thorne. Me dijo que, ahora que el señor Thorne está en casa, las cosas deben hacerse con un estilo más adec... más convencional, más propio de una mansión.

¿«Ahora que el señor Thorne estaba en casa»? ¿«Con el estilo propio de una mansión»? Lily sintió que la boca se le contraía en un rictus incómodo.

Kathy dio un paso hacia atrás.

—Estoy segura de que no había mala intención, señorita. La señora Kettle dice que estos cinco años en los que nadie ha valorado sus habilidades culinarias han sido realmente descorazonadores para una chef de su nivel. Al menos —concluyó dócilmente— eso es lo que siempre dice cuando ha bebido un poquito.

—¿Eso dice? —preguntó Lily, esforzándose para mostrarse tranquila y razonable—. Bueno, a pesar de las visiones alcohólicas de la señora Kettle en las que Mill House vuelve a su gloria original. —Y Lily no pudo evitar subir un poco el tono de voz para enfatizar lo que iba a afirmar—: Yo soy la que dirijo esta casa, y lo haré al menos durante dos meses más.

Kathy dio un respingo.

—Así que —dijo Lily alisándose la falda— a pesar de que ahora no da tiempo a volver a poner la mesa, a partir de ahora utilizaremos la vajilla diaria. Además, como parece ser que el señor Thorne va a estar con nosotros una temporada, necesito que prepares la última habitación para su estancia. Estoy segura de que agradecerá poder lavarse antes de...

—Ha pedido la habitación azul del último piso, la que recibe la sombra del cedro.

—No —dijo Lily decididamente—. Ese piso está completamente cerrado y cubierto de sábanas. No voy a tener trabajo extra por el capricho de un hombre. Estará bien...

—Ya está allí —dijo Kathy sumisamente—. No estaba usted por aquí cuando él llegó, así que la señora Kettle le preguntó cuál prefería y el señor Avery le respondió que siempre se había instalado en esa habitación y que no iba a cambiar sus costumbres a edad tan tardía. Así que Merry y yo ya se la hemos preparado.

Solo llevaba dos horas en la casa y Avery Thorne ya había minado su autoridad, se había hecho con el poder y había alterado su hogar.

—No ha costado mucho, señorita.

—No, no ha costado mucho, ¿verdad? —asintió Lily.

Pero se dio cuenta de que Kathy se refería al arreglo de la habitación azul.

—Puedes retirarte, Kathy.

Kathy se inclinó haciendo una reverencia y salió disparada. Lily miró fijamente la colección de plata, porcelana y cristal y tardó un minuto en darse cuenta de lo que acababa de presenciar: Kathy le había hecho una reverencia.

En Mill House nadie hacía reverencias. Las mujeres hacían su trabajo; lo hacían con respeto y se les correspondía con un trato respetuoso.

Había creído que su atracción hacia Avery Thorne era el tema más preocupante. Pero no. Aquel hombre suponía una amenaza para cada uno de los avances en lo referente a las mujeres que tan duramente había conseguido instaurar en Mill House. Acababa de llegar y el servicio que ella con tanto cuidado había transformado en mujeres emancipadas y autónomas se ponía a hacer reverencias, a decir «sí, señor», a actuar como ¡servicio de la casa! Algo absurdo, porque ninguna de ellas había estado allí el tiempo suficiente para tener un puesto al que aferrarse.

Unos minutos más tarde el reloj del vestíbulo marcó las doce del mediodía y Francesca entró en el salón con una copa de jerez medio vacía en la mano, tarareando una cancioncilla de Gilbert y Sullivan. Escudriñó a Lily y comentó:

—Creo que un hombre con la piel bronceada y anchas espaldas es de lo más atractivo.

—Has visto al señor Thorne.

—Sí, hace un rato. A propósito, deberíamos avisar a Drummond para que mande sacrificar un cordero.

—¿Estás segura de que no preferirías que sacrificásemos a un becerro cebado? —preguntó secamente Lily.

Francesca depositó con cuidado la copa de jerez junto al plato de porcelana situado en su lugar de la mesa.

—A juzgar por su aspecto físico, Avery supondrá un considerable aumento en la factura mensual de la despensa.

—No se quedará tanto tiempo.

—¿Ah, no? —preguntó desafiante Avery, entrando en el comedor—. Buenas tardes, Francesca. Qué placer volver a verte tan pronto.

Lily se dio la vuelta. Avery Thorne se había arreglado para bajar a comer. Se quedó quieto en el umbral de la puerta. Toda su corpulencia y su amplitud se hallaban contenidas en una chaqueta inmaculada, aunque algo pasada de moda, que parecía dos tallas más pequeña de la que le hacía falta. Había aprovechado para lavarse el pelo y lo tenía todavía húmedo. Las gotas que le caían del cabello oscuro habían humedecido el cuello de la camisa y daban a sus duros y fuertes rasgos un aire de premura juvenil. Lily hizo un esfuerzo para sobreponerse a aquella observación poco oportuna.

Avery dio un beso en la mejilla a Francesca y después, como un león hastiado pero incapaz de resistirse al atractivo de una presa fácil, dirigió sus brillantes ojos hacia Lily y los fijó en ella con el propósito de alterarla. Su ancha boca dibujó una sonrisa devastadoramente atractiva y unas pequeñas arrugas rodearon sus ojos. Sus dientes eran tan blancos que contrastaban con su piel morena.

—Señorita Bede, volvemos a encontrarnos.

—Buenas tardes, señor Thorne.

La familiaridad alimenta el desprecio, la familiaridad alimenta el desprecio, se repitió a sí misma. Y entonces se le ocurrió una idea perversa. ¿Y si alimentase algo totalmente distinto?

—Confío en que haya encontrado sus aposentos en orden —dijo—. Generalmente mantenemos esa zona de la casa cerrada, pues está demasiado alejada. Pero no queríamos que se sintiese decepcionado a la hora de escoger habitación.

Avery, que se estaba acercando lentamente a Lily, se detuvo a unos pasos de distancia. Ella tuvo que hacer esfuerzos para no retroceder. Era tan increíblemente alto... Casi podía sentirle; era como si su cuerpo emitiese un campo energético, algo que ella podía captar con una sensibilidad inusual hasta entonces.

—No quería causarle ninguna inconveniencia —dijo, y la sonrisa de su rostro se desvaneció—. De niño, cuando vivía aquí, era esa la habitación que ocupaba, así que es la única que recordaba.

—No se preocupe —dijo Lily rápidamente.

Avery frunció aún más el ceño mientras estudiaba la rígida postura de la joven. La sonrisa de Lily era forzada, como indicando un leve... ¿temor, quizá? Volvió a fruncir el ceño. ¿Qué podía temer Lily Bede de él? Salvo, claro está, que iba a desposeerla de la casa inminentemente.

La idea no le provocó satisfacción alguna. Miró sus ojos oscuros y cautelosos y se percató de que la piel color miel de Lily se sonrojaba de repente. Demasiado apetecible.

—Francesca, ¿no te sientas? —dijo, dándose la vuelta hacia su prima y alejándose de Lily Bede.

Francesca sonrió con deslumbrante placer.

—Claro, Avery, qué amabilidad. ¿Cuándo aprendiste estos finos modales?

—Me parece que no sé a qué te refieres —contestó Avery, echando un vistazo a la gran silla de caoba antes de apartarla de la mesa—. Soy un caballero y, por supuesto, ofrezco asiento a una dama.

Cogió a Francesca del brazo, la colocó en el espacio que había dejado libre la silla y empujó el asiento debajo de ella. Quizá con demasiado ímpetu. Francesca se dejó caer, le miró pestañeando y comentó:

—Quizá me he apresurado...

—¿Señorita Bede? —continuó Avery, y dando la vuelta a la mesa, apartó su silla y la inclinó, sujetándola con una mano mientras esperaba a la dama.

Lily también parpadeó sorprendida ante su actitud. ¿Estaba tan poco acostumbrada a la etiqueta que el simple hecho de que le ofrecieran asiento la confundía? Bueno, ¿qué podía esperarse de un hogar de solo mujeres?

—¿Señorita Bede? —la apremió Avery.

Lily tragó saliva y se dirigió hacia su sitio. Avery colocó la silla detrás de ella y empujó. El borde del asiento le golpeó la parte trasera de las rodillas y por un instante Lily se tambaleó. Avery la cogió por el brazo para sujetarla y se quedó helado.

Nunca el simple tacto de una mujer le había provocado una reacción física tan intensa.

De pronto percibía plenamente a Lily Bede, no solo el firme y ágil músculo de su brazo, sino también la calidez de su piel, su suave y aterciopelada textura, llena de vitalidad. Quería acariciarle el brazo arriba y abajo. Quería tocarla más. Lily Bede. Su castigo. Retiró la mano bruscamente.

Lily levantó la cabeza y le miró de reojo. Tenía los ojos brillantes. Ella también lo había sentido. Debía haberlo sentido. Abrió la boca para hablar y Avery se inclinó hacia ella.

—Lamento que la señora Thorne no esté aquí para recibirle —dijo Lily.

Sus palabras dejaron a Avery insatisfecho, vagamente desilusionado.

—Si hubiera sabido que iba a llegar, estoy segura de que habría pospuesto su viaje. Espero que le guste el cordero.

Odiaba el cordero y su gusto debió de quedar patente en su rostro porque el de Lily reflejó una expresión de frialdad.

—Está claro que no es un festín maorí. Pero hacemos lo que podemos.

—¿Un festín maorí? —preguntó Francesca.

—El señor Thorne escribió a Bernard una gráfica descripción de un festín de una tribu al que acudió, evidentemente como invitado de honor.

—No, en absoluto —protestó Avery algo incómodo.

¡Maldición! Había olvidado todas aquellas descripciones pretenciosas que había redactado en las cartas a su joven primo.

—Solo pasaba por allí.

—¿Y qué es lo que había en el festín? —preguntó Francesca.

—Insectos, ¿verdad? —comentó Lily sonriendo.

Francesca se quedó boquiabierta.

—¿Comiste insectos?

—Y serpientes —añadió Lily, incapaz de controlar su impulso malicioso.

Por primera vez desde su primer encuentro, se le veía perplejo, casi tímido.

—Alta cocina para los dioses, debo suponer. Deliciosos, ¿verdad?

—Disfruté especialmente con las babosas —dijo Avery, mirando a Lily a los ojos y relajándose.

Le estaba tomando el pelo. No podía recordar a ninguna mujer que le hubiera tomado el pelo. Era una experiencia novedosa y no del todo desagradable. Se sentó.

—Tengo la certeza de que si los ingleses algún día descubren las delicias culinarias que se esconden debajo de las dalias, la industria ganadera se hundirá inmediatamente —comentó.

Lily se rió. Una risa encantadora, abierta, natural y tentadora. Y entonces, como si la hubiesen pillado desprevenida y la hubieran conducido a un territorio peligroso, enmudeció y se puso seria. Se dirigió a Francesca, que presenciaba la conversación con una expresión de absoluto arrobo.

—¿Irás también este año a las carreras, Francesca?

Sin dejar de sonreír, Francesca dio un buen trago a la copa de jerez y contestó:

—No lo sé. Había pensado irme el martes, pero no hay razón alguna para apresurarse. Las carreras no empiezan hasta dentro de tres semanas. No te preocupes, Lil, te prometo que te daré los nombres de los jubilados.

—¿Los jubilados? —preguntó Avery, ladeando la cabeza en un gesto de sorpresa.

—Lily colecciona caballos de carreras retirados.

—¿Caballos? —preguntó Avery sorprendido, mirando a Lily.

Ella miró fijamente al plato. ¿Qué otra cosa podía coleccionar Lily Bede que su bestia negra, la única conexión con el asma que había condicionado y arruinado sus primeros años de vida? Los caballos, a los que Avery era increíble, terrible y desastrosamente alérgico. Por supuesto, jamás permitiría que ella tuviese noticia de aquella debilidad.

—Unos pocos —murmuró Lily.

En ese momento la puerta del vestíbulo se abrió de par en par y entró una mujer sentada en una silla de ruedas. Tenía una pierna totalmente tiesa que le precedía en su entrada, envuelta toda ella en cintas de algodón. Bajo la frente ancha y húmeda cubierta de rizos color caoba, brillaban triunfales sus ojos marrones.

Con un gruñido, sujetó las ruedas, empujó su peso hacia delante y atravesó con la silla el umbral de la puerta. Avery se puso en pie de golpe.

—Si pudieseis ser tan amables de hacerme un sitio —pidió la recién llegada.

Tenía una voz profunda y fuerte, con un ligero acento norteño.

—Permítame —dijo Avery.

—¿Y quién es usted? —preguntó la mujer, echando la cabeza hacia atrás para tener una visión completa de su figura, mientras Avery se dirigía hacia ella para ayudarla.

—Avery Thorne, el primo de la señorita Thorne —contestó Avery, empujándola hacia la mesa.

—¿Avery Thorne?

Lily pareció recordar sus obligaciones como anfitriona y se levantó para situarse junto a la mujer. Con cuidado, pero con el mismo aspecto que tendría alguien que está quitando el bozal a un peligroso can, ayudó a la mujer a colocar su silla de ruedas en el lugar apropiado junto a la mesa.

—Señorita Makepeace, no tenía idea de que fuese a almorzar con nosotros —dijo—. ¿Cómo se las ha arreglado con las escaleras? ¿Ha podido bajarlas?

—Una mujer se hace un flaco favor a sí misma y a su género pretendiendo ser menos de lo que es, o incapaz de hacer lo que puede hacer —dijo Polly, desdoblando la servilleta y colocándosela en el regazo. Con su mirada hacia Francesca dejó claro que consideraba a esta culpable de al menos uno, o quizá ambos, defectos.

Francesca bostezó y dijo:

—Perdóname, me acosté tarde anoche.

—Pero ¿cómo has bajado las escaleras? —le preguntó Lily.

—Las chicas me han ayudado y me las he arreglado sola cuando no había desnivel que salvar.

—Deberá permitir que le ofrezca mi ayuda en el futuro —dijo Avery.

—No —contestó Polly—. Una mujer se vuelve una blanda cuando deja que los hombres hagan las cosas por ella, y si hay algo que no puedo soportar es una mujer bland...

—Bien, es estupendo que comas con nosotros —le cortó Lily volviendo a su asiento.

En aquel momento, otra muchacha embarazada —Merry, si Avery recordaba bien— entró en el comedor y preparó otro cubierto.

—Señor Thorne —continuó Lily—, esta es la señorita Polly Makepeace. La señorita Makepeace es uno de los miembros fundadores de la Coalición Femenina. Celebramos aquí no hace mucho nuestra reunión anual. Desgraciadamente, la señorita Makepeace se cayó de la tarima en medio de su discurso y se rompió la pierna. Se quedará aquí hasta que se recupere.

—Entiendo —dijo Avery.

Así que Lily estaba utilizando su casa como lugar de encuentro para las sufragistas. No le gustaba la idea. No le gustaba en absoluto. Los caballos eran una cosa, pero las mujeres metidas en política eran otra muy distinta. Uno podía mantener los caballos fuera de la casa.

—Se hallaba metida de lleno en su retahíla de objeciones a la nominación de Lily como secretaria de su pequeña organización —dijo Francesca, cogiendo la jarra que había en el centro de la mesa—. Se tomó su oposición con demasiado entusiasmo.

Polly se puso como la grana y las mejillas de Lily se tiñeron de rojo.

—Me limito a defender lo mejor para mi organización. No es nada personal y la señorita Bede lo sabe —dijo Polly. Y dirigiéndose hacia Avery añadió—: ¿Cómo está? He oído hablar de usted, un aventurero, siempre entre las garras de la muerte y todo eso. Bueno, debo decirle, señor, que hoy en día existen en Londres aventuras mucho más peligrosas para las mujeres...

Francesca vio con alivio que la puerta de la cocina se abría y por ella entraba la señora Kettle, seguida de Kathy. Esta última portaba una inmensa fuente de porcelana de la que emanaba un delicioso aroma.

La señora Kettle se detuvo frente a Avery y levantó la tapa de la sopera.

—*Soupe à l'oignon*, señor Avery, sir —susurró.

—Muy bien —dijo Avery asintiendo.

—Y después, *coquilles Saint-Jacques au saumon*, seguido

del plato de carne, *tendrons de gigot*. Como ensalada, tenemos *epinards aux foie gras* y terminaremos con la *tarte au citron* —continuó la señora Kettle.

—Gracias, señora Kettle —dijo Avery.

Se dio cuenta de que la vieja mujer, intencionadamente, no había mirado a Lily en ningún momento.

Si Lily Bede se dedicaba a gastar el dinero de ese modo en las comidas, a albergar convenciones para paupérrimas sufragistas, a coleccionar viejos caballos de carreras como si fueran animales de compañía, sin duda debía de estar a punto de hundir para siempre la finca. Lo que significaba que podía borrar cualquier asomo de duda que hubiera tenido sobre sus posibilidades de hacerse con Mill House.

Jugueteó con la cucharilla de plata. Aquel pensamiento no le proporcionaba la alegría esperada.

7

Al día siguiente, al anochecer, Avery abandonó la habitación y se dirigió hacia la biblioteca con la intención de examinar los libros de cuentas de la casa. Si es que podía encontrarlos. Un par de criadas hicieron una reverencia a su paso. Le resultaron familiares. De hecho, desde su llegada el día anterior solo había visto a tres criadas, todas ellas más o menos embarazadas. Asintió y ambas se llevaron las manos a la cara para ocultar su risa. Increíble.

Avery estaba poco acostumbrado al servicio femenino; en realidad, no tenía costumbre alguna. Pero sospechaba que en la mayoría de las mansiones las criadas no se echaban a reír cuando un hombre pasaba delante de ellas. Tras una vida entera entre hombres, encontraba que todo aquel mundo femenino que habitaba Mill House le resultaba tan exótico y extraño como un país inexplorado. Le fascinaba.

Las habitaciones de la casa, desde el amanecer hasta la puesta de sol, se llenaban de voces femeninas. Sonaban a música maliciosa, eran como trinos, gorjeos, graznidos, risas suaves, de fondo, como una piedra que corre por la superficie de un estanque reflectante, riñas tan agudas como un freno en mal estado, o, a veces, un murmullo tan fluido como la suave llamada de un pájaro nocturno, como la de Lily Bede... ¡Maldición!

Aquella mujer lograba colarse en sus pensamientos y le pillaba por sorpresa en los momentos más inesperados. En una ocasión había visto a un chamán que utilizaba la burda figura de un hombre para echarle mal de ojo. El chamán había enviado a unos demonios a visitar a su enemigo, unos demonios que solo el hombre maldito podía ver. Y el pobre tipo empezó a delirar como un loco. Avery tenía a veces la tentación de entrar en el dormitorio de Lily Bede y buscar su propia figurita de cera. Y es que no lograba quitarse a la maldita mujer de la cabeza.

¡Por todos los diablos! Él era un caballero, el mejor ejemplo de autocontrol. Dios sabía que había pasado sus dos primeras décadas de vida entrenándose en dicha disciplina. No iba a desearla.

Dobló la esquina y aminoró el paso fijándose de nuevo en la comparación entre la Mill House de su infancia y la actual. Recordaba metros de pasillos tapizados de madera y habitaciones cavernosas con techos tan altos como los de una catedral, un millón de tomos esotéricos ocupando las estanterías de la biblioteca y un batallón de lacayos limpiando cientos de ventanas de cristal.

De hecho, cada habitación tenía dos ventanas, los techos eran todos de nueve pies de altura y la biblioteca estaba repleta de primorosos ejemplares de hacía cuarenta años, no de los manuscritos de Shakespeare que él había imaginado. Mill House era sencillamente una gran casa solariega con pocas pretensiones, y las pretensiones que tuviera, Avery las encontraba graciosas. La ventana con vidrieras del último piso. Un jarrón de Sèvres. Si no recordaba mal, incluso había un salón de baile en una de las alas del segundo piso. Le gustaba la realidad actual de Mill House, la atmósfera poco recargada y relajada, tan distinta a la que recordaba.

—Señor Thorne, sir. —Una chica pelirroja se acercó hacia él caminando como un pato con los brazos cargados de sábanas y el rostro enrojecido por el esfuerzo.

—¿Sí, Merry?

Su pregunta provocó un repentino ataque de risa totalmente injustificado. La reacción de las criadas a sus simples palabras era idéntica, así que de haber estado en África habría creído que era una forma de saludo habitual.

—¡Oh, señor! —exclamó dando un respingo y llevándose la mano al vientre—. Que Dios le bendiga, señor, ha recordado mi nombre.

—Por supuesto que sí. Eres la única pelirroja emb... eres la única empleada pelirroja aquí, Merry.

Su comentario provocó nuevas risas.

Avery observó con preocupación la barriga de la muchacha. En una ocasión había asistido a un parto en un iglú. La única otra opción que tenía era estar fuera a cuarenta grados bajo cero, soportando un vendaval huracanado. Esta última había sido su feliz elección hasta que se le helaron los pies. Las horas que siguieron habían sido muy instructivas. Y no tenía ninguna intención de volver a repetirlas.

Avery la miró con el ceño fruncido.

—¿Qué es lo que quieres?

—La señorita Bede me ha dicho que tenía que buscarle y preguntarle qué quería hacer con las invitaciones.

—¿Qué invitaciones?

—Las invitaciones de la nobleza local —explicó— para fiestas y veladas y festines y bailes y danzas y musicales y picnics y todo eso.

—No tengo ni idea de qué hacer con esas malditas invitaciones. Dáselas a la señorita Bede —contestó Avery.

Estaba dispuesto a continuar su camino cuando la joven le detuvo.

—Eso hice —dijo—, y ella me ha dicho que se las dé a usted, señor, para que pueda decidir cuáles va a aceptar. Dice que ya se están amontonando y que hay que responder.

—Eso dice, ¿eh?

¿A qué estaba jugando ahora Lily? ¿Y dónde demonios estaba?

El día anterior había sido su sombra. Si hubiera parecido mínimamente feliz, él habría sospechado que albergaba maliciosas intenciones, pero tenía un aire tal de dolorosa resignación que solo pudo suponer que le seguía tan de cerca para asegurarse de que no se escabullía con la plata. Era evidente que no le gustaban los hombres, un hecho que había dejado claro en sus cartas y que evidenciaba en sus asociaciones políticas.

—Merry, querida muchacha... —dijo Avery, lanzando un gruñido al oír de nuevo la incesante risa—. Si digo mal tu nombre, limítate a decírmelo. ¿De acuerdo? Bien, ahora escúchame. No tengo relación con nadie que no esté a más de cuarenta millas de distancia de Mill House. Por consiguiente, a pesar de la conmovedora determinación de la señorita Bede por incluirme en sus salidas, por favor, infórmale de que no tengo interés alguno en saber a qué fiestas asiste o a cuáles no. Desde luego, no tengo intención alguna de acompañarla. —Y preguntó horrorizado—: ¿Qué demonios es ese ruido que estás haciendo?

—¡Oh, Dios mío! —exclamó la chica.

Los ojos parecían salírsele de las órbitas y las rodillas se le doblaron. Empezó a tambalearse. Avery la sujetó y la cogió en brazos. El montón de ropa blanca que llevaba cayó al suelo con un ruido seco.

—Ahora voy a tener que volver a bajarlo todo a la lavandería... —se quejó la chica.

—Por Dios, muchacha, ¿estás tonta? Deberías estar con una comadrona y no jadeando por los pasillos. ¿Es que la señorita Bede no tiene decencia? ¿Cómo puede obligarte a trabajar en tu estado?

La chica parpadeó.

—La señorita Bede —dijo en tono solemne— es una auténtica santa. Yo no tendría un techo si no hubiera sido por ella, y tampoco las otras chicas que hay aquí.

Y también te paga poco, pensó Avery, sin poder evitar su cinismo.

Cuanto más sabía de la gestión económica de Lily, menos le gustaba. Comían como reyes, pero Lily solo tenía tres criadas embarazadas para hacer un trabajo que requeriría el doble de servicio. Francesca se vestía a la última moda y sin embargo Lily vestía como una pobre... escudera. Por lo menos, debería llevar vestidos. En su día había habido unos hermosos jardines llenos de rosas donde actualmente crecía la hierba, y por otro lado, veinte caballos de carreras retirados comían avena en los establos.

La falta de moderación y la parsimonia se unían en la gestión que de Mill House hacía Lily. La finca se llevaba la parsimonia, y los caprichos de Lily la falta de moderación. Debía admitir que había sido un ardid inteligente contratar a chicas desesperadas. Cada una haría el trabajo de dos criadas, felices como estaban de tener trabajo.

Nunca había dudado de la inteligencia de Lily. En ese momento se encontraba cuestionando su ética. No le gustaba, sobre todo porque sus dudas no aplacaban su ardor. ¿Qué tipo de caballero tendría semejante obsesión por una mujer así? Sin embargo, se daba cuenta de que no quería pensar muy mal de ella.

Con gesto adusto, Avery subió un poco el peso de Merry sobre su pecho buscando un lugar donde depositarla, pero no había ninguna silla ni ningún banco a la vista.

—¡Ough! —exclamó la chica entornando los ojos—. Teresa dijo que usted era tan fuerte como un novillo.

¿Un novillo? En las dependencias del servicio se le comparaba... ¿con un novillo? Entre dientes, preguntó:

—¿Crees que puedes mantenerte en pie?

Antes de que pudiera acabar la pregunta, la muchacha rodeó el cuello de Avery con más fuerza, casi estrangulándole, y lanzó otro gemido. Por el amor de Dios, no podía estar...

—¿Está sucediendo eso? —le preguntó.

¿Dónde diablos estaba Lily? Tenía que llevar a Merry abajo, a su habitación.

—¿Eso? —preguntó Merry con la mirada vacía—. Oh, eso. No, señor. Que Dios le bendiga, señor. El pequeño monstruito me ha clavado el pie como un puñal, eso es todo. Todavía le falta un buen rato.

Avery miró fijamente aquel protuberante vientre que se encontraba tan cerca de su nariz. Nadie podía ir por ahí con ese vientre todavía «un buen rato». Había algunas leyes de la física que exigían obediencia y una de ellas era la gravedad.

—Deme un momento para que coja aire, señor. Y ahora déjeme pensar, ¿qué era lo que me habían mandado decirle?

—Algo acerca de unas invitaciones —le contestó él.

—¡Eso es, señor! —dijo Merry sonriéndole—. Iba a decirle que esas invitaciones son todas para usted, señor.

—Es imposible —dijo él impaciente—. Ya se lo he dicho, no conozco a nadie.

—Pero señor Thorne, usted es el señor Thorne. Eso es todo lo que usted necesita, pero además es el señor Thorne al que mucha gente de por aquí lleva cuatro años leyendo. Las gentes de por aquí se mueren de curiosidad. —La cabeza de Merry se movía arriba y abajo—. Todas las cartas, de la primera a la última, están dirigidas a usted. La señorita Bede nunca recibe invitaciones. La señorita y la señora Thorne de vez en cuando reciben alguna, pero no la señorita Bede. No recibe invitaciones de los vecinos.

Por alguna razón, su ya exacerbado estado de ánimo estalló con este comentario y en tono arisco soltó:

—No me sorprende. Si se le deja, esa mujer podría alienar a una nación entera paseándose a grandes zancadas y bamboleando los brazos como un soldado, vestida con esos ridículos bombachos. ¿La viste ayer por la mañana? —le preguntó.

Merry abrió aún más los ojos.

—Se encontraba fuera, paseando por el camino de la entrada. Y llevaba el pelo suelto. Suelto. ¡Para que lo viese todo el mundo!

—Sí, señor —dijo Merry dócilmente.

—Por el amor de Dios, no te asustes. ¿Te imaginas a la señorita Bede asustada? No, ¿verdad? ¿Y por qué debería hacerlo? Soy el hombre más caballeroso del mundo.

—Sí, señor —asintió Merry.

—Un caballero —continuó enérgicamente—, una raza con la que estoy seguro de que no estará familiarizada viviendo bajo la autoridad de la señorita Bede, pobre criatura.

La chica bajó la mirada y la posó sobre su enorme barriga.

—Oh, señor, puedo asegurarle que he tenido ya mi ración de caballeros —murmuró.

—Y con respecto a eso de que la nobleza de por aquí no la invita a sus fiestecillas —gritó Avery—, ¡ya veremos qué pasa con eso!

—De verdad, Thorne —dijo una familiar voz femenina proveniente de las escaleras, con un timbre desafiante tan difícil de ignorar como el silbido de un tren—, debe aprender a controlar el volumen de sus rugidos. Podía oír todo lo que decía desde arriba.

Lily Bede apareció en lo alto de la escalera y sus maravillosos ojos negros se agrandaron por un instante.

—Señorita Bede —dijo Avery mirándola de frente—, yo no rujo. Hablo con una voz clara y que se puede oír fácilmente. Estaba conversando con esta muchacha. —E hizo una indicación con la cabeza hacia Merry—. Intentando hacerme entender.

Lily no prestó atención alguna a la criada. Se dirigió hacia él levantando la barbilla con un aire provocador muy suyo.

—Hay gente que se hace entender sin lanzar semejantes alaridos. ¿Es que sus compañeros de viaje eran sordos o es quizá usted quien sufre alguna minusvalía auditiva? —le preguntó serenamente.

—Mi oído es estupendo —dijo— y también el de mis compañeros. De hecho, no recuerdo haber levantado la voz durante los cinco años que pasé en su compañía.

Lily enarcó las cejas, dejando clara su incredulidad.

—Y —continuó él, decidido a no subir el volumen ni un solo decibelio— si levanto la voz se debe únicamente a que me ponen a prueba sin piedad.

En primer lugar, Lily. Llevaba el pelo suelto y el cuello de la blusa abierto, como si hubiera olvidado abrochárselo.

Avery podía ver la frágil y lisa hendidura que delineaba su clavícula y el final de su largo y hermoso cuello.

—¿Puedo osar preguntar quién le ha puesto a prueba sin piedad esta mañana? —preguntó dulcemente—. Ayer noche fue su armario.

—No me va ni uno solo de mis trajes —contestó satisfecho por su tono calmado—. Me limité a expresar mi exasperación ante ese hecho concreto.

—Se puso a gritar —dijo ella con calma—. Esta mañana le he puesto a prueba sin piedad porque le he pedido que se limite a fumar esa asquerosa hierba en el exterior.

Avery le lanzó una mirada fulminante. Puede que hubiera protestado ante esa petición tan poco razonable algo más enérgicamente de lo que un caballero debería.

—Y después del almuerzo, se le puso a prueba sin piedad porque había perdido un libro...

—Mi diario —gruñó—. Y no fui yo quien lo perdí. ¡Alguna sirvienta lo ocultó!

—Lo puso en la estantería —gritó Lily—. Estoy segura de que pensó que poner su libro en su estantería no supondría un gran desafío para su capacidad deductiva.

—Yo no lo dejé en la estantería —le gritó Avery—. Lo dejé en el escritorio, y es donde quería que estuviese. Y le agradecería que transmitiese esa información a la mujer que se ocupe de mi habitación.

—Hágalo usted mismo —dijo ella, lanzándole una mirada furibunda—. La tiene entre sus brazos.

Durante todo aquel intercambio de gritos, Merry, acurrucada en los brazos de Avery, había permanecido en silencio. En aquel momento forzó una sonrisa tímida.

—No volverá a ocurrir, señor. No moveré nada del lugar donde usted lo haya dejado.

Se la veía tan abatida que Avery no pudo mantener su enfado.

—Está bien —dijo amablemente—. Estoy seguro de que no pretendía hacer nada malo.

—¿Hay algo más que desee decirle a Merry?

Avery miró a la chica.

—No.

—Entonces ¿por qué no la suelta? A no ser que, claro está —continuó Lily, mirando a la criada—, tengas algo que objetar, Merry, querida.

Merry se encogió avergonzada.

—No, en absoluto, yo no —dijo—. Puede dejarme en el suelo, señor.

Avery la depositó en el suelo y dio un paso atrás, dejando una mano extendida por si volvía a perder el equilibrio.

—Me siento mucho mejor. Gracias por su amabilidad.

Con increíble agilidad, Merry se puso en cuclillas, cogió la pila de ropa blanca y se escabulló.

Lily vio cómo Merry se marchaba con una mezcla de diversión y de alivio. La muchacha era —no hacía falta andarse con rodeos— incorregible. Pero por un espantoso momento, al verlos, había pensado que estaba interrumpiendo un encuentro amoroso. Hasta que había visto el rostro de Avery. Era evidente que en él no había signo alguno de nada indecoroso. Incluso con la reconocida inexperiencia de Lily con los hombres, podía saber que éstos no aparentaban indiferencia de no sentirse indiferentes.

No, Avery estaba limitándose a hacer lo que la situación requería. El hecho de que los demás pudieran malinterpretar que estuviese en medio de un pasillo sosteniendo a una criada embarazada en brazos no se le había pasado por la mente. Avery Thorne, a pesar de su insistencia en que era un caballero, estaba tan versado en las formas y prejuicios sociales como una urraca en el latín. Y que Dios se apiadase de Lily; eso hacía que a ella le gustase más.

No podía permitirse que le gustase Avery Thorne. Era el hombre que acudía a reclamar la casa por la que llevaba cinco años trabajando.

Se dio la vuelta. Mala idea. Estaba de pie justo junto a ella, tan cerca que Lily rozó su pecho con un hombro y sintió fogonazos de electricidad recorriéndole todo el cuerpo. Afortunadamente, Avery tenía la mirada centrada en Merry mientras esta se alejaba, y no se dio cuenta del interés de Lily. Esta le estudió un momento.

Todavía no se había comprado ninguna camisa nueva y la que llevaba le quedaba pequeña y le marcaba los músculos del pecho. Había decidido prescindir de cuellos de camisa ya que ninguno de ellos le abrochaba. Los pantalones de color caqui estaban gastados y le quedaban holgados, algo que no ayudaba a apagar el interés de Lily. Eran pantalones de cintura baja que le caían libremente insinuando los poderosos músculos de sus piernas.

Lily se mordió el labio con frustración. La proximidad no estaba resultando una solución. Se había pasado todo el día anterior siguiéndole con la esperanza de que aquella fiebre desapareciese, pero el encaprichamiento no solo no se había apagado sino que se había acrecentado. Tenía que hacer algo al respecto.

—¿Debería estar trabajando ahora, estando tan cerca del... del...? —preguntó Avery, dándose la vuelta de golpe y mirándola acusadoramente.

—¿Ahora? —repitió Lily, totalmente imbuida en la contemplación de su piel recién afeitada.

—Sí, ahora —dijo Avery, bajando la cabeza y mirando fijamente el rostro de Lily—. ¿Qué demonios le pasa? ¿Se encuentra mal?

Demasiado cerca. Lily dio un paso hacia atrás y, al tocar los tacones de sus zapatos el primer escalón, dio un traspié y estuvo a punto de caerse. Pero Avery alargó las manos y, agarrándola por los hombros, la atrajo hacia él, alejándola de ese modo de las escaleras.

Por un instante se quedaron quietos, el pecho de Lily contra el de Avery, el cabello de la joven enredado en las fuertes manos de él, el aire electrizado por aquella atracción que el día anterior durante la comida había dejado a Lily con la boca seca y la cabeza llena de pensamientos incoherentes.

—Gracias —dijo en un tono que pretendía ser superficial y contundente—. Perdóneme. Tengo cosas que hacer.

Se apartó y huyó. La persiguió la certeza de que Avery Thorne era el único hombre al que se había sentido afín, el único —oh, maldición— por el que se había sentido tan atraída. Pero era, al mismo tiempo, su competidor, su adversario y, por tanto, su enemigo más querido.

8

—No me importa lo que vaya a hacer con las invitaciones, pero desde luego yo no voy a contestarlas. No soy su secretaria.

Evelyn oyó la voz de Lily proveniente de la sala, se quitó los guantes, los dejó en el mueble del vestíbulo, sonrió a su hijo y le hizo una señal para que la siguiese.

Abrió un poquito la puerta y asomó la cabeza. Allí estaba su familia. Lily estaba sentada en la silla junto a la ventana y Francesca en el sofá. Ni siquiera la presencia de aquella irritante Polly Makepeace sentada en una silla que habían situado junto al sofá podía empañar su felicidad.

Con una sonrisa, abrió la puerta de par en par.

—Mirad a quién he traído a casa —dijo a los sorprendidos residentes de Mill House.

Cogió la mano de Bernard y le arrastró dentro de la sala colocándole a su lado.

—Habrías estado orgullosa de mí, Lily. Me mostré muy firme...

Se dio la vuelta para cerrar la puerta y le vio.

Gerald.

Sintió que le faltaba el aire y se agarró con firmeza al brazo de Bernard. El hombre se puso en pie y se dirigió hacia ella, pero la vista nublada de Evelyn le impedía distinguir su rostro.

—¿Evelyn? —oyó decir a Lily en tono de preocupación, aunque no podía apartar la mirada del hombre que se acercaba a ella.

—Es un placer volver a verla —dijo—, prima Evelyn.

¿Prima Evelyn? Hizo un gesto para cogerle la mano pero sintió que la repugnancia se apoderaba de ella y se echó hacia atrás.

Él se quedó totalmente helado y después añadió suavemente:

—Debe de ser muy duro llegar a casa y encontrarse con que está llena de invitados. Avery Thorne, señora. Ha pasado mucho tiempo.

—¡Señor Thorne! —exclamó Bernard sin disimular su placentera sorpresa.

Se aclaró la garganta, adelantó a su madre y le tendió la mano:

—Es un placer conocerle, señor —dijo, al tiempo que Avery le estrechaba la mano.

—El gusto es mío.

Avery Thorne, pensó Evelyn aturdida. Claro, eso explicaba el parecido.

—Aunque —continuó Avery— debo señalar que ya nos conocemos. Tú ibas en pañales y yo en pantalones cortos. —Inclinó la cabeza y dirigiéndose a Evelyn añadió—: Pero qué falta de decoro. ¿No desea tomar asiento, prima Evelyn?

—Por supuesto —dijo esta intentando sonreír y sabiendo que no iba a lograr que asomase a sus labios nada parecido a una sonrisa—. Me ha pillado totalmente desprevenida, lo siento. Perdóneme por no saludarle como debería... primo Avery.

—Me temo que he pillado a todos desprevenidos, señora —dijo Avery dirigiendo la mirada hacia donde se encontraba Lily, que seguía la escena con interés.

Pobre Lily. Con lo poco acostumbrada que estaba a los hombres, aquella criatura gigantesca debía de aterrorizarla.

Evelyn aprovechó la distracción momentánea de Avery para esquivarle y sentarse junto a Polly Makepeace.

—Es un placer volver a verte, tía Francesca —dijo Bernard, quien, queriendo dar muestras de su reciente madurez, inclinó la cabeza sobre la mano de su tía.

—Y es un placer volver a verte a ti también, Bernard —dijo Francesca—. Y como nadie más parece dispuesto a hacerlo, déjame que te presente a nuestra invitada, la señorita Polly Makepeace. La señorita Makepeace se está recuperando de un accidente.

Evelyn se sintió culpable y se sonrojó. Avery había captado de tal modo su atención que había olvidado mostrar un interés, aunque fuese puramente formal, por su invitada, a pesar de que aquella mujer se había convertido en invitada a la fuerza. Al fin y al cabo, la señorita Makepeace no se había caído de la tarima a propósito.

—Me alegro tanto, señorita Makepeace, de que se encuentre usted bien y pueda acompañarnos.

—Se lo que está pensando —dijo Polly bruscamente—. Créame, no seguiría aquí de no ser porque la señorita Bede insistió en que me quedase hasta que pudiera caminar yo sola.

—Lily tiene toda la razón —murmuró Evelyn—. Es un placer tenerla entre nosotros.

—Hum —musitó Polly hundiéndose en la silla.

Bernard le dirigió una reverencia de cortesía.

Evelyn se sorprendió ante el inusual silencio de Lily y descubrió con preocupación que la chica iba vestida del modo que ella llamaba «razonable». Tenía la tez acalorada y los ojos le brillaban peligrosamente. A los hombres no les gustaban las mujeres vestidas con ropas masculinas. Especialmente a los hombres como Avery Thorne. Y Evelyn sabía mejor que nadie cuán importante era ganarse el favor de los hombres.

En aquellos momentos, hasta la ropa de Lily más razonable parecía imprudente. Aquella especie de pantalones que llevaba marcaban las caderas y las curvas; muy poco masculinas, por cierto. La camisa de hombre lo único que lograba era acentuar su exótica feminidad. El cabello, recogido en un moño sencillo, era lo único que no llamaba la atención.

Evelyn se fijó en Avery. Pronto sería el tutor de Bernard. Sintió que le invadía la desesperación al pensarlo.

Durante cinco años habían vivido alegremente en Mill House. La hábil capacidad organizativa de Lily había resuelto las crisis ocasionales, su generosa naturaleza había satisfecho sus necesidades y su diplomacia había suavizado los pocos momentos de fricción. Sus vidas habían sido como plumas flotando sobre un río tranquilo.

Apenas hacían vida social: Francesca por su mala fama, Lily porque no era alguien aceptable y Evelyn porque se negaba a relacionarse con aquellos que miraban a Lily por encima del hombro. Tampoco es que echase precisamente de menos la vida social de provincias.

Podía haber quien considerara sus vidas aburridas. Pero Evelyn estaba a gusto. Ya había tenido suficientes emociones durante sus ocho años de matrimonio. En Mill House, con Lily, por primera vez en su vida, no había ningún hombre organizándole la vida. No necesitaba halagar a un hombre para lograr la armonía doméstica ni utilizar su cuerpo como moneda de cambio para que un hombre mostrase algo de buena voluntad hacia ella, estuviese tranquilo o le diese algo de libertad. Y sin embargo, de repente, había aparecido Avery Thorne, removiendo sus recuerdos, unos recuerdos muy desagradables.

Se parecía mucho a Gerald. Los mismos rasgos duros, los mismos ojos de aquel color tan llamativo, aquellas manos tan grandes, capaces de castigar con tanta fuerza... Solo la expresión era diferente, pero también podía ser que el candor y la integridad que aquel rostro reflejaba fuera solo un engaño provocado por la luz...

Avery levantó la vista y vio que Evelyn le miraba. Sonrió ligeramente y en sus labios asomó una leve mueca de ironía que hizo que su prima hundiese la mirada en su regazo. Se maldijo por ser tan cobarde.

¿Cómo iba a renunciar a todos los privilegios y a las libertades que había descubierto? Es más, ¿cómo iba a poder pedir nada a aquel hombre si ni tan siquiera era capaz de aguantar su mirada?

—Señorita Bede.

Habiendo cumplido con su obligación para con su tía y Polly, Bernard se dirigió hacia Lily.

—Veo que sigues bien.

—Muy bien, gracias —respondió Lily—. Veo que has crecido, ¿no?

Bernard medía casi metro ochenta y sacaba más de diez centímetros a los compañeros de clase más altos. Ya era un poco más alto que Lily.

—Sí, señorita Bede, eso dicen.

—¿No va a ofrecerle un poco de chocolate de Francesca? —preguntó Avery.

Aquella inocua pregunta hizo que Lily se sonrojase. Volvió la cabeza de golpe y clavó la mirada en Avery.

Evelyn se quedó mirando fijamente a Lily, sorprendida por su fortaleza, hasta que recordó que se había pasado cuatro años intercambiando disparos con aquel hombre por carta. Nunca se había batido en retirada. Evelyn contempló con resignada admiración cómo Lily se ponía en pie cuan larga era —y nadie podía decir que su altura no fuera impresionante—, con el brillo de la batalla iluminando sus ojos endrinos. Ningún hombre intimidaría jamás a Lily.

Con un suspiro de resignación, Avery se puso en pie inmediatamente.

—Parece usted un tentetieso, arriba y abajo, abajo y arriba —dijo.

—Nadie le obliga a levantarse —replicó Lily.

—Es solo cuestión de educación —dijo Avery.

Al parecer, ya habían tenido aquella discusión con anterioridad y no habían llegado a ninguna solución, pues ninguno de ellos se molestó en continuarla.

—Y en cuanto al chocolate, prefiero dar a Bernard un beso —dijo, y obedeciendo a sus palabras, dio un suave beso a Bernard en la mejilla—. Bienvenido a casa, Bernard.

Bernard sufrió aquella afrenta a su orgullo adolescente sin pestañear. Pero Lily, que siempre demostraba empatía hacia aquellos a los que amaba, vio que el beso le había avergonzado.

—Tranquilo, muchacho —musitó Avery—. La señorita Bede solo está dando muestras de su naturaleza afectuosa.

Bernard enrojeció y Evelyn, preocupada, hizo amago de levantarse. En ocasiones, si Bernard vivía algún episodio emocionalmente fuerte, podía sufrir uno de sus ataques respiratorios.

—Está bien —murmuró Polly para tranquilizarla—. Escucha bien, no se oye nada raro. —Ante la mirada sorprendida de Evelyn, Polly continuó—: La señorita Bede me ha contado lo de sus pulmones.

—No quería ofenderte, Bernard —dijo Lily.

—No pasa nada —respondió Bernard.

Su voz sonaba normal, así que Evelyn se relajó.

—Tal como ha señalado el primo Avery —continuó el muchacho—, has sido bendecida con un corazón gentil. Tus recibimientos siempre me sorprenden. Los deanes de Harrow no suelen ser tan afectivos.

—Bien dicho, muchacho —dijo Avery en tono condescendiente—. Puede que todavía tengas que mejorar en latín, pero veo que Harrow ya te ha convertido en un caballero.

Ante el cumplido, Bernard sonrió complacido.

—¿Es eso todo lo que tienen que enseñarle en el colegio para obtener su aprobación? —preguntó Lily a Avery—. ¿Los modales adecuados, la forma correcta de actuar, una lista de lo que debe decir?

—Eso es —dijo Avery, mirando a Lily con la misma vaga atención con la que un gato de granja contemplaría a unos pollos recién nacidos.

Como si no creyese lo que oía, Lily se acercó a Avery.

—¿No le parece una tontería elitista?

—El comportamiento caballeroso es un elitismo absolutamente apreciable —dijo Avery—. Espero que Bernard aspire a códigos de conducta que le sean útiles a lo largo de su vida.

—Como lo han sido para usted.

—Eso espero, sí.

Se miraron fijamente.

Evelyn sintió un peso incómodo en el estómago. Lily, al parecer inconsciente del peligro, se acercó demasiado a Avery. Descorazonada, Evelyn se dio cuenta de lo alto que era aquel hombre. Sacaba a Lily por lo menos diez centímetros. Su brillante mirada se escondía detrás de unas pestañas de bronce. Evelyn malinterpretó aquella expresión insondable. Podía alargar la mano y golpear...

—Señor Thorne —dijo Lily—. Puede usted añorar los tiempos en los que los hombres se batían en duelo al amanecer solo porque habían hecho un comentario poco apropiado de la indumentaria del otro, pero puedo asegurarle que en el mundo actual a nadie le importan esas cosas.

Lily chasqueó los dedos bajo la barbilla de Avery y Evelyn se quedó sin aliento.

Avery se limitó a mirar en absoluto silencio los finos dedos que se movían bajo su barbilla y luego, igualmente en silencio, levantó la vista hacia los ojos de Lily.

Ella arqueó las cejas y continuó:

—Creo que es mucho más importante que Bernard aprenda matemáticas, economía e historia. Algún día será responsable de una cuantiosa fortuna, y esa palabra, por si acaso no le resulta familiar, se deletrea r-e-...

—Me parece haberla oído alguna que otra vez —le interrumpió Avery.

—Bien. Entonces quizá pueda entender que Bernard tiene cosas más interesantes en las que ocupar su tiempo que memorizar una anticuada lista de aquello que un caballero debe o no debe hacer.

—Si realmente considera que los malabarismos intelectuales son más importantes que la propia conducta —dijo Avery con claridad—, es una suerte que la educación de Bernard vaya a estar en mis manos en breve, ¿verdad?

—De todo lo que...

—Discúlpeme por interrumpir —dijo Bernard, cortando el arranque de Lily— pero ¿puedo preguntarle, señor, cómo sabe lo del latín?

Sin dejar de mirar a Lily ni un instante, Avery respondió:

—Oh, no me tomo mi responsabilidad tan a la ligera como cree la señorita Bede. Llevo cinco años manteniendo una correspondencia continuada con los tutores de tu colegio.

—¿Quiere decir que comunicó a los tutores de Bernard adónde podían escribirle y a mí nunca me lo dijo? —preguntó Lily elevando el tono de voz.

—Pensé que le divertiría más el desafío de buscarme —replicó Avery.

Evelyn casi podía ver las chispas que echaban los ojos de los dos contendientes.

—No hay duda de que hay algo entre ellos —murmuró Polly Makepeace mientras Lily intentaba mantener la compostura—. Los cordones del corsé de mi madre tenían menos tensión que la que hay entre estos dos. Y pesaba casi ciento ochenta kilos.

Evelyn contuvo una carcajada y, ante una imagen tan absurda, se disipó su ansiedad. No había pasado con Polly más tiempo que el estrictamente indispensable simplemente porque la mujer no solo era tan descortés que consideraba que Lily no sería capaz de liderar su querida coalición, sino que, peor aún, lo repetía a la menor oportunidad. No sabía que Polly tuviera sentido del humor.

—¿Por qué se enfrenta a él deliberadamente? —preguntó Evelyn en voz baja—. ¿No se da cuenta de que se está enfadando?

—Señora Thorne —dijo Polly—, a pesar de lo que yo opine sobre la capacidad de la señorita Bede para liderar la coalición, nunca he dudado de su valentía. Llevan así desde que llegó el tipo y todavía no ha salido derrotada de uno de estos enfrentamientos verbales, aunque, si he de ser honesta, tampoco ha salido victoriosa.

Fascinada al saber que Lily se había hecho valer de manera continua frente a un hombre tan gigantesco, Evelyn se quedó pensativa.

—¿Por qué pone esa cara, señora Thorne? —le preguntó Polly, mientras Lily iniciaba otra discusión frente a frente con aquel hombre joven y musculoso, vestido con una chaqueta que apenas le cabía.

—Lily —murmuró— está preparada para tratar con los hombres. Avery Thorne no la intimida en absoluto. Me da envidia.

—Oh, vamos —dijo Polly intentando ser amable—. El señor Thorne no me parece un hombre poco razonable. Gritón y algo brusco, sin modales. Pero de buen corazón y un tipo honorable. De hecho, bastante parecido a la señorita Bede. Personalmente, me gusta que los hombres sean directos.

Evelyn no habría podido decir por qué se sentía cómoda confiando en Polly Makepeace. A lo mejor se debía a su inesperada simpatía, o quizá ese repentino enfrentamiento con la situación le impedía controlar su ansiedad. Por la razón que fuese, se encontró dejando escapar las siguientes palabras:

—Me gustaría no tener que tratar con un hombre así nunca más. No puedo imaginar cómo sería vivir bajo los auspicios de este hombre sin tener a Lily para hablar en nuestro nombre.

—¿Por qué iba a necesitar a otra mujer para hablar en su nombre, señora Thorne? —le preguntó Polly, inclinando la cabeza con un gesto inquisidor.

—Vamos, señorita Makepeace —dijo Evelyn sin rencor—, estoy segura de que no considera que las clases bajas tengan el monopolio de la... discordia matrimonial. Por mi propia experiencia, albergo pocos deseos y me siento incapaz de tratar adecuadamente con hombres gritones y bruscos.

—Entiendo.

—¿Sí? —dijo Evelyn, sonriendo lánguidamente.

—¿Y cree usted que la señorita Bede está más preparada para tratar con el señor Thorne y con la gente de su clase?

—¿Cómo puede dudarlo? —preguntó Evelyn—. Mírela.

Aunque no salga victoriosa de estas confrontaciones, se deja la piel en ellas. Es magnífica.

—Sí —dijo Polly pensativamente—. Es evidente que parece estar pasándoselo bien. Y él es presa casi de idéntico alborozo. Fíjese cómo la devora con la mirada. Y cómo se la devuelve ella.

Evelyn asintió con pesar.

—Sí, yo jamás sería capaz de enfrentarme a él de ese modo.

Sus ojos se llenaron de lágrimas imaginando un futuro negro y lleno de incertidumbre. Hurgó en su bolsillo, aliviada al saber que la atención de Bernard seguía fijada en Lily y Avery Thorne. Para su sorpresa, fue la pequeña y ruda mano de Polly la que, dándole unos extraños golpecitos en el puño, le tendió un pañuelo. Su amabilidad la conmovió y gimió suavemente.

—Dios mío, cómo voy, cómo voy a esperar...

—Calla, tranquila —le aconsejó Polly con ternura—. Si me hace el favor de acompañarme al vestíbulo, señora Thorne, creo que tengo la solución para todos nuestros problemas.

9

—Me han gustado mucho sus cartas, primo Avery —dijo el muchacho.

—Bien —replicó Avery con la mirada puesta en la erguida figura de Lily Bede.

La joven caminaba rápidamente delante de ellos, a unos cincuenta metros, dando graciosas zancadas. A pesar de la velocidad a la que se movía, mecía las caderas con ligereza, y sus brazos colgaban relajados a ambos lados de su cuerpo, balanceándose a un ritmo fluido que acompañaba su paso. Caminaba con un encanto primigenio, como una bailarina en un sueño, sin darse cuenta de sus movimientos, increíblemente natural.

El sol les golpeaba con una virulencia poco apropiada para la época. A su paso, batallones silenciosos de libélulas de cuerpos esbeltos y un azul tornasolado surgían por las laderas del camino. La hierba de los prados se movía con el cálido y seco viento siseando *sotto voce*.

Lily había decidido que comerían al aire libre.

Había estado peleándose con Avery con todo el cuerpo temblando de contención, y al minuto siguiente, había anunciado que comerían al aire libre para celebrar el regreso de Bernard.

—También les gustaban a los otros chicos.

—¿Perdón? —preguntó Avery subiéndose las mangas de

la chaqueta. Hacía demasiado calor para ir vestido con lana, demasiado calor para llevar una camisa. Se la quitó.

—Los chicos del colegio. También a ellos les gustaban sus historias.

—Ah, qué bien.

A ella no se la veía acalorada.

—Sobre todo las de África —dijo el muchacho casi sin aliento.

—África es un lugar interesante —dijo Avery, aminorando el paso para caminar al ritmo de Bernard.

La distancia entre Lily y ellos creció. Los bombachos de la joven se abrían paso entre la hierba mientras conducía a Francesca y a Evelyn a través de los campos de detrás de la mansión en dirección a una impresionante haya. A una corta distancia caminaba Hob, tan cargado de paquetes como si fuera una mula de carga.

Francesca, con el rostro maquillado con manos expertas bañado en sudor por el calor, luchaba por abrirse camino con su falda de encaje y Evelyn, con aire desconcertado, iba literalmente trotando.

Pero Lily no se daba cuenta. Para darse cuenta, debería haberse dado la vuelta arriesgándose a verle, algo que de pronto parecía detestar. Qué mujer tan exasperante.

—... el futuro de la señorita Bede.

—¿Qué?

Avery se detuvo y también Bernard.

—Decía que en algún momento, cuando pueda, me gustaría tener la oportunidad de discutir el futuro de la señorita Bede.

—¿Qué pasa con el futuro de la señorita Bede? —preguntó Avery.

Bernard tenía su cabello rubio ceniza pegado a las sienes por la humedad y estaba pálido como la cera. Por debajo de las mangas de la ceñida chaqueta de tweed, se le escapaban unas muñecas que parecían alambres, y las puntas del cuello de la camisa caían hacia abajo.

—Quítate la maldita chaqueta, Bernard. Vas a desmayarte. Y bueno, ¿qué pasa con el futuro de la señorita Bede?

—Señor —dijo el chico quitándose la chaqueta—, ¿cree realmente que este es el lugar apropiado? Quiero decir que siendo caballeros como somos, ¿deberíamos discutir el futuro de la señorita Bede en un lugar tan público?

—Bernard —dijo Avery perdiendo la paciencia—. Estoy perfectamente familiarizado con el comportamiento apropiado de un caballero. Y este es un lugar tan bueno como cualquier otro para discutirlo.

—Sí, señor —respondió Bernard no muy convencido.

—Suéltalo.

—Bueno, señor, me preguntaba cuál es su idea sobre eso, sobre su futuro quiero decir.

—No era consciente de que tenía que hacer algo al respecto —contestó Avery.

—De hecho, esta misma mañana he sabido que, con toda probabilidad, no voy a tener implicación alguna (algo que no negaré que me hace muy feliz) en el futuro de la señorita Bede.

—¿Señor?

—Me he puesto en contacto con el banco de Horatio y, bueno, he echado un vistazo a las cuentas de la finca —explicó Avery—. Y parece que puede llegar a ser una posibilidad real que Lily Bede termine sus cinco años como responsable de este hogar generando un pequeño beneficio. Si lo consigue, heredará Mill House.

El chico le miró fijamente.

—Y entonces ¿qué?

—¿Qué quieres decir con «entonces qué»? —preguntó Avery rayando la irritación.

Que Lily heredase Mill House no era la mejor de las soluciones, pero el resultado final podía ser el mismo.

—Venderá la casa, me la venderá a mí. Se irá y hará lo que le dé la gana. Me imagino que se comprará un armario entero de ropa de hombre.

Dirigió la mirada hacia las atractivas formas de los bombachos de Lily.

—Dudo mucho que le venda Mill House.

—¿Por qué no? —preguntó Avery sorprendido.

Había ideado soluciones para resolver cualquier posible contingencia que pudiera interferir en su adquisición de Mill House. Y entre ellas estaba la improbable posibilidad de que Lily se convirtiera en su heredera. Si aquel fuera el caso, había pensado pagarle una generosa cantidad por la finca, una cantidad que ella aceptaría agradecida, marchándose después. Las dudas del muchacho parecían emborronar aquel cuidadosamente elaborado guión.

—¿A quién va a venderlo si no? —preguntó.

—Creo que es probable que lo venda al señor Camfield.

—¿Y quién diablos es ese tal señor Camfield?

—Por favor, baje la voz, primo Avery. El señor Camfield es nuestro vecino; compró Parkwood la primavera pasada. Es muy rico, o al menos eso dice mamá, y tiene intención de expandir sus posesiones. La señorita Bede asegura que es un hombre progresista que apoya la causa de las mujeres.

—Seguro que sí, y seguro que se apuntó a las filas progresistas el día que conoció a Li... a la señorita Bede —murmuró Avery maliciosamente.

—Bueno, ella dice que por lo menos ha contribuido a que un hombre sea razonable.

Avery lanzó un suspiro desesperado.

—El señor Camfield va a tener una buena decepción si cree que va a comprar Mill House. Es mía. Si por algún extraño milagro la señorita Bede la hereda, tratará conmigo y no con él.

—Puede que, a pesar de lo que opine mamá, no quiera venderla para nada —sugirió Bernard—. A lo mejor intenta sacar adelante la finca ella sola.

Avery lanzó un resoplido.

—No lo creo. Sea lo que sea la señorita Bede, tonta no es, y solo un tonto elegiría una aventura tan arriesgada en lugar de un cómodo futuro.

—¿Y dónde tendría lugar ese cómodo futuro? —preguntó Bernard.

—Allí adonde quiera irse —contestó Avery encogiéndose de hombros.

El muchacho se pasó la mano por el cabello para arreglarse las puntas.

—No puedo aceptar eso. No puedes dejar que se las apañe ella sola. Yo no lo haré.

¿«No puedo aceptar eso»? ¿«No lo haré»? Avery era capaz de apreciar que un muchacho tuviera una voluntad firme —él mismo había sido así— pero aquello rayaba la insolencia.

—¿Te importaría explicarte un poco más? —le preguntó despacio.

El chico se colocó frente a Avery y dijo:

—Sé que tendrá dinero, pero si vende la finca no tendrá adónde ir. Mill House es su hogar, mi madre y mi tía son su familia. Se verá separada de aquellos a los que ama.

Bernard gesticulaba con pasión y Avery no pudo evitar sentirse conmovido. Podía imaginarse qué significaba un hogar... y qué significaba perderlo.

—Nadie está separando a la señorita Bede de nadie, y aunque tu preocupación por ella es un gesto noble, recuerda que, incluso si ella es la heredera, tu madre y tu tía se marcharán.

El chico frunció el ceño confundido.

—¿No esperarás que se queden aquí bajo el mando de la señorita Bede?

Bernard negó con la cabeza.

—Pero —continuó Avery en tono consolador— una vez que yo adquiera la casa, tu madre puede continuar teniendo aquí su hogar. No te preocupes. No voy a impedir a la señorita Bede que venga de visita, si es lo que temes.

—No lo entiende. La señorita Bede no vendrá de visita.

Eso no le gustaba. Se había hecho a la idea de que Lily Bede llamaría a su puerta, una idea agradable. Él la invitaría a entrar y la trataría con toda la cortesía y la cordialidad que ella no había mostrado al recibirle, algo que la pondría de los nervios.

—¿Por qué no? —preguntó.

—¡Por la sociedad!

Avery sintió que las palabras del muchacho y sus implicaciones le golpeaban con fuerza. Aprovechando el gesto de desconcierto que se reflejó en el rostro de Avery, Bernard dijo con sinceridad:

—La señorita Bede es orgullosa, muy orgullosa. Una vez que se vaya de esta casa, puedo asegurarle que nunca volverá a llamar a mamá o a la tía Francesca. Nunca correría el riesgo de que la sociedad las censurase por haberla conocido.

—Eso es absurdo —soltó Avery.

—¿Sí? —preguntó el chico.

Sus ojos turquesa, el mismo color que los de Avery, suplicaban una garantía.

—Claro. El dinero compra la expiación de multitud de pecados. La insignificancia de su origen ilegítimo pronto se olvidará.

—Puede que eso pase entre los aristócratas, pero la sociedad de provincias es mucho menos permisiva.

—Entonces que se traslade a Londres —dijo Avery, sintiéndose que estaba siendo arrinconado.

—¿Lejos de mamá y de la tía Francesca? ¿Lejos de sus caballos? Ella odia Londres.

—¡Ya está bien, Bernard! —dijo Avery—, estás buscando problemas. Aunque las posibilidades de que Lily Bede tenga éxito son mayores de lo que yo había supuesto, distan mucho de ser una realidad. Solo haría falta una plaga de gusanos en el huerto o una putrefacción seca en el establo y el poco beneficio que ha logrado arañar se esfumaría.

Bernard se quedó quieto en silencio un buen rato, con el ceño fruncido, imitando el gesto de preocupación de los hombres hechos y derechos.

Avery le puso una mano en el hombro.

—Te prometo —dijo— que soy consciente, y lo seguiré siendo, de mis obligaciones para con la señorita Bede.

El muchacho pareció satisfecho con lo que intuyó en la

mirada de Avery, al menos de momento, pues dejó escapar la ansiedad contenida en un suspiro.

Avery apartó la mano y comenzó a caminar en dirección al haya con la sensación de haber hecho una promesa mayor de lo que pretendía. Bajo el árbol se hallaban ya las tres mujeres extendiendo los manteles. Hob estaba clavando estacas en el suelo para sujetar la lona multicolor que Francesca se había empeñado en llevar.

—Y si no logra ganar Mill House, ¿qué hará entonces?

Avery lanzó un gruñido y se dio la vuelta. Bernard le miraba parpadeando. El chaval parecía un terrier persiguiendo a una rata. No se daba por vencido. Como yo a su edad, pensó Avery. A él, desde luego, no le había faltado nunca el coraje, aunque algunos lo habrían llamado más bien impertinencia suicida, reconoció sonriendo para sí mismo. Debía de ser un rasgo genético.

—Cuidaré de ella —dijo, dándose de nuevo la vuelta.

—¿De verdad?

—De verdad —contestó, deteniéndose otra vez.

—¿Lo prometes?

Dejando de lado los rasgos genéticos, había que saber cuándo abandonar.

—Bernard —dijo en tono de advertencia.

—¿Y qué pasa si ella no quiere que la cuiden? —presionó el chico.

Avery se dio la vuelta de golpe.

—¡Me importa un bledo lo que quiera! —estalló—. Soy un caballero, maldita sea. Mientras sea mi responsabilidad, haré lo que sea necesario para que tenga recursos. Si eso implica que se quede en Mill House, haré que se quede aquí, ¡aunque tenga que atarla con una cadena a la maldita pared!

—¿De verdad serías capaz de hacer eso? —preguntó Bernard abriendo los ojos de par en par.

Avery le lanzó una mirada sarcástica y siguió adelante no sin antes, mirando por encima del hombro, decirle:

—¿Acaso lo dudas?

Lily levantó la tapa de la cesta de paja y supervisó el contenido: queso, jamón, codorniz en conserva, media docena de rebanadas de pan crujiente, tarros de cerámica con mantequilla y un envoltorio de papel aceitoso donde se escondía un pesado bizcocho borracho. Suspiró.

Iba a tener que hablar con la señora Kettle sobre sus actuales incursiones en la exaltada —y por ende prohibitiva— aventura de la alta cocina. Sencillamente, no podían permitírselo.

Cada mañana, Lily descubría a la pequeña y vieja cocinera encorvada sobre trozos de papel garabateados con letra ininteligible, moviendo silenciosamente los labios mientras leía los mágicos ingredientes que allí había escritos. Y lo hacía todo por él. De hecho, toda la casa parecía esclava del maldito personaje.

Incluyéndome a mí, pensó. Mantenía la cabeza agachada, pero no podía evitar verle con el rabillo del ojo. Se había echado la chaqueta al hombro y llevaba el cuello de la camisa desabrochado. El sol le iluminaba el cabello desordenado, resaltando su rubio brillante.

Lily abandonó la cesta y se apoyó en los talones. Escuchó, y por un segundo habría jurado que le había oído pronunciar su nombre.

Tonterías. Eran enemigos, por el amor de Dios. Dos perros a ambos lados de un sabroso hueso. Debería estar preocupándose del hueso, ¡no del color de los ojos de la otra bestia!

Era tal su frustración que se sentía desfallecer. Su plan para dejar de sentirse atraída por Avery a base de estar más tiempo con él no solo no estaba resultando, sino que estaba produciendo el efecto opuesto.

Mientras discutía con él en la sala de estar con los ojos a la altura de su fuerte y bronceado cuello, se había sentido poseída por un increíble impulso. En esos momentos había sabido —no temido, sino sabido a ciencia cierta— que, si seguía teniendo a Avery al alcance de su mano, actuaría guiándose por dicho impulso. Le tocaría.

Así que había huido literalmente de la casa. Y había planeado aquel picnic solo para lograr sacudirse aquellas ideas de sus pensamientos, pero Avery seguía enredado en ellos.

Un beso lograría romper el hechizo, pensó Lily. Solo un beso y se daría cuenta de que había otorgado a aquella relación una trascendencia que no le correspondía. Se curaría. Dejaría de despertarse en medio de la noche con imágenes borrosas y perturbadoras de Avery Thorne y sensaciones menos borrosas pero mucho más perturbadoras acerca de aquel hombre. Y su boca. Y su pecho. Y sus manos.

Desafortunadamente, las posibilidades de que Avery la besase y pusiese fin a aquel sinsentido eran tan altas como las de que Drummond, el jefe de la granja, se volviese civilizado. En otras palabras, inexistentes.

No era justo. Los hombres iban por la vida decidiendo a quién querían besar y actuando en consecuencia. ¿Por qué a las mujeres no les estaba permitido tener una iniciativa similar?

Miró por encima del hombro y vio que Avery y Bernard seguían enfrascados en su conversación. Avery se dio la vuelta y miró en la dirección de Lily. La camisa parecía de un blanco resplandeciente en contraste con su piel, teñida por el sol tropical. Aquellos ojos mediterráneos estaban entrecerrados para hacer frente al resplandor del sol. Supo entonces el origen de aquellas pálidas líneas junto a ellos.

—Maravilloso, ¿verdad? —susurró Francesca.

—Te aseguro que no sé de qué me hablas —dijo Lily, volviendo a hurgar en la cesta en busca de las naranjas que había visto meter a la señora Kettle.

—Y tan tímido... —continuó Francesca.

—¿Tímido? —preguntó Lily con incredulidad, haciendo caso omiso del hecho de que ella hubiera tenido la misma impresión.

Francesca asintió.

—Es el hombre más dominante, arrogante y autoritario que he conocido.

—Es evidente que no has conocido a muchos hombres.

—Te burlas de mí —dijo Lily con rotundidad—. Eso es.

—No —le rebatió Francesca—. Estoy siendo bastante sincera. Avery Thorne es un hombre muy tímido. Debo admitir que hay algo en ti que despierta en él sus mejores virtudes.

—¿Sus mejores virtudes? —exclamó Lily.

—Sí, resulta de lo más parlanchín cuando discute contigo. Cuando está conmigo, o con Evelyn, es mucho más reticente a hablar.

—Ja, le malinterpretas. No habla contigo porque es un misógino. Como eres una mujer, ni se fija en ti.

—No seas obtusa —dijo Francesca con seguridad—. Es un hombre. Si fuera tan altivo y tan pagado de sí mismo como tú dices, ¿no crees que se pasaría el día contándonos historias de sus aventuras? No haría otra cosa que sacar a relucir su superioridad con relatos sobre su valentía.

Lily no se convenció.

—Lily —suspiró Francesca—, ese hombre ha viajado por todo el mundo. Ha visto cosas que ningún europeo ha presenciado. Si hay alguien que puede estar orgulloso, es él. Pero nunca habla de sí mismo. Te lo digo yo, es tímido, por lo menos con las mujeres. No podía ser de otro modo. Ha crecido rodeado de hombres.

—No parece tener ningún problema en gritar lo que opina delante de mí —dijo Lily con aspereza.

Al parecer, Avery la veía como algo tan alejado de una mujer normal que no sentía nada parecido a la inquietud que le causaba la presencia de otras criaturas femeninas. Bajó la vista hacia sus pantalones bombachos.

—Sí —se rió Francesca—. Ya me he fijado.

—No me importa —dijo Lily.

Francesca ahogó una carcajada y le dio un golpecito en la mejilla.

—Eres una pésima mentirosa, Lil. Además de sincera, valiente y buena. Te aseguro que me habría muerto de aburrimiento contigo de no ser por esa pequeña hedonista que escondes tan cuidadosamente en tu interior.

—Me alegra que te diviertas conmigo —dijo Lily, dando con una naranja.

—Oh, sí, me diviertes —continuó Francesca—. Pero más que divertirme, me intrigas. Tales reservas de clase media ahogando tu corazón bohemio... Pareces una refugiada de un harén y actúas como una priora.

—Te aseguro que no sé qué quieres decir —dijo Lily, apoyándose en el tronco del árbol y hundiendo las uñas en la piel de la naranja.

Empezó a pelarla, intentando evitar mirar hacia los hombres que se acercaban.

Francesca extendió su falda con un elegante movimiento de muñeca y, cual mariposa, se posó junto a ella en el césped. Metió la mano en la cesta y sacó otra naranja.

—Quiero decir que si yo estuviera en tu lugar no dejaría jamás que un hombre me pusiera de ese modo.

—No estoy de ningún modo.

—Oh, querida —exclamó Francesca meneando la cabeza y riéndose—. Estás de ese modo.

—¡No me gusta estar así! —gritó Lily.

—Es evidente.

—Estar tan absorta en... ¡es estúpido!

—Bueno, la verdad...

—¡Es injusto!

—Desde luego.

—¡Maldita sea! ¡Es una pérdida de tiempo!

—No blasfemes, querida.

—¿Qué voy a hacer? —preguntó al fin.

Francesca dejó caer la naranja que había estado estudiando, y con una sonrisa de felicidad que indicaba que había estado esperando que Lily le hiciera aquella pregunta, se acercó a ella y le contestó.

10

Apoyado en los codos, con una pierna recogida y la otra estirada, el chaleco desabrochado y el cuello de la camisa abierto, Avery echó la cabeza hacia atrás y dejó escapar una bocanada de humo de su puro. A través del aire azulado vio cómo Lily, sentada a unos metros de distancia y con el viento en contra, arrugaba la nariz y tosía. A su lado, Polly Makepeace estaba aburriendo al pobre Bernard con su «vida en una institución»; Hob había logrado llevarla hasta allí en su silla de ruedas.

Quizá se debía a que no había tenido muchas oportunidades de disfrutar de la compañía de las mujeres cuando estaban relajadas y ociosas, pero se daba cuenta de que disfrutaba escuchándolas. Había descubierto que eran mucho más complejas de lo que él había pensado. A excepción de Lily Bede, pues nunca había cometido el error de subestimarla.

Volvió la cabeza para verla mejor. De perfil, sus pestañas eran tan largas que resultaban extravagantes, su nariz tenía un aire patricio, con unas aletas anchas, y tenía labios gruesos.

Una criatura imposible, polemista, incordiante, incisiva, tierna. Seguramente debía de pasar la noche en vela ideando argumentos para provocarle. Su determinación para hacerse con Mill House era casi tan poderosa como la suya propia. El hecho de encontrar tal resolución e intensidad en una de las criaturas que, según le habían enseñado, se caracterizaban por ser flexibles y tratables, le confundía, y debía de ser la causa de aquella increíble fascinación que sentía por ella.

—¿Qué planes tienes para mañana, Lily? —le preguntó Evelyn.

—Ninguno —respondió Lily—. Tengo una cita con el señor Drummond, como cada tercer lunes del mes.

—Deberías decir a tu capataz que empiece pronto a marcar a las ovejas —dijo Polly, haciendo que todos la mirasen sorprendidos—. He visto a las bestias por ahí con toda la lana a cuestas y el verano va a ser tremendamente caluroso. Sería una pena que las pobres se pusiesen enfermas y que toda la lana se echase a perder.

—Se lo comentaré —dijo Lily.

—El padre de la señorita Makepeace era capataz en una de las granjas del conde de Hinton.

—Me parece aburridísimo —comentó Francesca, y al oír el respingo de Evelyn, añadió—: Oh, no la ocupación de su padre, señorita Makepeace. Me refiero al plan de Lily para mañana. Drummond y ella no se llevan muy bien.

Lily habría deseado que Francesca no hubiese sacado a relucir sus problemas con el capataz. Avery consideraría que su falta de habilidad para manejar a Drummond era una evidencia de su poca eficacia. Aunque era incapaz de entender por qué eso le importaba.

—Nos llevamos razonablemente bien.

—¡Pero Lily! —exclamó Evelyn—. Siempre dices que ese hombre no te tiene respeto alguno. La última vez que tuvisteis una cita, te dejó fuera de la oficina.

Lily soltó una risa nerviosa.

—Oh, fue solo una broma.

—Me parece que si Avery fuese contigo te escucharía —dijo Evelyn inteligentemente.

Lily la fulminó con la mirada.

—Eso no será necesario.

Miró a Avery, que seguía tumbado cuan largo era como si fuera un potentado entre sus concubinas.

—Me acuerdo bien del viejo Drummond —dijo perezosamente.

Una idea iba madurando en su mente. Quería descubrir qué había hecho Lily con la granja. Las cuentas de la casa solo informaban de gastos en jabón, conservas y alimentos. Los contables del banco no sabían cómo había logrado tener un balance positivo, solo sabían que así era. A lo mejor había obtenido los beneficios vendiendo equipamiento agrícola o descuidando los pastos. Drummond podría decírselo.

—Me enseñó a poner trampas para los conejos —continuó Avery.

—Qué fuente de conocimiento —exclamó Lily.

—Oh, se quedaría usted sorprendida —dijo Avery—. Drummond realmente es un encanto.

—¿Drummond? ¿Un encanto? —exclamó Lily boquiabierta.

—Bueno, quizá definirle como un encanto es algo exagerado —dijo Avery, sin poder evitar una sonrisa irónica.

Los oscuros ojos de Lily se abrieron de par en par, las cejas se arquearon y las comisuras de los labios se curvaron hacia arriba. Soltó una carcajada, una carcajada profunda, gutural, deliciosa, que atravesó el corazón de Avery.

—El encanto de Drummond es algo esquivo —dijo todavía riéndose.

Avery sonrió aún más. Se inclinó hacia delante, como si fuera a añadir algo. Dejó a un lado el puro y se sentó para oírla mejor. En los labios de Lily todavía podía adivinarse la sombra de su sonrisa. Tenía una expresión cordial e imprudente. Se le había escapado un mechón de pelo negro que cruzaba su fina frente.

Con un ligero esfuerzo podía cubrir la distancia que les separaba, rodearle el cuello con los dedos y acercar su boca a la de él y...

¿Qué demonios estaba pensando? De pronto se dio cuenta del silencio que la rodeaba. Miró a su alrededor y descubrió que todos los ojos estaban vueltos hacia ellos. Había una expectación vibrando en el aire. Lily sacudió la cabeza como si fuera una nadadora que acaba de salir del agua después de estar demasiado rato buceando, y se dejó caer contra el árbol.

Evelyn suspiró, Francesca cerró los ojos en un gesto de disgusto, Polly Makepeace resopló y Bernard paseó su mirada ansiosa por todos los presentes.

El instinto de Avery era un clamor. Algo estaba pasando. Bueno, él tenía sus propios planes.

—Probablemente Drummond es la única persona que queda que trabajaba ya aquí cuando yo era un niño. Me pregunto si se acordará de mí. —Y después de hacer una pausa, añadió—: ¿Le importaría que la acompañase mañana?

—Se aburriría —dijo Lily mirándole con cautela.

—Tiene razón. Lily tiene una finca que controlar, ¿sabe? —dijo Polly con un orgullo reticente—. No puede estar haciendo el papel de anfitriona todo el rato. Además, estoy segura de que no entendería ni la mitad de lo que hablaban.

—Estoy seguro de que sería capaz de captar lo esencial de su conversación —replicó Avery con forzada tranquilidad.

La verdad era que no tenía ni remota idea de nada relacionado con la granja. Y resultaba de lo más fastidioso darse cuenta de que Polly Makepeace sí tenía esas nociones.

—Será mejor que haga una visita a ese hombre después, cuando ya hayan acabado de hablar de negocios —continuó Polly con intención de desanimarle—. Y para su satisfacción personal, puede entonces recordar con el tal Drummond el tema de los conejos. No hay necesidad alguna de interferir en el trabajo serio. ¿No está usted de acuerdo conmigo, señora Thorne?

Evelyn tragó saliva y asintió.

Avery observó a Polly Makepeace fríamente. De aconsejar había pasado a mandar, traspasando una línea que resultaba intolerable.

Evelyn tomó aire y dijo:

—Si está usted aburrido, señor Thorne, quizá la señora Kettle pueda prepararle un buen almuerzo. Podría comer junto al río. A lo mejor podría pescar. Estoy segura de que Bernard le acompañaría feliz a buscar gusanos por la mañana.

Acabó su sugerencia a toda velocidad y se dejó caer en la silla como si fuera a desmayarse.

—Ah —balbució Bernard, paseando la vista de su madre a Polly Makepeace y viceversa—. Por supuesto. Será un placer.

Pesca, picnic, gusanos. Hasta habían pensado que el viejo Drummond sería un buen compañero de juegos para aquel inútil varón. Lo próximo sería sugerirle que jugase un partido de bádminton para que pudiese dormir a gusto aquella noche.

—Todo organizado —dijo Lily, juntando las manos y rebuscando en una de aquellas inmensas cestas—. Y ahora, ¿qué tal si jugamos un buen partido de bádminton?

Francesca se encogió de hombros y Bernard asintió con entusiasmo. Incluso la pálida cara de Evelyn se animó, y esta se puso en pie rápidamente.

—No.

Las mujeres, que ya se disponían a coger sus raquetas, se detuvieron y le miraron sorprendidas.

—Es un juego bastante divertido, señor Thorne —dijo Polly—. No le costará nada aprenderse las reglas.

Avery hizo un esfuerzo para no elevar el tono de voz.

—Quería decir que no a que todo está organizado, no al juego.

—¿Qué es lo que no está organizado? —preguntó Lily.

—Lo de si voy a acompañarla o no a la oficina de Drummond mañana. No veo razón alguna por la que no deba ir con usted, a no ser que haya algo en concreto que no desee que descubra.

Lily lanzó un agudo suspiro.

—¿Está sugiriendo que yo...?

—Estoy sugiriendo que no hay razón alguna por la que yo no deba oír lo que Drummond y usted discuten. Y mis planes son marcharme a Londres pasado mañana.

—Oh. ¿Por qué?

—Para encargar algo de... —bajó la vista— ropa.

Con aire triunfal señaló la zona del pecho donde la camisa estaba a punto de estallar.

—A no ser que tenga algo que objetar.

Punto a su favor. Lily le miró con ojos inescrutables. Parecía una rata del desierto hipnotizada por el movimiento de una cobra, aunque a Avery se le escapaba la razón por la que Lily tenía ese aspecto de presa amenazada de repente.

—No —contestó en un extraño tono forzado—. No tengo nada que objetar. Lo que usted guste.

Francesca, que extrañamente había estado callada durante toda la conversación, soltó una carcajada.

—Creo que este año voy a tener que prescindir de las carreras por completo. Mill House tiene pinta de ser mucho más divertido.

—¡Eo! —sonó una voz de muchacha en algún lugar entre la casa y la zona en la que se encontraban.

Unos segundos más tarde, apareció ante sus ojos Teresa, la criada en estado más avanzado de gestación de las tres embarazadas que había sirviendo en Mill House. Al verles, se paró en seco, se llevó la mano al pecho y cayó de espaldas. Las piernas, totalmente tiesas, se elevaron dramáticamente por encima de la hierba y luego toda ella desapareció.

—¡Dios mío! —exclamó Bernard.

Antes de que Avery pudiera reaccionar, Bernard comenzó a atravesar el prado. Con sus largas piernas y la chaqueta hinchada por el viento, tenía el aspecto de una gigantesca cigüeña en busca de algún insecto.

—¡Por Dios! —musitó Evelyn.

Sin decir palabra, Avery se dirigió hacia Bernard, que estaba intentando levantar a Teresa sin demasiado éxito. Bernard había tomado a Teresa por las rodillas y los hombros, y de no ser porque su tripa estaba hinchada como un globo, se habría doblado por la mitad. Tal como estaba en aquellos momentos, se asemejaba más bien a un pulpo inmenso colgado de un coral. Y es que movía los brazos y las piernas como una loca mientras el muchacho intentaba transportarla.

Avery dio un golpecito al jadeante Bernard en el hombro y el muchacho se volvió de golpe.

—Estoy... bien... señor.

—No, no está bien —se quejó Teresa, bastante consciente—. ¡Voy a caerme!

—Quizá debería llevarla yo... —empezó Avery, pero se calló al ver la expresión ofendida en el rostro de Bernard.

Sin embargo, Teresa no se mostró tan sensible al papel de caballero errante que Bernard desempeñaba en esos momentos.

—Sí, señor —dijo ansiosamente—. Creo que sí debería. No estaría bien que el chico se dañase la espalda, ¿no? Sobre todo estando aquí un tipo tan robusto como usted, que puede llevar a una pobre chica como yo sin esfuerzo.

—Hum —musitó Avery.

Estaba claro que el esfuerzo de Bernard era considerable. Tenía la frente empapada en sudor y su respiración había empezado a transformarse en un característico resuello. Si seguía con aquel esfuerzo, acabaría teniendo un ataque. Y Avery recordaba muy bien la humillación de tener un impedimento físico, esa sensación de inutilidad, impotencia... de no ser un hombre.

—¿Y si intenta caminar por sí sola? —sugirió Lily.

Avery no la había oído acercarse. Estaba ahí de pie, cuan alta era, con ojos escrutadores, como si fuera un miembro de la Santa Inquisición a punto de empezar un interrogatorio. Detrás de ella llegaron Francesca, Evelyn y Polly Makepeace empujada por un quejoso Hob.

Teresa sonrió tímidamente.

—Juro que no sé qué me ha pasado, señorita Bede.

—¿En serio? —dijo Lily, observando al grupo con mirada gélida—. Quizá yo sí podría decirte qué te ha pasado. Bernard, déjala en el suelo. Y señor Thorne, no necesitaremos sus servicios. La chica está bien, ¿verdad, Teresa?

Bernard, extrañado, dejó a Teresa en el suelo. La muchacha hizo una mueca que pretendía ser una sonrisa y se pasó las manos por el delantal.

—Sí, señora. Ya estoy bien. Creo que ha sido el calor, señora.

—¿El calor? Vamos, las mujeres de hoy en día son demasiado frágiles —comentó Polly—. Creo que debe de ser por esos artilugios antinaturales que llevan debajo de la ropa, corsés, ganchos y todo eso. ¿Qué piensa usted, señor Thorne?

—¿Yo? —preguntó Avery, confundido ante el giro que había dado la conversación.

Jamás había pensado en la ropa interior de las mujeres. Bueno, de hecho, cuando era un muchacho había pensado, y mucho, en el tema, pero nunca relacionándolo con la salud de las damas.

—No pienso nada.

—Tal como suponía —murmuró Lily.

—Quería decir —siguió Avery con increíble calma— que no tengo una opinión al respecto.

—Bueno, yo sí —dijo la señorita Makepeace—. Si las mujeres dejaran de llevar todas esas cosas, se sentirían capaces de hacer otras. De hecho, considero que los corsés fueron creados por los hombres para evitar que las mujeres descubriesen que, a excepción de sus inevitables funciones procreadoras, los hombres son absolutamente innecesarios.

—Esa —dijo Avery— es la bobada más ridícula que he oído nunca. Pura vanidad.

—Creo que la señorita Makepeace ha señalado algo importante —dijo Lily—. A excepción de algunos trabajos burdos que solo requieren corpulencia y fuerza física, una mujer puede hacer las mismas cosas que un hombre.

—Por favor —dijo Avery—. No se ponga en ridículo.

—¿Quiere que se lo demuestre?

—Esta discusión no tiene sentido.

—¡Ajá! Eso es lo que dicen siempre los hombres cuando van a salir perdiendo en una discusión —exclamó Lily echando la cabeza hacia atrás.

Avery ya tenía suficiente.

—¿Cómo puede saber qué dicen siempre los hombres,

señorita Bede? Tengo entendido que hasta la fecha se ha esforzado en vivir lo más independientemente posible de ellos.

—¡Oh!

—Eso es lo que dicen siempre las mujeres cuando van a salir perdiendo en una discusión.

Francesca, que había llegado la última, se dejó caer sobre la hierba y hundió la barbilla en sus manos. Evelyn, después de mirar a su alrededor algo confundida, se sentó a su lado y cruzó los brazos. Teresa, a quien todo el mundo había olvidado, empezó a caminar arrastrando los pies algo incómoda.

—¿Le da miedo aceptar el desafío?

Por unos segundos se miraron el uno al otro frente a frente. El aire que corría entre ambos estaba lleno de energía y frustración y de puro y auténtico ardor.

—No —dijo finalmente—. Soy un caballero. Como tal no puedo aceptar un falso reto que nos haría parecer idiotas a ambos.

Se dio la vuelta.

—Cobarde.

Volvió la cabeza un milímetro, pero no respondió. Se comportaría como un caballero.

—¿A qué has venido hasta aquí? —preguntó a Teresa.

—¿Eh? Ah, he venido a decirle que tenemos invitados. Un caballero y dos damas, elegantes. Para el señor Thorne.

—¿Un caballero, Teresa? —preguntó Lily en un evidente falso tono de sorpresa—. ¿Y elegante? ¿Para el señor Thorne? ¡Fantástico, qué bendición!

Con la barbilla en alto, se dio la vuelta y se dirigió hacia la casa, dejando a Avery detrás, ayudando a Francesca a levantarse, mientras Bernard imitaba la galantería ayudando a su madre. Hob empujó la silla de ruedas de Polly.

Cuando llegaron, Lily estaba en la sala de estar recibiendo a un joven de pelo oscuro y bigote, acompañado de dos hermosas muchachas de aspecto juvenil.

—Señorita Bede, discúlpenos por ser tan osados, pero mis hermanas y yo pasábamos por aquí y pensamos que podríamos ver si estaba usted en casa y tenía la gentileza de recibirnos —estaba explicando el hombre.

Era un joven de buen aspecto, arreglado, pensó Avery. El bigote resultaba ridículo y las botas que llevaba eran de buena calidad.

—¿Sus hermanas? —Avery se quedó sorprendido ante el tono de falsete que escondía aquella simple pregunta de Lily—. Pero qué amabilidad, qué estupendo que haya pensado en nosotros —continuó, remarcando cada una de sus palabras—. No sabía que usted tuviera... me refiero a... ¡sus hermanas! Dios mío. Parece ser que esta va a ser una semana de inesperadas y felices visitas. Acabamos de recuperar a Bernard y pasará aquí el verano.

Avery no la había oído antes hablar con aquella voz tan falsa y le irritó considerablemente aquella entonación arrogante.

—¿Recuperar? —murmuró Avery—. Lo dices como si hubiésemos encontrado al muchacho en el ático envuelto en naftalina.

Las dos hermosas muchachas se rieron cubriéndose el rostro con sus manos enguantadas. Lily se puso aún más erguida.

—Permítanme que les presente a Avery Thorne. —Y sin mirarle, extendió los dedos hacia el lugar donde se encontraba Avery—. Está de visita. Señor Thorne, nuestro vecino, el señor Martin Camfield.

Los dos hombres se saludaron con un movimiento de cabeza.

¿Camfield?, pensó Avery. El hombre que quiere expandir sus tierras adquiriendo las mías.

Avery le estudió con mayor interés. Llevaba una chaqueta hecha a medida. Sus ojos eran claros y tenía el cabello espeso. El bigote era demasiado extravagante. Nunca antes se había fijado en que el bigote podía dar a un hombre aquel aspecto engreído, pero viendo cómo las mujeres que le rodeaban se comían al señor Camfield con los ojos, se dio cuenta también de que su opinión era más bien minoritaria.

Camfield sonrió. O eso le pareció a Avery, porque sus dientes aparecieron brevemente por debajo del bigote.

—Señorita Bede —dijo—, tiene un aspecto extraordinariamente saludable.

¿Saludable? Lily tenía un aspecto impresionante, no saludable.

En aquel momento a Lily se le formaron unos hoyuelos en las mejillas. Avery se dio cuenta de que no se los había visto antes. Maldición.

—Gracias, señor.

El hombre se quedó de pie sonriendo y Lily le devolvió la sonrisa. Avery se fijó en la expresión de Bernard durante todo aquel intercambio estúpido. Realmente, Lily demostraba ser una insensible al no percibir lo mal que lo estaba pasando el muchacho al tener que presenciar a la fuerza cómo lanzaba miradas bobaliconas al tal Camfield.

—¿Cómo están las chicas? —preguntó Avery para ayudar a Bernard, viendo que Lily evidentemente estaba demasiado absorta para darse cuenta del disgusto del muchacho.

—¿Eh? —musitó Camfield bobaliconamente—. ¿Chicas?

—Sí, las chicas que han entrado con usted. Supongo que no las encontró en la puerta de la entrada —dijo Avery.

—¡Oh! —exclamó Camfield, y con aire desconcertado tendió la mano hacia las dos jóvenes—. Perdóneme, por favor. Señorita Bede, le presento a mis hermanas, Molly y Mary.

Las dos chicas intercambiaron las cortesías de rigor con Lily y después Camfield las apremió a saludar al resto, hasta que lograron llegar hasta Avery. En cuanto hubo realizado las presentaciones necesarias, Camfield abandonó a sus hermanas con Avery y volvió a donde estaba Lily.

—Oh, señor Thorne —dijo una de ellas—, debo decirle que es para nosotras un enorme placer conocerle.

—Ah —dijo Avery distraído y fijándose en el rincón donde Camfield monopolizaba la atención de Lily.

El pobre Bernard estaba junto a ellos con aire tan apesadumbrado como un cachorro al que han apartado de su madre.

—Díganos que asistirá al pequeño baile que organizamos el próximo lunes —dijo la otra muchacha.

—¡Sí, diga que sí!

Lily se inclinó hacia Camfield como si intentase oír lo que este le decía. Lo cierto es que no había razón alguna para que aquel hombre le hablase en un tono que forzase a Lily a acercarse tanto.

—Por favor —imploró la chica más rubia.

—Por favor ¿qué?

—¡La fiesta! —dijo la otra hermana, apuntándole con un dedo con la uña pintada de color rosa—. Qué malo. Diga que vendrá.

Camfield estaba aún más cerca de Lily. Qué impertinencia.

—Si viene, seremos la envidia del condado —dijo la muchacha, y sus rubios rizos se movieron con entusiasmo.

—¿Por qué?

Las dos rieron a la vez.

—¡Vamos, señor! —dijo una de ellas.

Estaba desconcertado. Eran hermosas, pero a Avery no le habría importado que dijeran algo con sentido.

—Por favor, explíquese, señorita... señorita...

—Bueno, señor, usted es el último grito en exclusividad, ¿no?

—Señorita Camfield —dijo Avery exasperado—, ¿de qué está usted hablando?

Volvieron a reírse. Avery echó un vistazo a su alrededor en busca de escapatoria. Lily no iba a ayudarle; estaba demasiado ocupada sonriendo a aquel hombre bigotudo, futuro dueño de Mill House.

—¡No ha aceptado ninguna invitación! —exclamó una de las chicas.

—¡Ni siquiera la invitación de lord Jessup! —añadió la otra.

—Ah, es eso. No contesto a las invitaciones. Lo hace la señorita Bede. Si no ha cumplido con su deber, les sugiero que lo discutan con ella. De hecho, no es una mala idea. Vengan, yo...

Pero se detuvo al ver que las dos indiscretas rubias estaban intercambiando miradas desesperadas.

—¿Qué ocurre?

—Bueno —dijo la más joven de las hermanas Camfield forzando una sonrisa—, solo es que, bueno, no estoy segura de que la señorita Bede haya tenido ocasión de no cumplir con su deber.

—¿Perdón?

La otra joven parpadeó y añadió:

—Las invitaciones..., puede que no la hayan incluido a ella específicamente.

La expresión del rostro de Avery se endureció y la delicadeza se transformó en amenaza. Las dos jóvenes dieron un paso atrás para protegerse. Enterrado bajo el peso de generaciones de privilegios y cuidados, en ellas se escondía un instinto que todavía las alertaba ante un peligro.

Avery forzó una sonrisa.

—Ya veo. Supongo que no sería así en el caso de su invitación, ¿verdad?

—Bueno —dijo la más rubia de ellas casi sin aliento—, eso estábamos discutiendo cuando veníamos, bueno, cuando pasábamos, cuando pasábamos por aquí. Debe entender que las circunstancias de la señorita Bede, además de la desgracia de su nacimi...

—Yo en su lugar no seguiría —le aconsejó Avery.

La chica dio un respingo y miró a su alrededor en busca de su hermano. La situación le resultaba incómoda pero no estaba dispuesta a dejar escapar el golpe de gracia que representaba Avery en una fiesta. Por lo menos, habían dejado de reírse.

—Me encantaría asistir a su baile —dijo Avery. Los rostros de las jóvenes se iluminaron.

No le importaba que le viesen como un trofeo en su círculo social. Solo quería que pagasen el precio.

—Por supuesto, no asistiré sin mis primas.

—Por supuesto que no —asintieron ellas rápidamente.

—Ni sin la señorita Bede.

Aquella vez no dudaron dos veces.

—Oh, sí, por supuesto. De ningún modo habríamos aceptado que no viniese.

—Bien —concluyó Avery—, ni yo tampoco.

11

—¿Qué te ha pasado en la mejilla? —preguntó Lily a Bernard, levantándole la barbilla con la punta de los dedos y observando una fea marca roja.

Estaban de pie en el vestíbulo y la luz entraba por la ventana principal. Lily se dio cuenta de que la blanca tez de Bernard enrojecía.

—Nada —dijo él—. Bueno, estábamos subiendo a un cedro y perdí el equilibrio. Me rocé la cara con la corteza.

—¿Estábamos? —inquirió Lily soltándole la cara.

—El primo Avery y yo.

—¿Y por qué estabais el señor Thorne y tú subiendo a un cedro?

Bernard enrojeció aún más.

—Me estaba mostrando el camino por el que solía salir de Mill House cuando el resto de la casa dormía.

—Ah. Así que escapándoos.

El sonrojo de Bernard desapareció de golpe y fue sustituido por una sonrisa de auténtico niño pícaro.

—Sí —dijo con una descarada seguridad de la que Lily no podía dar crédito—. Supongo que eso hicimos.

Lily dio gracias interiormente a Avery Thorne por aquel momento de desinhibida picardía de Bernard.

Avery no llegaba a tratar a Bernard como a un igual, pero tampoco como un molde vacío a la espera de adquirir forma gracias a la sabiduría masculina. El día anterior, Lily había observado en diversas ocasiones cómo Avery escuchaba muy atentamente a Bernard y también conversaba con él. Con la atención que le prestaba Avery, el chico se estaba abriendo más.

Siempre había creído que los hombres eran bastante inútiles en lo referente a la educación de los niños. Aunque el padre de Lily era encantador, nunca había pasado mucho tiempo con ella a solas, ni le había hablado de sus intereses ni había procurado descubrir los suyos propios. Para obtener consuelo, entablar conversación y recibir orientación, siempre había acudido a su madre. Pero viendo a Bernard con Avery empezaba a darse cuenta de los beneficios que podía representar la presencia de un padre.

El padre de sus hermanos, ¿les había querido? ¿Tanto como para no poder soportar estar lejos de ellos?

Era la primera vez que se había preguntado algo así. Le parecía horrible, casi blasfemo. El padre de sus hermanastros, a los que no conocía, les había separado de su madre solo para torturarla. Lily sabía muy bien hasta qué punto lo había logrado.

—¿Señorita Bede? —le preguntó Bernard preocupado—. ¿Ocurre algo? Se te ve muy desgraciada. Si te molesta tanto que suba al cedro, no volveré a hacerlo.

—¡No! —exclamó Lily—. No, trepa todo lo que quieras, pero ten cuidado y, bueno, te sugiero que evites contarle a tu madre tu nueva forma de diversión. A no ser que te lo pregunte, claro está. Específicamente.

El rostro de Bernard volvió a iluminarse con aquella deliciosa sonrisa maliciosa y asintió.

—¿Vas a hacer algo hoy?

—¿Hoy? —preguntó, dirigiendo la mirada hacia el montón de correo que había sobre la mesa del vestíbulo—. Sí, el señor Thorne y yo vamos a visitar a Drummond.

—Ah.

Lily cogió el montón de sobres y Bernard, que no parecía

tener nada urgente que hacer, miró por encima de su hombro. Oyó cómo inspiraba aire con fuerza.

—Hueles de maravilla.

Las alarmas de Lily se dispararon de golpe.

—Gracias, Bernard —dijo, haciéndose a un lado sin que se notase demasiado.

Bernard la siguió mientras continuaba inspirando aire profundamente.

—¿Qué clase de perfume llevas?

—Jabón —respondió Lily, dando otro paso para alejarse del joven y hundiendo la cabeza en la correspondencia con determinación.

—¿Algo interesante? —preguntó, mirando de nuevo por encima de su hombro.

—No, solo nuevas invitaciones para tu primo. Señor Avery Thorne, señor Thorne, señor Avery Thorne, Avery Thorne, señorita Bede...

Se quedó parada mirando fijamente el grueso sobre de terciopelo que venía a su nombre. Con calma, como si recibir invitaciones fuese algo que le ocurriese cada día, metió el abrecartas por la abertura del sobre y lo rasgó, sacando con naturalidad la carta impresa en relieve.

—Es de los Camfield.

—¿De los Camfield? —preguntó Bernard.

Su voz sonaba atontada y lenta y demasiado cerca. Si Lily se daba la vuelta, estarían mejilla contra mejilla.

—Los que estuvieron aquí ayer.

—Ah, el chico del bigote y esas dos bonitas muchachas.

¿Bernard pensaba que las hermanas Camfield eran bonitas?, pensó Lily, emocionada al descubrir la posibilidad de transferir las fantasías adolescentes del muchacho a otro objeto de deseo. Merecía la pena animarle.

—Sí, van a dar una fiesta a finales de mes.

—¿Irás? —le preguntó Bernard.

¿A la fiesta? ¿Para enfrentarse a su posición de indeseable social?

—Lo dudo.

—Entonces yo tampoco iré —declaró Bernard lealmente.

—Oh, vamos, Bernard. Tú eres su igual socialmente hablando. Tu familia ha sido la propietaria de Mill House durante años. Deberías ir.

Lily se dio cuenta de lo que significaban las palabras que acababa de pronunciar. Mill House pertenecía a los Thorne por derecho propio. Excepto por aquel resquicio legal, se corrigió a sí misma, que le había dado la oportunidad a ella de hacerse con la propiedad.

—Además, será divertido. Habrá muchas chicas guapas, manjares deliciosos, bailes y charadas y música maravillosa.

—No será divertido si tú no vas —dijo testarudamente Bernard.

No había salida. Si quería promover el interés de Bernard por las hermanas Camfield, tenía que ir a la fiesta.

—¿Sabes, Bernard? —dijo con entusiasmo, al mismo tiempo que daba un paso atrás y se hacía a un lado, colocando entre ellos el montón de correo—. Creo que me he convencido a mí misma de que debo ir. Contestaré hoy mismo aceptando la invitación.

—Allá van —dijo Polly Makepeace, soltando el brocado que tenía entre las manos al ver a Lily y Avery recorriendo el camino a grandes zancadas—. Debo reconocer que me pareció una idea genial hacer que esa chica embarazada dejase caer todos los pantalones de la señorita Bede sobre el barro debajo del tendedero. —Lanzó a Evelyn una mirada de admiración y continuó—: Y que escondiese los únicos que le quedaban para obligarla a ponerse esa falda tan frívola.

—Le queda bastante bien —dijo Evelyn con cautela, pero dejando escapar una dulce sonrisa al observar a través de la ventana cómo se alejaba la pareja—. Está tan guapa de rosa... Bueno, muchas mujeres.

—Hum —murmuró Polly, cuyo interés por la vestimenta

de Lily había sido meramente pasajero—. Y creo que nuestra pequeña representación de ayer durante el picnic fue de maravilla —concluyó con entusiasmo.

—¿De verdad? —preguntó Evelyn.

La viuda tomó una hebra de hilo de Escocia de entre los que tenía seleccionados en el brazo del sillón y empezó a hacer intrincados nudos con nerviosos y rápidos movimientos de sus dedos.

—¿Cree que la mejor forma de promover su, bueno, su interés mutuo es fomentando las discusiones? —continuó Evelyn.

Polly, después de mirar de nuevo a través de la ventana, acercó la silla de ruedas al lugar donde se encontraba Evelyn.

—Oh, sí —afirmó—. Les encanta discutir. Son los dos muy apasionados. Si se dedicasen a tratarse con delicadeza, nunca admitirían lo que es a todas luces evidente.

—¿Que es...? —preguntó Evelyn.

¿Qué sabría aquella simple y beligerante mujer sobre seres apasionados?

—Sexo.

Evelyn parpadeó.

—Cuando están a menos de dos metros de distancia, puede olerse en el aire. Si yo fuera una dama distinguida como usted, me resultaría escandaloso todo ese tejemaneje que se traen tan extravagante. Debo reconocer que su apertura de mente me sorprende. Casi puede oírse crepitar el fuego en el aire, ¿no se ha dado cuenta?

—Ahora que usted se lo ha señalado, se dará cuenta —intervino Francesca, que en esos momentos entraba en el salón envuelta en un vaporoso vestido de gasa color orquídea. Parecía mareada. De las sienes le caían mechones sueltos de cabello y los bordes del pronunciado escote estaban torcidos.

—¿Queréis oír un consejo de boca de una maestra? —preguntó.

Evelyn miró a Polly con expresión contrita. Una cosa era haber acordado intentar manipular a alguien a quien ella quería para que entablase una relación con un hombre al que ella temía sinceramente —su preocupación maternal por el futuro de su hijo requería medidas extraordinarias como aquella—, pero otra cosa era hacerlo al descubierto.

—No sé a qué te refieres, Francesca —musitó.

Polly, en lugar de parecer avergonzada, lanzó a Francesca una mirada escrutadora.

Francesca se detuvo junto al enorme jarrón de Sèvres del que colgaban grandes rosas de color calabaza y delfinios que llegaban hasta el centro del aparador.

—Este jarrón es uno de los objetos más hermosos de Mill House —murmuró casi para sí misma—. Me sorprende que el viejo Horatio dejase que algo tan valioso se quedase aquí.

—¿Cuál es el consejo que quería darnos, señorita Thorne? —preguntó Polly.

Francesca arrancó una flor marchita del ramo y la dejó sobre la mesa.

—Deberías ser más sutil. Afortunadamente, la señorita Makepeace tiene razón en lo que se refiere a tus dos víctimas. Está bien, Evie, si no te gusta la palabra «víctimas», lo dejaremos en «sujetos», como queráis llamarles. Si no estuvieran tan absortos el uno en el otro, se darían cuenta inmediatamente de que están siendo manipulados. Ninguno de ellos es precisamente tonto.

Se alejó del jarrón y se sirvió oporto en una copa de cristal.

—Buena apreciación —dijo Polly.

—¡Polly! —exclamó Evelyn.

—Lo siento, señora Thorne, pero ¿para qué vamos a negarlo? La señorita Thorne no iba a estar aquí dándonos útiles consejos si tuviera intención de dar el chivatazo, ¿no es así? Lo único que queda por saber es por qué iba usted a ayudarnos.

El rostro de Francesca se iluminó con una enigmática sonrisa.

—Oh, todavía puede que dé el chivatazo, señorita Makepeace. Le tengo mucho cariño a Lily, mucho.

—¡Yo también! —exclamó Evelyn, que se sentía muy culpable.

—Por supuesto que usted también, señora Thorne —dijo Polly calmándola. —Y mirando a Francesca, añadió—: Vamos a destapar todas nuestras cartas, señorita Thorne. La señora Thorne y yo compartimos el interés en que el señor Thorne y la señorita Bede establezcan una relación, pero las razones de ese interés son totalmente dispares.

—Eso ya lo suponía —dijo Francesca, haciendo una indicación hacia Polly con su copa—. Vamos a oírlas.

Polly se irguió en la silla.

—Creo que la señorita Bede carece de la firmeza y el compromiso suficientes para ser la nueva presidenta de la Coalición para la Emancipación Femenina. Y antes de levantar los puños, escúchenme.

Evelyn frunció el ceño. Aunque sabía que el argumento de Polly era egoísta, no podía negársele su honestidad.

—No hay duda de que la señorita Bede posee cualidades a su favor —continuó Polly—. Encanto, inteligencia, la sangre azul de su padre y la no tan azul de su madre... Incluso su condición ilegítima es una ventaja, puesto que su atractivo puede tener más calado entre las clases bajas. Pero por encima de todo está el hecho de que la señorita Bede, una jovencita muy hermosa, ha vivido sin hombre alguno, completamente independiente del sexo opuesto, y jura que seguirá viviendo así.

Francesca la apremió:

—Continúe, señorita Makepeace.

—Hay algunas mujeres en nuestra coalición que consideran que necesitamos una líder popular y carismática como la señorita Bede —dijo Polly, adelantándose aún más en su silla—. Les gustaría elevarla a los altares como una especie de reina virgen, fuerte, independiente, por encima de las necesidades físicas.

Francesca soltó una carcajada y Polly tuvo que esperar hasta que se apagó su risa para continuar. Se diría que aquella mujer mayor la observaba con cierta lástima.

—Perdóneme, señorita Makepeace —dijo Francesca, secándose los ojos con la punta de las mangas—. Simplemente me quedé impresionada al saber que hay alguien que pueda creer... Por favor, continúe.

—La señorita Bede no está por encima de semejantes impulsos. Su reacción ante el señor Thorne es buena muestra de ello —continuó Polly—. Así que si Lily Bede inicia una relación de algún tipo, legal o no, con el señor Thorne, no podrá ser candidata a convertirse en reina virgen, y la coalición podrá elegir entonces un líder y no un mero símbolo. —Polly se dio un golpe en las rodillas con la palma de las manos—. Y esta es la razón por la que estoy haciendo esto.

Francesca se dio unos golpecitos pensativos con la punta de los dedos en los labios.

—Muy bien, señorita Makepeace, sus razones para hacer de celestina han quedado claras. —Y volviendo la cabeza en dirección a Evelyn, continuó—: Pero debo confesar que estoy perdida a la hora de entender lo que esperas conseguir tú, Evie.

Evelyn dejó caer la pequeña tela de encaje que estaba tejiendo con los dedos.

—¡Oh! ¡Qué patosa soy! —exclamó.

—¿Evie? —repitió Francesca con dulzura.

Con la cabeza gacha, Evelyn intentaba recuperar los nudos sueltos.

—Lo hago por mi vida —susurró sin levantar la cabeza—. Por la vida de Bernard.

—¿Perdón? —preguntó Francesca sin comprender.

—Francesca —dijo Evelyn clavándole la mirada—. Tú lo sabes, tú viste cómo era todo cuando Gerald vivía. Tú viviste con él. Tú sabes... Nunca podría...

Estuvo a punto de callarse. Pero Francesca quería respuestas y el rostro de Polly parecía haber envejecido al adoptar una sabia expresión de tristeza. Evelyn quería admitir delante de ellas y de ella misma la razón por la que quería entregar a Lily a un hombre.

—Soy una cobarde.

—No, no es usted una cobarde, señora Thorne —dijo Polly—. Es usted una superviviente.

—No —dijo Evelyn negando con la cabeza—. Soy una cobarde, pasé una década...

El matrimonio era algo privado, algo sacrosanto. Eso había creído toda su vida y había vivido en consecuencia. La dignidad del apellido de la familia, del apellido de Bernard, debía preservarse, a pesar de todo.

Polly volvió la cabeza y miró por la ventana, dándole tiempo a recomponerse. La sencilla sensibilidad de aquel gesto instintivo conmovió a Evelyn y le permitió recuperar la compostura y continuar.

—Yo no puedo tratar con Avery Thorne. No puedo. Si no soy capaz de hacerle la más mínima solicitud en lo que a mí respecta, será muy difícil que pueda hacerlas en nombre de mi hijo. Y si fuera necesario —continuó, con una voz que delataba el desprecio que sentía por sí misma—, incluso para el bienestar de Bernard, tener que realizar alguna petición a Avery Thorne, dudo que fuera capaz de hacerla.

—Seguro que sí, Evie —dijo Francesca—, si estuviera en juego el bienestar de Bernard...

Evelyn levantó su afligido rostro.

—¿Podría, Francesca? Me gustaría creer que sí, pero no tengo intención alguna de confiar el futuro de Bernard a algo tan incierto como mi valentía. El hecho es que yo tengo miedo y Lily no. Ella nunca tendrá miedo. Si se queda (y se quedará sea como sea, pues no tiene otro lugar adonde ir si pierde y Avery no la echará), ella actuará en nombre de Bernard cuando yo no pueda. Lily nunca traicionará su conciencia para salvaguardarse. Ella nunca huirá en lugar de hacer frente a la situación. Y si él abusase de ella, tendría el valor de huir.

—Oh, Evie —dijo Francesca en un tono hastiado—. Me gustaría que hubieras podido conocer otra cosa. Puede ser tan maravilloso.

—¿De verdad? —preguntó Evelyn en un tono crispado y

cínico tan impropio de ella como pudiera ser un maullido en boca de un perro.

—Oh, sí —suspiró Francesca, y en aquel momento su fragilidad quedó al descubierto.

Su rostro evidenció repentinamente los signos de la edad, normalmente disimulados por su carácter vivaz: las bolsas de fina piel bajo sus hermosos ojos, la titubeante línea demasiado roja del pintalabios sobre sus finos labios, las delicadas líneas malvas que se reflejaban como tracería bajo sus sienes de fino mármol.

—Oh, sí —repitió—. Puede ser maravilloso. Piensas que por aquel glorioso instante todo ha merecido la pena, que has logrado satisfacer el deseo de tu corazón, que has hallado tu nirvana... tu edén, y eres tan pura e inocente gozando del placer como perversa has sido buscándolo.

Bajó las pestañas y echó la cabeza hacia atrás sobre los cojines soltando una carcajada, un sonido brusco, perdido, traicionero.

—No es el edén, claro está, ni siquiera es la tierra prometida. Pero el reflejo del espejismo hace que sigas buscando, buscando..., regateando.

Abrió los ojos de nuevo y, por un segundo, Evelyn pudo ver en ellos su voracidad, su voracidad desesperada, antes de que la habitual expresión de burla la cubriese y la disfrazase de frivolidad. Dio un largo trago al oporto.

—Algunos juran que el edén existe —continuó Francesca—. Que en lugar de apagarse, puede renacer con cada encuentro, y que en lugar de aprisionarte el alma, libera tu espíritu. Y que dura para siempre, claro.

Sorbió con la nariz.

—Me pregunto cuál es la relación con la bebida de las personas que hacen tales afirmaciones, pero como soy una romántica, quiero darle un respiro a mi escepticismo. Y exista o no, por lo menos estoy absolutamente convencida de que nadie debería acabar sus días sin experimentar ese tenue espejismo con el que yo estoy tan familiarizada. Ahí lo tienes. ¿No es verdad que lo he expresado en términos exquisitamente delicados, Evie? Estoy segura de que mi padre estaría orgulloso...

—Francesca...

Francesca se puso en pie ignorando el brazo extendido de Evelyn.

—Y esta, señorita Makepeace, es la respuesta.

—¿La respuesta, señorita Thorne? —dijo Polly con una voz más bien apagada, tan diferente a su tono estridente habitual.

—La respuesta a por qué voy a ayudarlas a unir a Avery y a Lily —dijo Francesca poniéndose bien el cuello—. Tal como he dicho, le tengo mucho cariño a Lily. Me gustaría creer que es una de las personas que puede encontrar... su edén.

12

Lily solía disfrutar del recorrido de más de un kilómetro de distancia que había hasta la oficina de Drummond, aunque no especialmente del destino del paseo. Sobre todo en un día agradable como aquel, iluminado por un sol resplandeciente, con los rosales rojos silvestres en flor a lo largo de los setos y las hojas verdes llenando con su aroma el aire. Pero aquel día su mente estaba especialmente centrada en el recibimiento que probablemente le iba a dar Drummond y demasiado centrada en la presencia de Avery Thorne caminando a su lado.

No hacía más que pensar en su infantil actitud al insistir en que las mujeres podían hacer lo mismo que los hombres y en los esfuerzos de Avery por ignorar sus más provocadoras afirmaciones, algo que, en lugar de ofrecerle una salida, no había hecho más que enfurecerla más.

Avery era el tipo de hombre que tenía respuestas para todo, que se haría con el control de una situación por desagradable o contraria que fuese y la enderezaría, un hombre que simplemente no podía permitir que las cosas salieran mal. Un hombre capaz, audaz, tenaz y tremendamente seguro de sí mismo. En resumen, la quintaesencia del macho.

Y esa misma fortaleza que le molestaba le hacía innegablemente atractivo. Las palabras que Francesca le había transmitido confidencialmente, como si fuesen hipnóticas sugerencias, resonaban sin descanso en su mente: «Actúa. Toma lo que deseas. ¿Por qué ser pasiva, eres acaso un ser inanimado?».

El tono de Francesca había sido tan animado, tan optimista. «¿Es que tus deseos son menos reales por ser mujer, Lily? Puedo asegurarte que son tan reales como los de cualquier hombre.»

Lily apresuró el paso, pero era imposible distanciarse de la voz de Francesca. «¿Por qué seguir preguntándote cómo podría ser si un mínimo esfuerzo podría brindarte el conocimiento que deseas?»

—¿Llega tarde a la cita?

Lily, que a esas alturas ya prácticamente trotaba por el sendero que bordeaba el estanque, se obligó a aminorar el paso.

—No, no, en absoluto. Lo siento.

Avery se detuvo junto al estanque y con la mirada hizo una medición aproximada de los terraplenes que lo contenían. Probablemente se debía de estar preguntando por qué no había mandado elevarlos para evitar las inundaciones que habían arruinado la cosecha de trigo de aquella primavera. La respuesta era sencilla: Lily no tenía el dinero suficiente para hacerlo y no había querido pedir un crédito.

Mientras Avery observaba las tierras, ella avanzó hacia los establos. La puerta estaba abierta y del interior salía la fragancia polvorienta y cálida de los caballos. Lily aminoró el paso y oyó un suave relincho que parecía invitarla a entrar. Sonrió. Le pareció que era India.

Sin poder resistir la tentación, entró en los establos, inspirando la terrenal esencia a estiércol y dulce heno, un heno que se había visto obligada a adquirir con una parte de sus pequeñas y preciadas reservas de efectivo.

Caminó despacio por delante de la larga hilera de cuadras. Sus pies se hundían sin hacer ruido en la arena suave y recién removida del pasillo que cruzaba el establo. El sol que se filtraba por el techo formaba charcos de luz en el suelo. A su paso, el sonido enclaustrado de las pezuñas de los animales moviéndose parecía un arrullo.

Era su lugar favorito. En los establos había veinte caballos, algunos de los cuales nadie había cabalgado nunca. Avery debía de pensar que era ridículo tener tantos.

Un hocico delicadamente formado se abrió paso entre las barras de la cuadra que había junto a Lily. La muchacha se detuvo y acarició el suave y aterciopelado morro.

—Hola, India, cariño.

Miró hacia atrás y se percató de que Avery no la había seguido. Permanecía de pie fuera de los establos y su silueta alta y de anchos hombros se recortaba contra el brillante cielo de mayo. No podían no gustarle los caballos. No había nadie a quien no le gustaran. A regañadientes, se alejó de la cuadra de India y salió afuera.

—No costaron mucho. Casi nada.

—¿El qué? —preguntó él.

—Los caballos. Casi regalados.

—Entiendo —dijo él con desdén.

Se dio la vuelta pero ella le agarró de la manga. Él la miró sorprendido, con cautela. Lo normal habría sido que Lily se sintiera ofendida ante su desdén, pero aquel tema era demasiado trascendental. Si ella no lograba hacerse con Mill House, él debería cuidar de los caballos.

—Me parece que no —dijo—. Si yo no los hubiera comprado, inmediatamente los habrían sacrificado, o los habrían vendido como un saldo para arar la tierra o hacer de mulas de carga en la ciudad. Son caballos de carreras. Su constitución es diferente, son delicados. En un mes habrían estado desfallecidos y muertos.

Avery repitió el mismo gesto.

—No es justo. Ellos lo entregan todo. No es culpa suya que no ganen las malditas carreras.

La mirada de Avery seguía fija en los dedos de Lily sujetándole la camisa. Ella enrojeció y le soltó, intentando alisar las arrugas que había dejado en la prenda.

—Cría caballos de carreras fracasados —dijo él en un tono extraño, duro.

—No todos son fracasados —dijo—. India se clasificó en un montón de carreras del condado y hay un caballo castrado ahí dentro que llegó a enfrentarse a Galdiateur.

—Felicidades.

—No me trate con condescendencia —dijo—. Sé perfectamente las pérdidas que suponen estos caballos en mis finanzas. Pero de momento, por lo menos, son mis finanzas.

—No he dicho lo contrario —dijo él aclarándose la garganta.

Lily intentó percibir un asomo de burla en aquellos ojos extraordinariamente azules y verdes a un tiempo. Pero no lo halló. Sí pudo percatarse de que estaban sospechosamente rojos en la parte externa y que había una capa de humedad que cubría sus pupilas y las hacía brillar aún más. La realidad entonces le golpeó con fuerza. Avery Thorne estaba luchando para controlar sus emociones. La historia de los caballos, aunque no profundamente, le había conmovido. Se quedó mirándole en silencio muy sorprendida.

—¿Podemos alejarnos de aquí? —preguntó bruscamente.

Debía de considerar el gasto de mantener a los caballos una forma casi estúpida de gestionar el dinero, pero no hizo objeción alguna. Simplemente tenía un aspecto nefasto y su amplia boca permanecía sellada.

—¿Querría... —preguntó Lily vacilante— querría verlos?

Avery frunció el ceño como si tuviera la sospecha de que el propósito de Lily era perverso.

—No —contestó, aclarándose de nuevo la garganta—. No, será mejor que nos demos prisa.

Hizo un gesto para que Lily le precediera, caminando a su lado mientras seguían el camino que atravesaba el huerto. Bajo el peso de las flores, ancianos y nudosos manzanos se doblaban hacia el suelo. Las abejas parecían diminutos cortesanos engalanados con calzones de oro y el sonido de su vuelo en la sombra cálida de las flores parecía un quejido adormecido. La brisa, de vez en cuando, creaba remolinos de delicados pétalos que, como una lluvia de confeti, caía sobre sus cabezas.

—Creía que el huerto era más grande —comentó Avery.

—Tiene exactamente el mismo tamaño de hace cinco años —respondió Lily rápidamente.

En el huerto, los ojos de Avery parecían más oscuros, más profundos, como si fueran de jade turbio, verde y azul.

—Quería decir —dijo él cogiendo un delgado palo —que cuando era niño creía que este huerto se extendía hasta el mar. Para mí, era un terreno vasto y salvaje que, hasta la siguiente colina, albergaba todo un potencial de aventura. Un dragón, Robin Hood, Lancelot, todos vivían aquí y a todos ellos les conocí en su día.

Se echó hacia delante como si blandiera una espada, hizo un rápido quiebro y la saludó. Sin pensar, Lily recogió una delgada rama en cuya punta todavía crecían las hojas y la irguió recta ante su rostro.

—*En garde!*

Por un momento, Avery abrió los ojos de par en par, sorprendido. Lily aprovechó la ventaja y se echó hacia delante, hundiendo la asilvestrada punta en su pecho.

—¡Punto!

Entrecerró los ojos. ¿De placer o a la espera de la venganza?, se preguntó Lily. Probablemente tanto lo uno como lo otro.

—La mala hierba no muere tan fácilmente, querida —dijo él, y acto seguido apartó la rama de Lily de un golpe con su palo y cruzó a un lado y a otro la espada hasta forzarla a retroceder dando un traspié.

—No es justo —se quejó Lily—. Está mortalmente herido.

—Un simple rasguño —le contradijo, cortando hoja tras hoja de la punta de la simulada espada de Lily—. No subestime el poder de la determinación más pura.

—¿O de la pura perseverancia? —preguntó ella, protegiéndose detrás del tronco de un retorcido y viejo manzano y lanzándole una sonrisa maliciosa.

—También —le concedió él, desapareciendo detrás de otro árbol.

Lily se escondió detrás del tronco para recuperar el aliento y después asomó la cabeza buscándole. Avery no había salido todavía de su escondite. Con una sonrisita triunfal, Lily se escabulló de donde se encontraba y se ocultó detrás de un árbol que estaba justo a la izquierda de su contrincante. Podía ver la solapa de su chaqueta. Era suyo.

Con un grito victorioso, dio un salto al frente, con la rama a punto y el brazo recogido detrás de la cabeza, el gesto requerido en aquel momento. Los ojos de Lily brillaban resplandecientes.

—¡Ríndase! —gritó.

Pero la chaqueta de Avery colgaba de una rama desnuda.

—Sí, eso mismo le sugeriría yo.

Lily se volvió y se encontró con Avery de pie justo detrás de ella. Apoyaba despreocupadamente un hombro en el tronco de un árbol, tenía las piernas cruzadas y movía el palo como si fuera una batuta. Arqueó sus oscuras y anchas cejas y dijo:

—En el lenguaje del melodrama popular, me parece que la tengo a mi merced.

Era como si sus palabras implicasen un significado más profundo, y por un momento sus increíbles ojos se oscurecieron interrogantes... y bañados de algo más. Pero el momento pasó.

—Así es, señor. Quedo a su merced —contestó Lily con descaro. Y lanzó la rama al suelo.

—Bueno, la verdad es que lo dudo —dijo él.

Al sonreír se le formó un profundo hoyuelo en una de sus bronceadas mejillas. Después él también lanzó su arbolada espada al suelo.

—Un hombre inteligente —dijo ella casi sin aliento.

«Si una mujer se limita a quedarse sentada esperando lo que quiere, entonces no puede quejarse después si le tocan las sobras.» ¡Maldita Francesca!

—Creo... —dijo Lily aclarándose la garganta— que deberíamos continuar. —Y sin esperar, se dio la vuelta y aceleró el paso hasta que hubieron salido del huerto y llegado a un prado cercado por un seto. En medio de los espesos rosales silvestres había un hueco que hacía tiempo alguien había tapado poniendo una alta cerca de madera. De haber estado sola, Lily habría saltado la valla y habría atravesado el campo para ganar tiempo.

—Yo solía ir a campo través cuando iba a visitar al viejo Drummond. Me ahorraba por lo menos quince minutos de camino —comentó Avery.

Cogió una rosa de vivo color carmesí y le dio vueltas moviéndola entre los dedos índice y pulgar. Tenía unas manos delgadas y fuertes, con uñas cortas y limpias y las yemas gastadas y algo callosas. Sin embargo, con un gesto hábil y despreocupado, hacía bailar a la rosa entre sus dedos.

—¿Ah, sí? —murmuró Lily.

Avery levantó la flor y, cerrando un ojo, la miró a través de los pétalos. Probablemente estaría comparando el color de la rosa con el rubor del rostro de Lily. Maldecía a Francesca por sembrarle la mente con semejantes pensamientos.

—Sí.

Y alargando el brazo, colocó la flor en el pelo de Lily junto a su sien, cogiéndola tan desprevenida que se quedó boquiabierta.

—¿Le apetece ahorrarse algo de tiempo?

—Yo... bueno... yo.

Colocando una mano sobre lo alto de la baranda, Avery dio un salto al otro lado ágilmente.

—Vamos —dijo tendiéndole la mano.

Lily quería coger su mano, dejar que él se hiciese cargo de ella, aunque fuese en un gesto tan insignificante. Así que ignoró el ofrecimiento y, colocando la bota en la madera inferior de la cerca, trepó patosamente hasta arriba. Se quedó sentada en lo alto, buscando en el suelo, muy poco uniforme, un lugar donde aterrizar.

—Realmente se mantiene fiel a su código de «Puedo hacerlo sola», ¿no?

—Sí, así es.

Al levantar la vista, vio que se encontraba por encima de su ángulo de visión. Una posición deliciosa. Su navaja de afeitar no debía de estar muy afilada porque notó una sombra cubriendo ya su barbilla. Por alguna razón, aquella idea le ablandó el corazón. Hacía que Avery pareciera más humano, no tan poderoso. Una navaja le había vencido. Y le gustaba ser más alta que Avery Thorne.

Balanceó las piernas en lo alto, reticente a abandonar su ventaja.

—Me tomo mi independencia muy en serio —dijo—. Usted también lo haría si fuera mujer.

Avery apoyó el brazo en lo alto de la cerca, muy cerca de la cadera de Lily, y se acercó como si fuese a hacerle una confidencia.

—Gracias a Dios, no soy una mujer —repuso cansinamente.

Lily sintió como si alguien le hubiera robado el aire. Pero lo recuperó de golpe. No, desde luego, no lo es.

—Y al ser un hombre —continuó— no tengo que proteger mi independencia con tanto ardor. Debe de ser tremendamente agotador tener que estar siempre en guardia, no vaya a ser que alguien ponga en peligro su derecho a trepar por una valla sin ayuda.

—En su caso es fácil burlarse —dijo Lily—. Si fuera una mujer, se daría cuenta de que cada acto de autoafirmación es motivo de celebración. Las pequeñas batallas son solo un preludio para guerras mayores.

Como la igualdad legal en el contrato matrimonial, pensó en silencio.

—Puede estar segura, señorita Bede, de que no tengo deseo alguno de frustrar su independencia. Me he limitado a ofrecerle la ayuda que cualquier caballero ofrecería a una dama.

—Señor Thorne —dijo Lily—, mi padre tenía apellido pero mi madre no. Sus bisabuelos eran labradores nómadas. Casi podría llamárseles gitanos o vagabundos.

Avery frunció el ceño.

—Eso lo explica todo.

—Supongo que se refiere a mi falta de refinamiento. Le ofende, ¿verdad? —dijo Lily, sin sentir en absoluto la satisfacción que habría esperado al sorprender a Avery Thorne.

—En absoluto —contestó él con arrogante sencillez—. Mi comentario hacía referencia al hecho de descubrir el origen de su extraordinario color de piel. Usted, señorita Bede, es una esnob. He conocido en otras ocasiones a gente de su clase.

—¿De mi clase? —exclamó Lily.

—Sí, el tipo de personas con una opinión exagerada sobre su linaje y sobre cómo eso afecta a los demás. Puedo asegurarle que no me importa lo más mínimo cómo se ganaban la vida sus antepasados. Según el señor Darwin, todos nuestros antepasados se columpiaban en los árboles. Los que son como usted siempre quieren discutir sobre quiénes se columpiaban en las ramas más altas.

—¡Oh!

¿Así que despreciaba todos sus miedos y todas sus inseguridades considerándolas un esnobismo?

—Y, señorita Bede, a pesar de que odio contradecirla...

—Adora contradecirme. En cada una de las cartas que me envió, usted...

—Y a pesar de que odio contradecirla —repitió Avery, elevando el tono de voz para ahogar las protestas de Lily—, debo insistir en que sé reconocer a una dama. Y usted es una dama.

Y hecha esta afirmación, asintió, dando el tema por zanjado, y se dio la vuelta. Apoyó ambos codos en la cerca y se quedó mirando el extenso prado plácidamente. Parecía dispuesto a esperar felizmente a que Lily prosiguiera el camino. Era un caballero, al fin y al cabo.

Tenía un aspecto de absoluto dominio, completamente relajado, maravillosamente masculino, y ella... ella estaba... ¿qué había dicho Francesca? Ella estaba de «ese modo».

Avery volvió la cabeza y le sonrió con magnanimidad.

Aquello era el colmo.

—¿Haría una dama esto?

Se inclinó hacia delante, cogió la cabeza de Avery entre sus manos y le besó.

Él se echó hacia atrás y Lily se agarró a sus hombros para evitar caerse de bruces, sin darse cuenta de que así apretaba más sus labios contra los de él. Los labios de Avery estaban calientes y suaves por el calor del sol, una exquisita mezcla de firmeza y flexibilidad. Los de Lily, en pleno éxtasis de sensibilidad, eran una deliciosa y deslumbrante reacción.

Recorrió con las manos los anchos hombros de Avery y su cuello hasta tomar su delgado rostro. Notó en la palma su barba incipiente y las yemas de sus dedos ardieron mientras exploraba las suaves hendiduras bajo sus altos pómulos, el ángulo de su mandíbula y la comisura de sus labios. Con un profundo gemido, Lily se dejó llevar por aquella avalancha de sensaciones que aceleraban su corazón.

Ferviente y apasionadamente, se entregó por completo a aquel beso, exaltada, completamente imbuida en él, sin ser prácticamente consciente de lo que hacía, de dónde estaba, de nada excepto de la boca de Avery.

Pero Avery no tenía tanta suerte.

Era consciente, terriblemente consciente, de cada centímetro de Lily. No estaba tan cerca como hubiera deseado y no podía hacer nada al respecto. Solo Dios podía saber la razón por la que le estaba besando. Él, desde luego, no tenía ni la menor idea. Se estaba felicitando a sí mismo por haber sabido manejar sus inseguridades con tanta delicadeza y haber sido capaz de regalarle un halago bastante decente, y al minuto siguiente, ella le estaba besando con más rabia que pasión. Así había empezado el beso, desde luego, pero al cabo de unos segundos la rabia se había transformado en algo bastante más ardiente.

Una parte de su cerebro, casi bajo el efecto de la fascinación y el pánico a un tiempo, sabía que de alguna manera, en alguno de sus significados, aquel beso era una trampa. Pero no podía pensar, apenas estaba funcionando de manera consciente. Solo un profundo instinto de supervivencia le impedía bajarla de aquella cerca, tumbarla en el suelo y cubrirla con su cuerpo. Las ansias por absorberla, por sentirla deshacerse bajo su peso, por notar sus suaves curvas acomodándose a su dureza, casi consiguieron que se le doblasen las rodillas.

La quería debajo de él, con la boca abierta, por Dios, no allá, arrastrándole desde arriba a una tentación capaz de destruirle por dentro. Un escalofrío le recorrió el cuerpo, pero se quedó quieto y de pie.

Sin embargo, la voluntad que lograba controlar sus miembros no conseguía controlar sus labios. Aquel beso le provocaba, le abría el apetito y, como un hombre que muere de sed atado a una estaca en el desierto, abrió la boca para poder beber más de aquella corriente de ricas y dulces sensaciones. Inclinó la cabeza y recorrió el suave terciopelo de sus labios con la punta de la lengua. Lily abrió la boca suspirando. Y Avery, emitiendo un gemido gutural, metió la lengua profundamente en ella, explorando con sensual conciencia su sabor cálido y dulce, emparejando su lengua con la de ella.

Era demasiado. Pero no suficiente.

Se movió hacia delante, solo un paso, lo suficiente para que el pecho de Lily le rozase, provocándole corrientes de furiosa necesidad por todo el cuerpo. Cada vez que, estremecida, tomaba aliento, los pezones de Lily, firmes guijarros, acariciaban el pecho de Avery dibujando en él una línea de fuego. Abandonada, Lily relajó los muslos, y él, aprovechándolo, se situó entre ellos, acercándose hasta que el flexible peso de los pechos de ella se apoyó completamente sobre él. Como un imán tiraba de Avery la promesa del cobijo que iba a encontrar.

Lily echó la cabeza hacia atrás dejando expuesto su cuello. Que Dios le ayudase, pensó Avery, necesitaba besar aquella columna, lamer el brillo salado de la pequeña hendidura que había en su base, chupar suavemente el delicado y tierno lóbulo de su oreja mientras en sus oídos resonaban los ronroneos guturales y embriagadores de ella.

Pero no podía tocarla, no, no la estaba tocando. No con sus manos. Por lo menos hasta allí llegaba su control. Pero ¿cuánto podría aguantar? Todo él era puro pánico y deseo. La quería debajo de él, por Dios, no quería seguir ahí de pie perdido en aquella tentación capaz de destruirle por dentro. Sin embargo, no se atrevía a más.

Porque, en un rincón de su cerebro que todavía funcionaba con cordura, existía la sospecha de que en cuanto la tocase, ella le apartaría.

Así que se quedó de pie, con los músculos de sus brazos en tensión para mantenerse apartado de ella, su cuerpo rígido por aquel deseo no satisfecho, respirando profundamente, aceptando la boca de ella con una aturdida actitud de provisionalidad y devorando su textura, su sabor y su ardor con la suya propia.

No la toques. No la toques. Por el amor de Dios, no la toques, se repetía.

De pronto, Lily levantó los párpados y lanzando un gemido de espanto se liberó de los labios de él.

—¡Oh, Dios mío!

Se apartó bruscamente, perdió el equilibrio y cayó de espaldas cuan larga era. Por un momento, Avery no pudo moverse y se quedó con los ojos cerrados lleno de frustración y rabia. Después, dando un salto por encima de la escalerita que servía para salvar la valla, fue hasta ella y se quedó de pie junto a su cuerpo tendido. Ella le miró con ojos furiosos.

—¡No te he tocado! —gritó él.

—¡Ya lo sé! —le gritó ella a su vez, mientras intentaba ponerse de pie.

Con los nervios, la falda se le levantó por encima de las rodillas dejando ver su ropa interior de rico encaje —¿Lily Bede con encaje?— y unas medias de seda bordadas que jamás habría pensado que pudiera llevar. Perdió las horquillas y una cascada de brillantes tirabuzones negros le cayó alrededor del cuello y sobre los hombros, una oscura fantasía de abandono.

Casi había logrado ponerse en pie, pero la bota se le enredó con el dobladillo, echándola de nuevo hacia atrás. Boca arriba otra vez, Lily golpeó el suelo con los tacones en un gesto de frustración. Al final, tras un rato realizando aquel movimiento totalmente inútil, se detuvo.

Dando la impresión de ser alguien que está haciendo un gran esfuerzo por contenerse, Lily tomó aire profundamente, se apartó el pelo de la cara y, lanzando una mirada fulminante a Avery, le dijo con voz furiosa pero controlada:

—Bueno, ya que siempre anda por ahí dándoselas de caballero, ¡ayúdeme a levantarme!

—¡Ah, sí! —dijo él, mirándola con cautela—. Desde luego.

Alargó el brazo todavía vacilante y con un gruñido o un gimoteo —Avery no habría sido capaz de afirmar si era lo uno o lo otro—, ella se puso en pie.

—Debería ponerse bien sus... enaguas.

Lily dio unas palmadas a la falda hasta que cubrió la parte alta de las botas y empezó a quitarse la hierba y las hojas sueltas que se le habían quedado enganchadas en el trasero.

—Y su cabello.

—¿Qué pasa?

—Lo tiene suelto.

—¡Oh!

Con las manos empezó a arreglar aquella maraña rebelde y se puso algunas horquillas. Gracias a algún tipo de innato don femenino, logró que su aspecto pasase de ser una invitación a la lujuria a una imagen de orden y pulcritud en unos segundos.

Después, tomando de nuevo una profunda bocanada de aire, irguió la barbilla y le miró directamente a los ojos. Fascinado, Avery esperó.

—Le pido disculpas —dijo, con el rostro cubierto de un intenso rubor.

Desde luego, no era eso lo que había esperado.

—Mi conducta ha sido inexcusable. He actuado como una completa... como una...

—¿Como una sinvergüenza? —sugirió Avery, utilizando el mismo calificativo que él se habría aplicado a sí mismo.

—¡Sí! ¡Una sinvergüenza! —asintió ella entusiasmada.

Debía de haberse imaginado que emplear un término generalmente aplicado a los hombres, aunque fuese negativo, le gustaría.

—Le pido disculpas y le ruego que olvidemos este pequeño incidente poco afortunado.

La forma en que lo dijo, tan remilgada, tan impersonal, le sacó de quicio. No era la primera vez que se resistía a la tentación, pero nunca del modo en que había tenido que resistirse entonces. Todavía le dolía el cuerpo por la frustración. Todavía podía olerla, saborearla, sentirla. Oh, no. No iba a librarse tan ricamente. El hecho de que el pequeño juego que había tramado no hubiera tenido éxito, no implicaba que no tuviera que pagar su precio por idearlo.

—Usted quizá, yo, desde luego, no —dijo él.

Ella le miró boquiabierta.

—Pero ¿cómo puedo compensarle?

—¿Compensarme?

La idea de que Lily estuviera en deuda con él decididamente resultaba atractiva.

—No sabía que se podía compensar el hecho de... —Avery hizo una melodramática pausa— haberme acosado. Pero claro, siendo usted una mujer, no tengo más remedio que aceptar sus disculpas, ¿no? Pero Dios mío, si los roles fueran a la inversa, tendríamos que oírnos las protestas y los gritos, ¿verdad? No deje que le preocupe el hecho de que me resulte difícil olvidar este incidente.

Los hermosos ojos oscuros de Lily se entrecerraron y le miraron suspicazmente.

—¿No va a ser capaz de olvidarlo?

Dios, si ella supiera... No, pero no por las razones que iba a exponer. Solo podía imaginar interminables baños de frío hielo.

—¿Por qué está tan sorprendida? —le preguntó con voz

ronca—. Las mujeres no tienen en exclusiva el monopolio de la sensibilidad. Solo por ser un hombre, no quiere decir que no pueda sentirme ofendido. Pero puesto que usted, una mujer, es la que ha realizado la ofensa, debe ser, por decreto sumarial, ignorada.

—No es justo —exclamó Lily.

Y automáticamente pareció como si deseara retirar sus palabras.

Él le sonrió virtuosamente.

—Estoy de acuerdo. Pero estoy seguro de que está usted al corriente de que las relaciones entre nuestros géneros no son habitualmente justas. Lo que parece ser que usted ha ignorado es que no siempre son las mujeres las que sufren a causa de esas divergencias.

—Estoy segura de que puedo compensarle de alguna manera. Si un hombre le insultase de ese modo...

—Mi querida señorita Bede —dijo Avery—, si un hombre me insultase de un modo similar al suyo, como mínimo ahora mismo habría habido derramamiento de sangre.

—¡No es eso lo que quería decir! Lo que quiero decir es que si un hombre le ofendiese y luego le pidiese disculpas, ¿no las aceptaría?

—Pero señorita Bede —dijo Avery con equidad—, usted no se ha limitado a ofenderme. Usted se ha aprovechado de que yo asumía que estaría a salvo de cualquier conducta maliciosa a su lado.

Por un momento, Avery temió haber ido demasiado lejos. Lily entrecerró los ojos, frunció el ceño y apretó los labios. Pero entonces hizo un gesto de súplica con la mano, y él supo que lo que había interpretado como suspicacia era solo el reflejo de su mortificación. Casi le dio lástima; su desazón parecía tan real... Pero se recordó a sí mismo que fuera cual fuese el juego al que ella estaba jugando, sin duda lo habría diseñado para que él saliese perdiendo.

—¡Debe de haber algún modo de manejar esto! —exclamó Lily.

—Bueno, si un hombre disparase así a otro hombre...

—¿Así?

—Sí, ese tipo de disparo que se lanza al enemigo cuando le está dando a uno la espalda o está desprevenido. Es muy poco deportivo.

Lily le miró con el rostro pálido ante su tono de censura.

—¿Sí?

—Pues bien, si hubiera recibido un trato así por parte de otro hombre, simplemente le advertiría que podía esperar un trato similar por mi parte en cualquier momento del futuro. En aras del juego limpio, claro está —le explicó—. Creo que es así como actuarían dos caballeros.

Avery observó cómo Lily analizaba sus palabras. Aunque había mantenido un tono amable, sus pensamientos no eran en absoluto benévolos. Había creído conocer a aquella mujer, porque después de cuatro años y medio de correspondencia le parecía alguien familiar. ¡Por todos los diablos! Aquella carta que le había escrito después de la muerte de Karl le había hablado directamente al corazón. Odiaba estar equivocado.

Había esperado que fuese una chica tan poco acostumbrada a la compañía masculina como él lo estaba a la femenina, pero aquel beso apasionado denotaba experiencia. ¿Con cuántos hombres más? Y por alguna razón, eso le enfurecía como un loco.

—¿Y bien? —preguntó Avery.

Ella irguió la barbilla y le hizo un gesto rápido de asentimiento.

—De acuerdo, entonces —dijo valientemente—. Me considero advertida.

13

Lily se sentía mortificada. Podía notar los ojos de Avery Thorne en el cogote y el ardor de la humillación recorrer esa zona de su cuerpo. Se llevó los puños a los labios para ahogar un gemido. Con cada paso, debía hacer un esfuerzo para no echarse a correr. Miró implorante al cielo.

Por el amor de Dios, ¿qué se había apoderado de ella? Al menos por un instante, le había parecido tan buena idea, tan liberadora. ¡Ahora solo le parecía vulgar y de mal gusto! ¡Oh! Y Avery se había sentido tan ofendido...

¿Qué es lo que había dicho? Que por el simple hecho de ser un hombre no quería decir que no pudiera sentirse ofendido. Era cierto que durante un tiempo había respondido. Pese a su entrega y concentración, Lily había sido capaz de darse cuenta de que Avery había participado del beso. Pero había sido un partícipe involuntario.

Se había pasado la vida luchando para que las mujeres tuvieran los mismos derechos que los hombres y ahora se dedicaba a forzar físicamente a Avery Thorne. Qué mezquino. Qué hipócrita. No pudo ahogar un gemido.

—¿Ha dicho algo, señorita Bede? —le preguntó Avery, que caminaba justo detrás de ella.

Una cercanía sorprendente, la verdad, pues lo normal habría sido que tuviera pánico a estar a su alcance.

—No, nada.

Por lo menos había actuado bien al aceptar su derecho a buscar una compensación. Juntó sus dedos y se preguntó preocupada cuál sería el modo en que Avery lanzaría su tiro por la espalda. Lo único de lo que estaba segura era que no sería del mismo estilo que el suyo.

El beso de Avery había sido probablemente la consecuencia de ese impulso sexual compulsivo que, según se rumoreaba, dominaba al género masculino. De hecho, Avery no había negado la afirmación de Lily de que había actuado de manera vergonzosa. Y si bien había habido ansia, deseo y pasión en su beso, debía de ser de naturaleza instintiva. A ella le habría resultado muy desagradable que alguien le despertara impulsos que demostraban su dependencia de las bajas pasiones. Probablemente había sido su tan aclamada caballerosidad —que parecía aparecer y desaparecer según el requerimiento de la situación— lo que le había impedido apartarla a la fuerza. Considerando su tamaño y su fuerza, probablemente debía estar agradecida.

No se sentía agradecida. De hecho, no sabía si a lo mejor habría preferido que la hubiera golpeado, a ser posible lo suficientemente fuerte para dejarla inconsciente.

Siguió castigándose hasta que alcanzaron la lechería de piedra reconstruida que albergaba la oficina de Drummond. Subió el único escalón que conducía a la puerta, gastada, pobre y pequeña, y llamó con fuerza. Lo mejor era dejar aquel desastroso interludio atrás. Volvió a llamar.

—¡Ya va, ya va! ¡Maldita sea! —se oyó, al tiempo que la puerta se abría y uno de los vidriosos ojos azules de Drummond la miraba torvamente—. Oh, lo siento, no sabía quién era.

El miserable viejo sabía exactamente quién era. Lily siempre era puntual en sus citas mensuales y Drummond siempre respondía a su llamada con violentas maldiciones. Podría decirse que aquel día había sido comedido en comparación con algunos de los insultos verbales con los que se había encontrado.

Drummond volvió al oscuro interior de la oficina arrastrando los pies y dejó la puerta abierta colgando de las bisagras. Por lo menos en aquella ocasión no le había cerrado la puerta en las narices, justificándolo después con un «cosas de la edad».

Lily empujó la puerta y la abrió unos centímetros. Drummond se dejó caer en la silla detrás de su escritorio. En la mesa había montañas de papeles, una docena de lápices mordisqueados y un maltrecho libro de contabilidad. A pesar del calor sofocante que había en la habitación cerrada, el hombre llevaba un fino chal sobre sus encorvados hombros.

Su débil aspecto era una farsa. Lily había visto al viejo cargar con un ternero que se había roto una pata a lo largo de más de un kilómetro de terreno escarpado.

—Lo mismo digo, buenas tardes, señor Drummond —dijo Lily—. ¿Recuerda que teníamos una cita esta tarde?

Miró a Avery, que la estaba observando con aire reservado. Probablemente se estaba planteando si podría tomar posesión de Mill House antes de tiempo si lograba que la declarasen enferma mental. Y si continuaba encontrándole tan malditamente atractivo —porque solo con una mirada en su dirección sentía que toda su piel ardía—, Lily casi creía que le haría un favor.

—¿Va a seguir ahí fuera como una vaca estúpida o va a entrar? —preguntó Drummond—. ¿Y quién demonios es ese joven gigantón que se esconde detrás de usted? ¿El nuevo capataz de la granja? —Miró a Avery bizqueando los ojos—. No, no tendré tanta suerte —continuó—. Además, es usted del género equivocado para que la señorita le contrate.

Viejo malvado y despiadado. Lily entró con paso firme.

—Escúcheme, señor Drummond, no he venido aquí...

—A lo mejor es tan bobo que va a casarse con ella —sugirió Drummond esperanzado, señalando a Lily con el pulgar—. También sería positivo. Así podría apartarla de mi camino. Por lo menos unos días.

Hizo un gesto lascivo.

Lily hincó las uñas en las palmas de sus manos y agradeció que la tenue luz escondiese el intenso rubor que quemaba su rostro. Aquello iba a ser aún peor de lo que había esperado.

—No voy a hacerme cargo de la gestión de la granja —dijo Avery— y no voy a casarme con ella, viejo.

—Bueno, y entonces, ¿qué está haciendo aquí? No me dedico a organizar visitas para los ociosos.

Drummond frunció el ceño furioso y los pocos mechones de hirsuto cabello gris que le quedaban se le levantaron disparados de la calva quemada por el sol.

—He venido a ver cuánto puede vivir un hombre de la más pura mezquindad.

—¡Escucha, muchacho! —exclamó Drummond, levantándose de un salto de la silla y despojándose del chal y del tono quejumbroso de anciano con la velocidad que una serpiente se desprende de su piel muerta—. Puede que sea mayor, pero no tan mayor como para que no pueda darle unas lecciones de modales.

Se apoyó en el escritorio mirando amenazadoramente a Avery y entonces una expresión de incredulidad cruzó su surcado y viejo rostro. Lanzó un grito de alegría y golpeó la mesa con su nudoso puño.

—Avery Thorne, ¿verdad? Sigues siendo el mismo malnacido terco y maleducado, pero por lo menos ahora puedes pelear.

—Nunca soy maleducado.

—¡Ja! —exclamó Drummond, y en su cara asomó algo que parecía una sonrisa pero que probablemente era más bien una mueca, porque Lily jamás había visto sonreír al viejo.

El hombre salió de detrás de su mesa, apartó a Lily y tomó la mano de Avery, moviéndola arriba y abajo.

—Has venido a echarme una mano y a librarme de su ignorancia y de su intromisión, ¿verdad, hijo? —preguntó Drummond a Avery—. ¡Si viese al mismísimo san Pedro no podría estar más contento!

—Como si tuviera alguna posibilidad de verle —masculló Lily.

—La chica abandona el juego antes de tiempo, ¿no? —continuó Drummond, con una sonrisa malévola que le confería un aspecto de duendecillo de pelo gris.

Dios mío. Odiaba cuando Drummond se refería a ella en tercera persona en su presencia. Había veces que lo hacía incluso cuando solo estaban ellos dos en la habitación.

—Bueno, es lo mejor para todos —concluyó Drummond, soltando finalmente la mano de Avery—. Una mujer a cargo de una granja. ¡Bah! En mi vida no había oído nunca algo tan absurdo.

—No abandono —declaró Lily elevando el tono de voz—. Y el señor Thorne me ha acompañado hasta aquí simplemente para saludar a un viejo amigo.

—¿Qué? —exclamó Drummond, mirando a Avery en busca de respuestas.

Avery asintió.

—Qué maldición.

Y con aire de víctima traicionada, Drummond se dio la vuelta y regresó detrás de su escritorio, no sin antes pisar a Lily en el trayecto.

—¡Ay!

Drummond se dejó caer en su silla, mascullando entre dientes con aire de desconsuelo.

—Supongo que eso significa que debo seguir manteniendo estas citas, ¿no? ¡Bah! Bueno, pues vamos al grano. ¿Qué es lo que quiere?

—¿Qué quiero, señor Drummond? —Lily se echó hacia delante y se agarró con ambas manos al escritorio con tanta fuerza que estaba segura de estar dejando marcas en la madera. Se inclinó totalmente sobre la mesa y lanzó al viejo una mirada fulminante—. Lo que quiero es que la granja sea productiva. Lo que necesito es saber cuándo tiene planeado empezar a marcar las ovejas. Todas las previsiones han anunciado un verano especialmente caluroso...

—¿Qué previsiones son esas, señorita sabelotodo? ¿Ha estado leyendo de nuevo la información de los ganaderos? Escuche, llevo cincuenta años ocupándome del rebaño, así que no necesito que venga nadie a decirme qué necesita el ganado y cuándo lo necesita.

—No, escúcheme usted a mí, señor Drummond —interrumpió Lily—. Si las ovejas no tienen la lana seca y lista para poder marcarse antes de que empiece el calor, las ovejas enfermarán y nos encontraremos con serios problemas financieros.

El rostro de Drummond se cubrió de manchas de un rubor intenso.

—Eso ya lo sé, estúpida...

—¿Qué es eso de marcar? —interrumpió Avery.

Lily y Drummond volvieron sus cabezas al unísono de golpe. Por un instante, probablemente por primera vez desde que le había conocido, Lily se había olvidado realmente de Avery Thorne.

—¿Qué? —preguntó Drummond.

—¿Qué es eso de marcar de lo que están discutiendo? —preguntó Avery—. Creo que ya que ha despertado tan acaloradas opiniones debería saberlo.

—Es arcilla —dijo Lily, sin estar segura de si Avery le estaba tomando el pelo o no—. Arcilla roja para marcar el rebaño.

—Entiendo. ¿Y por qué se marca?

—Para distinguirlas del resto de las ovejas —continuó Drummond molesto—. Hay un montón de rebaños que pastan por estas colinas. Necesitamos saber cuáles son nuestras y cuáles no, ¿verdad? —Y moviendo la cabeza con gesto negativo, añadió—: No era precisamente estúpido cuando era un muchacho, por lo que recuerdo.

—Sigan con la conversación —dijo Avery—. Es muy ilustrativa.

—¿De verdad no sabía qué era marcar el rebaño? —preguntó Lily sin estar del todo convencida, y confundida ante el hecho de que Avery proclamase abiertamente su ignorancia.

En su limitada experiencia, una limitación que reconocía,

los hombres no admitían su falta de conocimiento. Hasta donde ella sabía, ni siquiera su padre, un hombre ilustrado como el que más, había pronunciado jamás las palabras «no lo sé».

—No —contestó tranquilamente Avery—. ¿Por qué debería saberlo? Solo he pasado unas semanas en Mill House y fue hace muchísimo tiempo. No era precisamente mi segundo hogar.

Por lo que Francesca había contado a Lily, nunca hubo un primer hogar y estuvo a punto de soltarlo, pero en el rostro de Avery se reflejó un retraimiento que la hizo mantenerse callada. Sintió que la embargaba la compasión, algo absurdo. Avery Thorne tenía todas las ventajas de su género y de su clase. Incluso había conseguido superar sus limitaciones económicas gracias a su propio ingenio. ¿Cuáles eran sus carencias?

Le observó pensativamente. Quizá Thorne no fuera la persona segura y autocomplaciente que aparentaba.

Drummond emitió un resoplido de desprecio.

—Primero una mujer y ahora un ignorante. ¿Había que ganar un concurso a la estupidez para formar parte del testamento de Horatio? Aun así prefiero trabajar para un hombre ignorante que para una mujer ignorante. Y por preferir, donde estén los viejos tiempos en que trabajaba para el señor Horatio...

—Sí, estoy segura de que cuando el Altísimo decidió separarles a usted y a Horatio se perdieron unos auténticos Damón y Pitias —dijo Lily secamente, haciendo referencia a los legendarios amigos griegos.

Avery rompió a reír y Lily se volvió y le miró sorprendida. Él evitó su mirada, pero en su rostro había una franca sonrisa de reconocimiento.

El rostro de Drummond se ensombreció de nuevo, adoptando un aspecto poco agradable.

—Eso ha sonado como una blasfemia, señorita. Si cree que voy a quedarme aquí escuchando sus irreverentes...

—Oh, vamos, Drummond —dijo Avery.

Lily le miró fijamente. De la última persona de la que esperaba recibir ayuda era de Avery. Desde luego, no en aquel momento. No después de lo que ella había hecho... No después de eso.

—Tal como hablas, cualquiera diría que Horatio y tú abonabais el campo codo con codo —continuó Avery—, luchando contra los enemigos de la ganadería o contra lo que luchéis los granjeros. Lo cierto es que Horatio apenas visitaba Mill House, y desde luego no estaba involucrado en la gestión de la finca.

—Sí —musitó Drummond con ojos nostálgicos—. Eso es cierto. El señor Horatio no quería participar en el trabajo del campo. No era lo que se esperaba de él. No como la señorita aquí presente.

—¿Y qué hay de malo exactamente en mi forma de proceder? —preguntó Lily.

—La señorita aquí presente quiere involucrarse —dijo Drummond, apuntando al aire con el dedo—. ¡Bah! O eres un noble que no interfiere, como el señor Horatio, o eres un granjero que trabaja la tierra arrimando el hombro junto a sus labradores. No hay más opciones. Pero la señorita aquí presente cree que por preguntar unas cuantas cosas y leerse algunos libros ya se ha involucrado. Bueno, pues me gustaría verla involucrada con una oveja de ciento cuarenta kilos empapada.

—No esperará que bañe al rebaño —apuntó Avery.

—¿Por qué no? —respondió Drummond.

Pareció como si los ojos se le hundieran aún más bajo los párpados, y frunciendo el ceño hasta lo imposible, se dirigió a Lily:

—Usted no es ni un noble ni un granjero —dijo—. No puede hacerse cargo de los asuntos sentada detrás de un escritorio ni puede trabajar el campo, lo que a mi entender significa que es inútil. Ahora, cuando el joven señor Thorne se haga cargo de la gestión de Mill House, supongo que las cosas volverán a su cauce adecuado.

—¡El cauce adecuado es el mío! —gritó Lily.

—Gracias a Dios, espero tener que aguantar solo unos meses más sus chillidos —farfulló Drummond removiendo sus papeles.

Los dientes de Lily chirriaron y la presión que hizo sobre la madera de la mesa hizo que los dedos se le pusiesen de color blanco.

—¿Se le ha pasado por la cabeza la posibilidad de que yo acabe siendo la dueña de Mill House, de que sea la heredera?

Drummond ni siquiera se molestó en levantar la cabeza.

—No —contestó, haciendo con la mano el mismo gesto que un rey haría para despachar a un cortesano molesto—. Márchese. Tengo trabajo pendiente y no tengo tiempo para seguirle la corriente. A no ser que... —El hombre levantó la vista y sus perversos ojos se iluminaron con un brillo de maldad—. ¿Quiere despedirme?

Lily mantuvo la mirada de Drummond durante unos segundos. Le habría gustado hacerlo, pero Mill House necesitaba a Drummond y no iba a hacer algo tan estúpido solo por un extático instante de triunfo.

Pero si seguía allí un minuto más puede que lo hiciera, así que, sin decir una palabra, se dio la vuelta y salió rápidamente dando un portazo al marcharse

Drummond soltó una malévola carcajada y se frotó las manos lleno de satisfacción. Levantó la cabeza y se encontró a Avery mirándole con una sonrisa escalofriante.

—Drummond —dijo Avery—, creo que deberíamos tener una pequeña charla.

14

—¡Francesca! —gritó Avery a través de los pasillos de Mill House al mismo tiempo que sonaba un trueno en la lejanía.

El día se había tornado demasiado caluroso para aquella época del año, y desde que Lily se había marchado de la guarida de Drummond aquella mañana, apenas la había visto, y de lejos. Se estaba volviendo loco. Entre ellos quedaban muchas cosas por resolver y Avery no era un hombre acostumbrado a esperar al momento oportuno para resolver sus asuntos. Quería...

Maldición. Ese era el problema. Quería a Lily Bede. Tanto que podía palparlo. Debía hacer algo.

—¿Dónde demonios está todo el mundo? —murmuró Avery.

No había ni siquiera rastro del trío de criadas que solían caer desplomadas a su paso. Probablemente debían de estar tramando algún otro plan para... ¿para qué?

Por el amor de Dios, ¿qué es lo que esperaba conseguir con aquel beso? ¿Despistarle y que no se percatase de sus actividades ilegales? Los días del contrabando habían quedado atrás hacía tiempo. ¿Hacer que se enamorase tan locamente de ella como para renunciar a su reivindicación de Mill House? No era posible que creyese que aquello podía funcionar. Necesitaba respuestas.

—¡Francesca! —gritó de nuevo.

La aparición de Francesca fue precedida por un ruido de pasos y el frufrú de la tela color rosa pálido que se movía con ella al andar. Tenía el rostro acalorado.

—¿Qué pasa? —preguntó casi sin aliento—. ¿Qué ocurre?

—¿Qué ocurre? No ocurre nada. Quería hablar contigo —dijo Avery.

—Me va el corazón a mil por hora, idiota. Gritar de ese modo por toda la casa... —le recriminó Francesca, llevándose la palma de la mano a la garganta.

— He gritado porque no había nadie a quien poder transmitir mi deseo de reunirme contigo... —Lanzó una mirada a su alrededor y, señalando una de las antesalas de la casa, añadió—: Allí. No me apetecía ir abriendo puertas en tu busca.

—Está bien, Avery —dijo Francesca, entrando en la habitación señalada. Se sentó cómodamente en uno de los duros sofás cubierto con un brocado color granate y recogió los pies bajo su cuerpo.

—¿Dónde está todo el mundo? —preguntó Avery mirando alrededor.

Entendió entonces por qué nadie de la familia utilizaba aquella habitación. Era una sala oscura adornada con muebles de aspecto incómodo y por la chimenea entraba una corriente de aire.

—La señora Kettle está decantando el vino, un proceso al parecer arduo y largo que se toma muy en serio; Evelyn está en la sala de estar enseñando a la señorita Makepeace a hacer puntilla, ya ves, y Bernard se ha ido al refugio de caballos.

—Se llama establo, Francesca, y ¿crees que es una buena idea? Me refiero a los problemas respiratorios del chico.

—¿Por qué no iba a ser una buena idea? —preguntó Francesca.

—En los establos siempre hay corrientes de aire perjudiciales y los caballos son bestias excitables y erráticas. ¿Una copa, Francesca? —añadió Avery, señalando la botella de cristal de whisky.

—Encantada —contestó Francesca—. No debes preocuparte por Bernard. Los jamelgos de Lily hace tiempo que dejaron de ser un peligro y a Bernard le gusta muchísimo montar a caballo. Es el único ejercicio físico que le gusta, que yo sepa.

—Ya me gustaría a mí —murmuró Avery.

Por su mente pasó la imagen de Lily Bede con su melena negra al viento mientras galopaba a través del campo.

Apartó la imagen de su mente y se centró en la botella de whisky y en su joven primo. Así que la opresión en los pulmones de Bernard no tenía su origen en la proximidad de los caballos que sí era la causante de las afecciones de Avery desde hacía mucho tiempo. Quizá si juntos investigaban el tema, podían descubrir cuáles eran las condiciones más propicias para los ataques de Bernard y, de ese modo, el muchacho podría actuar como Avery había aprendido a hacer: evitando los lugares o los acontecimientos que provocaban el terrible ahogo.

—Avery —dijo Francesca despacio—, ¿los caballos te provocan esa congestión respiratoria?

Se había olvidado de Francesca. Acurrucada en aquel espantoso sofá con sus ropas pálidas y vaporosas, parecía una mariposa otoñal, desteñida, algo gastada, pero todavía hermosa.

—A veces —contestó Avery en tono evasivo—. No merece la pena hablar de eso. Si puedo evitarlo, no me acerco a esas bestias. Y ahora, hablando de ella...

—Ella... —repitió Francesca con gesto inexpresivo. Un segundo más tarde lo comprendió, y entonces continuó—: ¡Oh! Ella. ¿Qué pasa con ella?

Avery miró a su alrededor sin estar seguro de lo que quería revelar a su prima. Pero de entre todos sus conocidos, Francesca era la que mejor cualificada estaba para juzgar las inclinaciones de Lily. Era claramente una experta en temas carnales, y lo había sido desde que era una joven.

—Camfield —dijo finalmente, tendiéndole un vaso de whisky con soda.

—¿Martin Camfield? —preguntó ella cogiendo la bebida—. ¿Qué pasa con él?

—¿Cuál es la naturaleza de la relación entre él y la señorita Bede?

Francesca hizo un gesto de asentimiento con los labios y respondió:

—Bueno, está claro que el señor Camfield tiene en alta estima la inteligencia de Lily.

Avery se relajó. Si el sentimiento más poderoso que podía despertar en Camfield una mujer como Lily era «alta estima por su inteligencia», el hombre solo podía ser homosexual o un eunuco. En cualquiera de los dos casos, Avery se sentía con una disposición más amable hacia el sujeto.

Sonrió.

—O eso es lo que el señor Camfield quiere que ella crea.

Avery dejó de sonreír.

—Quizá Martin Camfield es lo suficientemente inteligente para darse cuenta de que una mujer como Lily encontrará más atractivo a un hombre que aprecie su intelecto que a un hombre que se limite a devorarla con los ojos.

—Yo nunca la he devorado con los ojos.

—¿Por qué dices eso, Avery? No he dicho que sea tu caso —dijo Francesca sorprendida.

—Solo quería dejar claro que yo no soy de ese tipo de hombres.

—Una pena —dijo Francesca, y tomó un largo trago, vaciando casi la mitad del contenido del vaso.

—¿Y qué hay de Lily?

—¿Lily?

—Él y ella.

Francesca suspiró.

—Me gustaría que aprendieses a expresarte con algo más que simples monosílabos, Avery. Es una costumbre que has tenido desde niño y hace que la comunicación resulte confusa y extraña. Y sin embargo, tienes una prosa inspirada y he oído cómo te engarzas en discusiones con Lily en las que sin duda resultas brillante. Así que vuelve a intentarlo, querido. ¿Qué es lo que deseas saber sobre «él y ella»?

—¿Fomenta la actitud de Camfield? —preguntó Avery con el rostro encendido.

—Por supuesto —respondió Francesca, dejando el vaso vacío en el suelo—. ¿A qué se debe tu aspecto, Avery? ¿Estás enfermo?

La idea de Lily en brazos de Camfield o, peor aún, de Camfield en brazos de Lily, le provocaba tal tensión que su mandíbula parecía a punto de quebrarse. Haciendo un esfuerzo, consiguió dejar de apretar los dientes.

—Estoy bien. Simplemente no me gusta descubrir que una mujer de la inteligencia de Lily cae tan bajo como para manipular a los hombres de una forma tan descarada y grosera.

—¿Descarada? ¿Grosera? —dijo Francesca frunciendo el ceño—. ¿Qué es lo que crees que acabo de afirmar sobre la actuación de Lily?

—Que utiliza sus armas femeninas para seducir a los hombres y lograr que se plieguen a sus órdenes.

—Entiendo —dijo Francesca, moviendo la cabeza con gesto negativo—. Los hombres son tan fascinantes... ¿Puedo saber cuál es la orden a la que Martin Camfield se ha plegado después de haber sido seducido por Lily?

—No lo sé —respondió Avery precavido—. ¿Cómo iba a saberlo? ¿Qué es lo que ha obtenido de él?

Francesca se reclinó de nuevo y respondió con aire pensativo y lentamente:

—Bueno, lo cierto es que Lily ha estado presumiendo de haber conseguido comprarle semillas a buen precio. Debo confesar que nunca se me habría ocurrido intercambiar favores femeninos por un descuento del diez por ciento en la compra de semillas, pero si es eso lo que ha hecho Lily, yo diría que es realmente una empresaria...

—¡No seas ridícula!

—¿Yo? —preguntó Francesca poniéndose en pie—. Me

ha parecido que eras tú el que llegaba a conclusiones precipitadas. He dicho que Lily había flirteado con Martin Camfield, no que se había acostado con él, bobo de remate. Por si no lo sabes, hay una diferencia.

—Si pudieras dejar de divertirte de forma tan endemoniada con nosotros, pobres mortales, y contestases a mis preguntas de una forma directa, no estaría llegando a conclusiones precipitadas —respondió Avery furioso.

Sus palabras tuvieron un efecto inmediato. La relajada expresión de Francesca desapareció en el acto y el rubor de su rostro fue evidente incluso bajo su gruesa capa de maquillaje.

—¿Ha hecho algo Lily que te haya llevado a pensar que ella, bueno, que regala sus favores?

—Soy un caballero, Francesca —contestó Avery fríamente.

—¡Ajá! —exclamó alegremente—. Pero no lo entiendo, Avery. Si ella y tú... ¿por qué no estás...? —Le miró con mayor atención—. ¿Has malinterpretado sus... atenciones?

—Si —contestó Avery— hubiera atención alguna que malinterpretar (algo que como caballero que soy no estoy dispuesto a concederte), sí, maldita sea, la malinterpretaría. Sería estúpido si no lo hiciera. Tenemos a una mujer que muestra claramente que le desagrado, que lleva cuatro años intercambiando insultos conmigo, que no oculta en ningún momento que está intentando hacerse con mi herencia, y de pronto, de la nada... me presta atenciones ¿Qué debo... debería pensar?

—Pobrecito mío —dijo Francesca, mirándole con una increíble fascinación.

—No seas boba, Francesca.

Por lo menos esa respuesta disipó aquella tremenda expresión del rostro de Francesca.

—En fin, bueno, si no quieres mi ayuda...

—¿Tu ayuda para qué? —preguntó con incredulidad.

—Mi ayuda para... ¿Cómo es posible expresar esto delicadamente? Para conseguir a Lily Bede.

—No quiero conseguir a Lily Bede.

—No hace falta que grites, Avery.

—¡Claro que hace falta gritar! Es lo más ridículo que he oído nunca. Lily Bede es una lianta polemista, obstinada y terca. Yo le desagrado y ella me desagrada a mí. Bueno, desagradar quizá es un término demasiado duro. No me fío de ella. Por un lado es demasiado inteligente, y por otro demasiado independiente. ¿Por qué iba a querer hombre alguno conseguir a una mujer como ella?

—Por nada del mundo podría contestar yo a esa pregunta —respondió Francesca con satisfacción—. No soy un hombre. Quizá tú puedas aclarármelo.

—Claro que puedo —dijo enfadado y parcialmente consciente de que estaba dando una explicación a una atracción que acaba de negar segundos antes—. Un cierto magnetismo entre miembros de sexos opuestos es normal. Solo porque haya experimentado dicho magnetismo hasta un cierto nivel, no significa que quiera conseguir a Lily Bede. La atracción que siento hacia ella sin duda se basa en mi repentina inmersión en el mundo femenino, hasta ahora un mundo ajeno a mí, unido a una cierta receptividad cronológica y a algunas reacciones químicas del cuerpo. —Frunció el ceño—. Y a sus ojos —concluyó.

—No entiendo nada de lo que has dicho, Avery. Quizá sería preferible que te limitases a los monosílabos —sugirió Francesca.

—Quiero decir —continuó Avery— que siendo consciente de que este encaprichamiento se debe a una desafortunada combinación de coincidencias mentales, químicas y sociológicas, sé muy bien cómo manejarlo.

—¿Eh?

—El estanque del molino —afirmó complacido—. Lo he observado bien cuando he pasado caminando con Lily. Parece bastante profundo y estoy seguro de que estará bastante frío.

—¿Vas a darte baños de agua fría? —preguntó Francesca rompiendo a reír.

—¿Qué otra cosa puedo hacer? —preguntó Avery, consciente de que estaba hablando en un tono más elevado del debido pero sin poder evitarlo—. Estoy obsesionado con esa mujer. Es insano. Es ridículo.

—Acabas de decir que es normal.

—Estaba equivocado. No, tenía razón. ¡Maldita sea! Ni siquiera puedo hacer una afirmación referente a ella. Ha anulado mi capacidad para emitir un juicio racional.

Cogió la cajetilla de los puros del bolsillo de la chaqueta, la abrió y sacó uno.

—Necesito alejarme de ella. Este viaje a Londres me vendrá bien. Es evidente que he entrado en una etapa de mi vida en la que debería estar buscando una esposa. Yo... quedaré con unos cuantos amigos. Algunos de ellos tienen hermanas, criaturas elegantes y dóciles. Son buen material como posibles esposas. Maldita sea, ¡ni siquiera me deja fumar dentro de casa!

—Pobrecillo —musitó Francesca sin una especial muestra de afecto—. ¿Por qué no aceptas lo inevitable? Avery, créeme, conozco muy bien tu situación y algunas cosas no tienen remedio. No sirve de nada oponerles resistencia. Este tipo de atracciones son tan poderosas como las incontrolables corrientes marinas. Lo mejor es que te dejes arrastrar y disfrutes.

—No voy a dejarme arrastrar —declaró Avery con énfasis—. Voy a dedicarme a nadar, a darme largos y estimulantes baños fríos. Cada día, si es necesario. O dos veces al día.

—Eres un bobo, Avery —dijo Francesca suspirando.

La poca contención que le quedaba se fue al traste tras aquel comentario. Sabía que ella tenía razón, aunque no podía entender por qué.

—Maldita sea, Francesca, ¡quiere mi casa!

Las aletas de la nariz de su prima se movieron delicadamente, como si hubiera olido algo desagradable.

—Lily —dijo en un tono aparentemente suave— ha dedicado cinco años de su juventud a esta casa. Cinco años que el resto de los jóvenes pasan entre mimos, algodones y fiestas. Y ella se ha estado dejando la vista estudiando las cuentas y ha pasado las noches en blanco intentando encontrar la manera de sacar a duras penas un penique de la granja, limpiando el suelo de rodillas...

Al ver la mirada de sorpresa de Avery se calló y sus labios se contrajeron en una mueca de indignación.

—Por el amor de Dios, Avery —exclamó—, no pensarías que tres pequeñas criadas, embarazadas y consentidas, hacían todo el trabajo de la casa, ¿verdad? Chico, ¡mira sus manos!

—¿Por qué? —preguntó totalmente desconcertado.

Francesca malinterpretó su pregunta.

—Porque es el único modo que tiene de asegurarse el futuro que quiere para ella. Creo que después de todo lo que ha hecho, Lily considera Mill House su casa. —Miró con calma a los ojos de Avery—. Y yo, desde luego, no voy a contradecirla —concluyó.

Las palabras de Francesca hicieron aflorar con fuerza en la mente de Avery el dilema que le había estado atormentando. Se echó el pelo hacia atrás.

—Lo sé —dijo—. Veo lo que ha logrado. Nunca pensé que lo conseguiría. —Endureció el tono—: Pero, Francesca, yo no planteé este desafío a Lily. Mi casa no se la ofrecieron a raíz de mis diligencias.

Francesca le miró en silencio.

—Me prometieron Mill House cuando era más joven que Bernard, Francesca —dijo Avery—. He soñado con ella, he hecho planes para ella. Cuando no había nada más, contaba con ella. He contado con ella. Debería haber sido mi casa. Y ella lo sabía cuando aceptó el plan de Horatio. No me digas que no se dio cuenta de que asegurándose su futuro habría otras consecuencias.

—Sé que su actuación puede parecer cruel, Avery —replicó Francesca, y en su rostro el desprecio fue sustituido por una mirada confusa—. Solo puedo asegurar que hace cinco años tus posibilidades eran mayores que las de ella.

—Me importa un bledo. Aceptó un desafío sabiendo que, en caso de ganarlo, las consecuencias serían que yo quedaría desheredado. Muy mal hecho, Francesca. Muy mal hecho.

—Quizá no fuera muy caballeroso.

—Totalmente de acuerdo —contestó duramente Avery—. Si eso es lo que hizo, ¿de qué más es capaz? ¿Qué podría llegar a hacer para asegurarse Mill House? ¿Y cómo puedo permitirme sentirme atraído por ella? Y, sin embargo, cuando veo esos jamelgos acabados de los que se hace cargo, me pregunto por qué iba a arriesgar su porvenir por unos caballos de carreras sin futuro. ¿Qué hace que una oportunista terca e insensible haga algo tan absolutamente insensato? Y hay otra cosa aún más importante: hace casi un año me escribió una carta que... (que me salvó la vida) que significó mucho para mí. Me parece imposible que la mujer que escribió esa carta sea tan cruel.

Francesca no tenía respuesta a aquel enigma.

De pronto, Avery se sintió cansado, cansado y exhausto y amargamente consciente de que la única mujer que deseaba era también la mujer en la que menos confiaba.

—Valoro lo mucho que ha trabajado Lily para lograr lo que quiere y el tiempo que le ha dedicado. Pero deseo de todo corazón que fracase. Solo por desear algo, no tienes derecho a tenerlo.

—¿Es eso lo que te dices a ti mismo cuando la miras? —preguntó Francesca—. ¿Que no se merece tu casa? ¿O piensas en otras cosas?

Avery lanzó un gruñido. Francesca podía convertir un debate sobre la reforma de la moneda en un tema sexual. El hecho de que sus palabras hicieran volver a su mente con fuerza el ansia que sentía por Lily no empañaba lo irónico de la situación. Suspiró, se levantó y se dirigió hacia la puerta.

—Como te he comentado, Francesca, sé cómo curarme de ese problema.

Abrió la puerta de par en par y Bernard entró tambaleándose en la habitación. Avery cerró los ojos y contó hasta tres.

Cuando los abrió se encontró a un muy acalorado Bernard, cabizbajo frente a él.

—Pasaba por aquí y he oído el nombre de la señorita Bede —tartamudeó compungido.

Avery no parecía muy convencido. El muchacho le miró directamente, casi desafiante.

—No he oído mucho. La maldita puerta es demasiado gruesa...

—No hables mal, muchacho —le reprendió Avery con severidad—. No es propio de caballeros.

—Sí, señor —respondió rápidamente Bernard—. Pero como caballero que soy, siento... quiero decir... tengo un deber para con la señorita Bede, la obligación de procurar su bienestar. Por supuesto, estoy preocupado...

¿Otro Thorne bajo el hechizo de aquella bruja de cabello oscuro? Avery miró con los ojos entrecerrados el rostro febril del muchacho, su cuerpo tembloroso y su mirada encendida. ¡Maldición!

Tomó el hombro huesudo de Bernard, le hizo dar media vuelta y le empujó hacia el recibidor.

—Está bien, Bernard, tengo la solución para tu preocupación.

—¿Adónde vamos? —protestó Bernard.

—A darnos un baño, chaval. Un largo y delicioso baño.

15

—¡Salta! —gritó Avery—. Aquí solo tiene unos dos metros de profundidad; no es tan poco profundo como en la zona norte.

—Está bien —respondió Bernard, y después de quitarse las botas, se puso en pie para quitarse también los pantalones.

Avery experimentó un potente instante de *dejà vu*. Era como si estuviera contemplando una fotografía de sí mismo diez años atrás.

Los anchos y huesudos hombros de Bernard bajo la camisa de lino le daban la apariencia de un perchero, y más abajo salían dos piernas largas y blancas que parecían dos palos terminados en enormes pies de pato. Avery pensó que, con ese cuerpo, Bernard debía de nadar como una sirena.

—¡Vamos! —gritó.

—He dicho que ya voy —contestó Bernard gritando, irritado ante la sonrisa burlesca de Avery.

Con la mandíbula tensa y con actitud decidida, Bernard dio un paso hacia atrás y después saltó desde el embarcadero. Moviendo los miembros con fuerza, cruzó el aire y se hundió en el agua rápidamente. Un segundo más tarde, salió a la superficie escupiendo con fuerza y tomando aire ruidosamente. Avery nadó hasta él, más preocupado que divertido.

—No nadas muy a menudo, ¿verdad? —comentó a Bernard en tono ligero.

Recordaba lo importante que había sido para él disimular sus limitaciones físicas. Escuchó atentamente esperando oír el característico resuello, pero el muchacho solo emitía claros y fuertes jadeos, así que se dio la vuelta y se quedó flotando boca arriba cerca de él, preparado para echarle una mano en caso de ser necesario.

—Aprendí a nadar en este estanque —comentó despreocupadamente.

Bernard estaba recuperando su ritmo normal de respiración y empezó a nadar a su alrededor de manera inexperta.

—¿Ah, sí? ¿Quién te enseñó?

—Nadie —contestó Avery—. Me caí cuando estaba pescando y no me quedó más remedio que nadar o ahogarme. Decidí nadar. ¿Quién te enseñó a ti?

—La señorita Bede.

La respuesta de Bernard cogió a Avery por sorpresa y Bernard entendió perfectamente su expresión. Se echó a reír.

—No sabía que habías pasado tanto tiempo con ella —comentó Avery.

—No he pasado tanto —dijo Bernard—. En absoluto. A mi madre le gusta que esté con ella cuando estoy en casa. —Frunció el ceño y añadió—: Mamá se preocupa mucho. Lo cierto es que cuando se enteró de que la señorita Bede me había enseñado a nadar se disgustó tanto que ella tuvo que prometerle que no haría nada parecido nunca más.

Por el suspiro del muchacho, Avery dedujo que no había habido ya más escapadas con la señorita Bede.

—Es un infierno, ¿verdad? —comentó.

—¡Sí! —exclamó Bernard sin intentar fingir que no había entendido el comentario—. ¡Lo odio! Cómo te miran los profesores cada vez que toses, asustados y resentidos, y cómo cuchichean los otros chicos a tus espaldas; te preguntas si alguna vez estarás lo suficientemente bien para hacer algo.

Avery asintió. Aquel muchacho generalmente reticente se había soltado a hablar. Y él sabía lo catártico que podía ser.

—Y cómo te sientes con esa opresión en el pecho, como

si un monstruo invisible se hubiera puesto encima de ti, y te parece que no vas a ser capaz de aspirar aire suficiente para poder vivir.

Avery asintió. Lo sabía.

—A veces —dijo Bernard bajando la mirada pero irguiendo luego la cabeza en un gesto desafiante—, hace unos años, solía pensar que no sería tan horrible no poder vivir.

—Bernard...

El chico le miró con expresión furiosa.

—Lo sé. Es de cobardes. Pero estaba tan cansando de tener a mamá y a la señorita Bede preocupadas..., de estar tan asustado.

—¿Y cuándo se te pasó? —le preguntó Avery con calma y con una sensación de alivio al comprobar que Bernard estaba hablando en pasado.

—Me cansé de estar preocupándome de si iba a sobrevivir una noche más o no. ¿Sabes qué es lo gracioso?

—¿Qué?

—Que cuanto menos me preocupaba por la muerte, menos me importaba morirme. Comprendes lo que digo, ¿no? Solía pasarlo fatal. —Apartó la mirada y se ruborizó ligeramente—. Me quedaba tumbado en la cama despierto, preocupado por si iba a conseguir despertarme al día siguiente.

Avery sintió que se le encogía el corazón.

—Entonces solía pensar en lo que la tía Francesca me había contado, que tú habías pasado por lo mismo cuando tenías mi edad —continuó Bernard—, y pensaba en cómo eras ahora y juraba que yo también sería fuerte como tú. Y entonces me sentía mejor. No solo aquí, sino también aquí —añadió, tocándose la cabeza. Se llevó una mano al pecho—. Por lo menos eso me parecía... Dime, ¿de verdad tú también tenías esto?

—Sí —contestó Avery, ante el evidente alivio del chico.

—¿Y se te ha pasado?

—No del todo —respondió Avery, escogiendo cuidadosamente sus palabras—. Todavía hay algunas situaciones y algunos lugares que debo evitar, cosas que no intento; procuro apartarme de ellas como de la peste.

—¿Tú? —inquirió Bernard con incredulidad—. ¿Como qué?

—Los caballos. Solo con pasar unos minutos cerca de ellos siento como si tuviera una correa de acero oprimiéndome el pecho.

El muchacho dio varias brazadas acercándose a Avery.

—¿De verdad?

—De verdad. Y creo que deberías evitar lo que pueda provocarte esos ataques.

—Mis ataques no tienen ninguna causa concreta —soltó el muchacho.

—No estoy de acuerdo. Acabas de explicármelas: preocupación, inquietud, temor. Sé que puede sonar absurdo que los pensamientos de una persona puedan influir tanto en su cuerpo, pero yo he vivido experiencias que no solo son indicativas de que es así, sino que lo prueban de forma fehaciente.

El muchacho no parecía muy convencido y Avery sabía que era mejor no insistir en el tema. Bernard, como cualquier Thorne, debía llegar a sus propias conclusiones.

—Explícame tus lecciones de natación —terció Avery, dando con el tema apropiado.

—Fue el segundo verano que la señorita Bede pasaba en Mill House. Mamá y Francesca se habían marchado a tomar el té con alguien y me habían dejado al cuidado de Lil... de la señorita Bede. Hacía calor y ella había pasado la mañana en los establos...

—¿Realmente tiene tanta devoción por esos caballos?

—Oh, sí —contestó Bernard flotando sobre la espalda y dejando que el agua le cubriese el cuerpo—. Realmente los adora. El caso es que tenía calor y yo también, y acabamos aquí en el estanque. Me preguntó si sabía nadar y yo le contesté que no. Ella me dijo que debía aprender y una cosa llevó a la otra... —Con mirada soñadora, el muchacho susurró—: Estaba tan hermosa...

Sí, era hermosa, pensó Avery.

—Cuando está mojada, el pelo le brilla y los ojos también. Me hacía flotar boca arriba y me sujetaba, y yo me sentía... —dijo Bernard con voz quebrada y mirada algo ausente.

Avery también se sentía bastante ausente. No le extrañaba que el chaval estuviera tan embelesado con aquella arpía morena. Lily Bede mojada. Solo con pensarlo la boca se le secaba y aquella agua helada se le antojaba tibia.

Se dio la vuelta, se sumergió en el agua y se hundió hasta el fondo del estanque, atravesando las enredadas y tupidas raíces de los nenúfares. El agua, fría y sedosa, llenó sus ojos y sus oídos, ahogando los sonidos y turbándole la vista. La oscuridad verdosa del fondo parecía atravesada por corrientes doradas. Era el tintineante brillo de la luz del sol que hasta allí llegaba. Los pececillos de agua dulce pasaban como flechas a su lado, perdiéndose entre las hierbas del bosque. Avery se dejó llevar por aquella belleza fría, tranquila y racional, tan distinta a esa otra belleza ardiente y peligrosa. Unos minutos más tarde, nadó hasta la superficie.

—¿Dónde estabas? —preguntó con voz asustada Bernard.

El muchacho estaba de pie y el agua le llegaba hasta la cintura.

—Has estado tanto tiempo sumergido que pensé...

El chico había estado preocupado por él. ¿Cuándo había sido la última vez que alguien había temido por su vida?

—Lo siento, chico —dijo Avery con delicadeza—. Aprendí a nadar aquí pero perfeccioné mi habilidad como nadador en las islas de la Polinesia. Nunca pude aguantar la respiración tanto tiempo como los pescadores de perlas, pero sí podía con cualquier europeo. Mis colegas solían hacer apuestas conmigo.

Generalmente se apostaban alguna que otra copa, pero no era necesario explicar ese detalle también a Bernard.

—¿Estuviste en las islas francesas? —le preguntó Bernard—. No recuerdo que mandases ninguna carta explicándolo.

—Solo estuve un mes aproximadamente —respondió Avery encogiéndose de hombros—. Fue una parada camino de Australia.

—Apenas has hablado de tus aventuras desde que llegaste aquí.

—Hummm —musitó Avery, nadando perezosamente hacia Bernard.

El cielo se había cubierto de tupidas nubes color marfil y se oyó el canto de un petirrojo proveniente de un espino cercano. Era todo tan hermoso, tan familiar y agradable. Quería eso, la belleza, la calma, lo británico del lugar, más de lo que nunca había querido nada en la vida.

Y a ella también.

—No hay necesidad alguna de aburrir a las damas con mis... ¿Cómo lo llama la señorita Bede? Ah, sí, «historias de una infancia obsoleta».

—Es maravillosa, ¿verdad?

—No es ese el término que habría utilizado, pero debo reconocer que es una mujer única.

Si Bernard percibió algo de irrespetuosidad en el comentario, decidió ignorarlo.

—Creo que no te he dicho lo fantástico que me parece que dejes vivir a la señorita Bede en Mill House en caso de que no logre heredar la casa.

¿Vivir con Lily? ¿Bajo el mismo techo? La sola idea le paralizaba... Por todos los demonios, le aterrorizaba.

—La verdad, Bernard, es que no recuerdo haberte dicho nunca que ella podría vivir...

—Sí, sí lo hiciste —insistió Bernard—. Dijiste que te ocuparías de su bienestar. Nunca habría pensado que fueras de ese tipo de hombres que no responde a sus responsa...

—No lo digas —le cortó Avery, saliendo del agua como un Poseidón enfurecido.

Había que conceder al muchacho que tenía valor para defender su postura; con algo de reservas, pero la defendía.

—Dije que me ocuparía de su futuro y eso haré.

—Ocuparse de su futuro no es lo mismo que ocuparse de su bienestar. El bienestar implica la felicidad y su felicidad está aquí, en Mill House. Ama este lugar.

—Ya lo sé. Y tengo la intención absoluta de que la señorita Bede reciba la atención necesaria y sí, de que sea feliz. Pero puedo aventurarme a afirmar que si es ella quien hereda Mill House, dudo mucho que se pase el día preocupándose por mi felicidad. Por si no te has dado cuenta, a mí también me gusta este lugar.

—Bueno, en ese caso está claro lo que debes hacer.

—¿Ah, sí? —le preguntó Avery, levantando las cejas con sarcasmo—. Te lo ruego, ilumíname.

—Deberías casarte con ella.

Lily regresó a altas horas a casa después de pasar la tarde en el pueblo peleándose por la factura del colmado. Dijo tener jaqueca y se retiró a su habitación, donde pasó el resto del día intentando desesperadamente reunir las fuerzas suficientes para seguir mostrando una actitud de indiferencia hacia Avery Thorne.

A la mañana siguiente, se recogió la melena en una coleta bien prieta y entró con resolución en la sala donde se servía el desayuno.

Avery no estaba allí. Bien. De cualquier modo, no quería verle.

Francesca tampoco estaba allí. Evelyn estaba sentada junto a Polly Makepeace y su silla de ruedas y acababa de servir el té a la inválida. Levantó la vista al oír entrar a Lily. Esta observó a Polly y se dio cuenta de que tenía mejor aspecto, más relajado. Casi parecía estar disfrutando.

—Buenos días, señorita Bede —dijo Bernard poniéndose en pie de un salto y apartando la silla de Lily.

—Gracias, Bernard, pero de verdad que no hace falta tanta ceremonia —dijo Lily tomando asiento.

—Oh, sí hace falta, señorita Bede —le contradijo Bernard—. Siento estar en desacuerdo contigo, pero como caballero que soy...

—Pero ¿qué es lo que te pasa con ese primo tuyo? —soltó Lily—. Ni que él fuese un caballero estupendo, la verdad. Es gritón, dictatorial, no se molesta en ser mínimamente diplomático, y directo. No es amable, encantador, ¡ni siquiera educado!

Lily levantó la vista y se dio cuenta de que todos la estaban mirando alucinados.

—Bueno, no lo es, ¿no? —preguntó.

—¿De quién está hablando, señorita Bede? —le preguntó Polly.

Lily extendió con furia la servilleta.

—¡De Avery Thorne! ¿De quién si no?

Echó varios terrones de azúcar a su taza y empezó a remover.

Evelyn y Polly intercambiaron una mirada. Bernard parecía más confuso que nunca.

La puerta que conducía a la cocina se abrió y Merry entró resollando detrás de un carrito. Sin la menor ceremonia, empezó a depositar sobre la mesa platos calientes rebosantes de lonchas de beicon y jamón, bollos y galletas, huevos escalfados, pescado ahumado y cuencos llenos de sopa de cereales humeante.

Todo por Avery Thorne, que ni siquiera estaba allí para apreciarlo; miserable desagradecido.

—Recuérdeme que hable con la señora Kettle sobre la cantidad de comida que últimamente prepara, Merry.

—Mire, señorita Bede, los chicos como el señor Bernard, aquí presente —dijo la criada, guiñando un ojo con picardía al muchacho, que le miraba el vientre totalmente alucinado—, por no mencionar a hombres como el señor Avery, necesitan grandes cantidades de buena comida para desarrollarse.

—Puede que Bernard sí, pero a mí me parece que el señor Avery ya está suficientemente desarrollado —dijo Lily.

—¿Verdad que sí? —comentó con un suspiro una arrebolada Merry, mientras vertía la sopa en el cuenco de Bernard—. Ayer por la noche llevó en brazos a Kathy hasta su habitación subiendo tres tramos de escaleras. Como si en lugar de estar embarazada fuera ella el bebé.

—¿La llevó hasta el último piso? —preguntó Evelyn.

—Pues sí. Pasaba por allí cerca y la muy caradura se dejó caer como si fuese un árbol recién talado. Así que la llevó en brazos hasta su habitación. Kathy tenía la misma sonrisa que un bebedor que acaba de lograr hacerse con una botella llena —comentó Merry en un tono de decoroso reproche.

—Y —añadió Lily, felicitándose a sí misma por conseguir mantener la calma— recuérdame que tenga una pequeña charla con Kathy, con Teresa y contigo sobre esa extraña imposibilidad que mostráis para manteneros en pie cuando el caballero está presente.

—De acuerdo —asintió Merry sin prestarle mucha atención. Se volvió hacia Evelyn y continuó—: ¿Y sabe la mesa enorme que hay en la cocina? ¿Esa que tiene una cubierta de mármol con la que la señora Kettle siempre se está dando golpes y de la que se queja que está demasiado cerca de la puerta?

—¿Sí? —inquirió Evelyn.

—La ha movido —declaró, apoyándose en el hombro de Bernard y vertiendo melaza en su sopa—. Y eso no es todo. ¿Sabe la inmensa ventana con vidrieras que hay en el techo de la buhardilla?

—Sí —respondió Francesca, que entraba en ese momento—. Me temo que una de las pocas cosas de auténtico valor arquitectónico en esta casa.

Bernard se puso en pie de un salto y retiró el asiento de Francesca. Esta se sentó.

—¿De verdad tiene valor? —preguntó Bernard, volviendo a su silla.

—Eso creo —respondió Francesca—. Pero antes de que esa mirada de avaricia se convierta en algo permanente en tu rostro, permíteme recordarte que Mill House y su contenido será de Lily o de Avery. Tú nunca tuviste opción.

—Ya lo sé. Solo me interesaba saber por qué alguien pondría una ventana de valor en una casa de campo.

—Supongo que obedece a un carácter pretencioso —contestó Francesca, sonriendo simpáticamente a Bernard—. Sea como fuere, ¿qué pasa con la ventana de arriba, Merry?

—El señor Avery la ha limpiado.

—¿Qué? —exclamó Lily.

Merry asintió, al tiempo que añadía algo de nata al brebaje de Bernard.

—Se colgó desde lo alto del tejado con una cuerda. Dijo que había aprendido a hacerlo en el Himalaya. Vamos, coma usted, señor Bernard —apremió Merry al muchacho, dándole un golpecito amistoso.

—¡Qué peligro! —exclamó furiosa Lily—. Podría haber resultado herido, podría haberse matado. Qué estupidez.

—Estoy segura de que Avery ha sobrevivido a aventuras mucho más peligrosas que limpiar una ventana, Lily —sugirió Francesca.

—Además, ¿quién iba a hacerlo si no? —comentó Evelyn, dejando momentáneamente a medias su conversación con Polly Makepeace.

—Si no estuviera prisionera de este yeso —dijo Polly entrando en la discusión—, yo estaría más que encantada de poder limpiar las ventanas. No hay razón alguna por la que una mujer no pueda colgarse de una cuerda igual que un hombre.

—Estoy segura de que serías capaz de hacer cualquier cosa que te propusieras —dijo Evelyn, golpeando cariñosamente la mano de Polly.

Lily las miró sorprendida. Creía que Evelyn detestaba a Polly Makepeace y sin embargo últimamente parecían uña y carne.

—Estoy de acuerdo con la señorita Makepeace —dijo Lily—. Tanto yo como las sirvientas somos capaces de realizar cualquier trabajo que sea necesario. Me temo que Avery Thorne está intentando demostrarme que él está mucho mejor capacitado para dirigir esta casa que yo. —Entrecerró los ojos y añadió—: Bueno, dejémosle.

Lily echó una mirada al reloj. Se estaba haciendo tarde. Quizá podía evitar a Avery un día más. No, pensó irguiéndose. Era mejor enfrentarse a él cuanto antes. Solo había sido un beso. Desde luego había resultado muy perturbador y era cierto que había pasado demasiadas horas reproduciéndolo: la sensación de su boca, los músculos de Avery endureciéndose bajo sus manos, el calor de su aliento y...

Se aclaró la garganta.

—Creía que un caballero se preocuparía de no crear molestias a los sirvientes llegando tan tarde a las comidas —dijo.

—¿Está preguntando dónde se encuentra ahora el señor Thorne? —comentó Polly.

—No —dijo Lily—. Me limitaba a hacer una observación. Puedo asegurar que no me importa lo más mínimo dónde se encuentre el señor Thorne excepto cuando altera la marcha de la casa.

—No está alterando nada porque no está aquí —interrumpió Merry—. Se ha marchado.

—Ah —exclamó Lily.

Sintió como si cayera a un precipicio inesperado, hundiéndose en una dolorosa oscuridad. ¿Había sentido tanto rechazo hacia ella que se había marchado, incapaz de seguir viviendo bajo su mismo techo?

—¿Así que se ha ido, para el bien de todos? —dijo en un susurro.

—Oh, no —dijo Merry retirando el plato de Bernard y dirigiéndose hacia el asiento de Evelyn—. Solo ha ido a pasar unos días a Londres para visitar al sastre. No hay duda de que necesita nuevos trajes. Teresa y yo hemos descosido las costuras de los que tiene tanto como hemos podido.

Al sastre. Lo había olvidado.

Intentó recobrar una acompasada respiración, pero no podía esconder ante sí misma el inmenso alivio que había sentido, el placer que había recorrido su cuerpo entero al saber que iba a volver a verle.

Por el amor de Dios, tenía que luchar contra aquello. Quería quitarle Mill House, la casa por la que tanto había luchado y trabajado y batallado, lo único que podía garantizarle su futuro, su seguridad... su independencia.

—Por un momento parecías algo triste, querida —dijo Francesca.

—Si me disculpan... —dijo Bernard.

—Sí, ningún problema —contestó Evelyn.

Bernard dejó su servilleta sobre la mesa de un manotazo y se cruzó con Teresa en la puerta. Tuvo que detenerse porque el abultado vientre de la criada ocupaba todo el vano de la puerta.

—¡Oh, señorita! —gimoteó la sirvienta—. Ha ocurrido algo horrible. El jarrón chino, el que estaba en el salón, ¡alguien lo ha roto! Ahora es un montón de diminutas piezas. Le juro que yo no he sido, señorita. ¡Le juro que yo no he sido!

—¡Yo tampoco! —gritó Merry, uniéndose a los gemidos de Teresa.

—Ya está bien —exclamó Lily—. No me importa quién ha roto el jarrón. No tiene la menor importancia.

—¡Oh, Lily! —gimió Evelyn con sus claros ojos bañados en lágrimas—. El jarrón de Sèvres vale cientos y cientos de libras. Los apoderados del banco tienen una lista de todos los bienes de Mill House. Te exigirán que lo repongas antes de analizar las cuentas de tu gestión. ¿Cómo vas a poder reemplazarlo?

Lily se puso en pie con calma. Lo que tenía que hacer era limpiar el salón lo antes posible y averiguar quién había sido el responsable del estropicio.

—No es el jarrón de Sèvres —dijo—. Hace algunos años, cuando Bernard vino a Mill House por primera vez, contraté a un artesano para que hiciera una copia idéntica. El jarrón de Sèvres auténtico está guardado en el trastero y lleva allí casi cinco años.

Paseó la vista por los cinco rostros que la miraban perplejos.

—Teniendo en cuenta la afición de Bernard años atrás por darse golpes contra las cosas y romper la cristalería, algo que afortunadamente ha superado, habría sido estúpido no hacerlo. Aunque tengo muchos defectos, no soy estúpida.

Excepto en lo concerniente a Avery Thorne, le sugirió una voz interior.

16

Las ovejas huelen mal. No tan mal como los osos, por ejemplo, pero casi, pensó Avery. Y las ovejas mojadas, como los osos mojados, huelen aún peor.

No había tenido éxito con los baños fríos, ni trasladando cosas de un lado a otro de la casa, ni, desde luego, con el viaje a Londres, donde había pasado dos días inmerso en un círculo social que parecía increíblemente encantado con su compañía, especialmente las damas, y una tal vizcondesa Childes en particular. Pero si perseveraba, si realmente se dejaba la piel en ello, con certeza conseguiría quitarse a Lily Bede de sus pensamientos.

Cogió a la oveja por el lomo, la empujó por las pezuñas hasta el borde del estanque del molino y la hundió en el agua. Ella se revolvió furiosa en señal de protesta. En la superficie agitada del agua color marrón, aparecieron flotando trozos de zarzas y bardanas. Junto a él, un segundo hombre dejó libre a su oveja cautiva y la empujó hacia el borde del estanque para que retozase en el pasto que le esperaba de premio.

Drummond se mantenía vigilante, mirando con ojos escrutadores cada oveja empapada que salía del agua. De vez en cuando, entre maldiciones y risas, empujaba a alguna víctima desventurada de vuelta al agitado estanque.

—¡Eh, Ham! —gritó Drummond—. ¡Esa oveja está más sucia que el agujero de tu abuelo! Cob, se supone que debes lavarlas, no ahogarlas. Y, señor Thorne... —Su voz adquirió un tono empalagoso y servil—: Discúlpeme, señor, pero ¿podría ser tan amable de mover su trasero de sangre azul? ¡Tenemos que lavar a quinientas ovejas!

Avery dejó escapar a su presa y cogió a otra oveja que parecía espantada y se deslizó precipitadamente por el barro. La metió en el agua y hundió sus manos en la lana del animal.

Tenía todo el cuerpo cubierto de restos del hierro para marcar los animales: los brazos, el pecho y prácticamente toda la cara. Las pezuñas de las ovejas le habían rasgado los pantalones y la camisa que había escondido con cuidado bajo un matorral había sido descubierta por una oveja que se la había zampado casi entera. Las maravillosas botas de piel marroquí que habían fabricado especialmente para él y que habían recorrido el mundo de punta a punta no parecían ser capaces de soportar las cinco horas que llevaban empapadas en aquella agua envenenada por el óxido.

La oveja se movió violentamente pero Avery la sujetó con fuerza. El esfuerzo empezaba a pasarle factura: sus músculos tensos ardían, la cabeza le dolía de agotamiento, y cada noche, cuando cenaba en su habitación, notaba calambres por todo el cuerpo. Y sin embargo, por todos los diablos, cada noche, cuando se dejaba caer exhausto en la cama, la imagen de Lily danzaba delante de sus ojos y su cabello oscuro y brillante parecía resbalar entre los dedos temblorosos de Avery. Su boca era un erótico recuerdo que le atormentaba.

«¡Cásate con ella!»

Evidentemente, había caído una buena e inmediata bronca a Bernard por hacer aquella sugerencia, pero eso no había impedido que sus traicioneros pensamientos volviesen a aquella frase una y otra vez.

¿Casarse con Lily Bede? Era una locura. Eso implicaba abandonar cualquier esperanza de una dicha espiritual cálida y cómoda, porque no había dicha posible con Lily Bede, ni espiritual ni de ningún otro tipo. Aunque podía haber otras compensaciones quizá...

¿En qué demonios estaba pensando? Solo porque un muchacho hubiera hecho una ridícula sugerencia, eso no implicaba que había que contemplar la posibilidad de que se cumpliera.

De pronto, la oveja empezó a retorcerse y le salpicó el rostro de suciedad.

—¡Puaj! —gritó, y empezó a lanzar altisonantes maldiciones.

—Realmente jura demasiado. Para ser un caballero —dijo una voz femenina.

Debería haberlo previsto: debería haber sentido el aire crepitar, un rayo cruzar el cielo o el silencio de los grillos. Como mínimo debería haber sentido algún tipo de alteración cerebral. Algo debería haberle anunciado telegráficamente su llegada. No le parecía justo que la naturaleza pudiera ser capaz de crear una fuerza con tanto poder para estimularle y, sin embargo, no avisara a las criaturas que estaban a merced de su llegada.

Levantó la vista. La vio de pie justo en el borde del estanque, rodeada de ovejas que pacían plácidamente. Tenía las manos en las caderas y con una de las botas daba golpecitos en el suelo indicando que estaba irritada. Su ridícula camisa blanca de hombre y los pantalones bombachos contrastaban con el cielo oscuro a sus espaldas. Los contornos de su pecho y caderas parecían recortarse contra las nubes color cobalto que cubrían el horizonte. A pesar del agua helada en la que estaba metido, Avery pudo notar la tensión de su cuerpo y una clara erección.

Los relámpagos eran una señal demasiado sutil para anunciar su llegada. Deberían haber empezado a caer pájaros del cielo.

—¿Qué está haciendo aquí? —le preguntó Avery, perfectamente consciente del líquido pegajoso y rojizo que descendía por su torso y de cómo esa misma sustancia le cubría el rostro.

Anticipándose a la inminente pelea que iba a sucederse,

Avery empezó a avanzar en dirección a la orilla del estanque.

—¿Qué está haciendo ella aquí? —gritó Drummond desde la otra orilla.

El hombre se quitó el sombrero de la cabeza con furia y golpeó con él su pierna.

—Esto no es un maldito picnic, señor Thorne, y más vale que mande a su mujer de vuelta por donde ha venido.

Avery hizo una mueca. Evidentemente, Lily, como un toro al que azuzan con un pañuelo rojo, miró fijamente a Drummond y el golpeteo de su pie se convirtió en una potente pisada. La oveja que pastaba junto a ella levantó la cabeza y pestañeó.

—En primer lugar, señor Drummond —dijo—, yo no soy la mujer de nadie. En segundo lugar, no he venido a traer el almuerzo a nadie.

—Entonces márchese —dijo Drummond—. Es usted la que ha estado insistiendo para que lavemos a las ovejas y estoy intentando hacerlo lo antes posible. Y usted aquí está gritando, distrayendo a mis hombres y creando problemas como siempre...

—Cállese, señor Drummond —dijo Avery.

De cualquier otra mujer se habría esperado una mirada de gratitud, pero Lily frunció el ceño.

—No necesito su ayuda, señor Thorne. Sé manejarme yo sola y también al señor Drummond.

—¿No va a marcharse? —preguntó Drummond.

—¡No! —gritó Lily.

—Entonces lo haré yo. Hora del almuerzo, chicos. ¡Ahora mismo! —gritó Drummond irguiendo la barbilla y desafiándola a contradecirle.

¿Cómo debía uno sentirse cuando su autoridad no solo era constantemente cuestionada sino abiertamente denigrada?, se preguntó Avery, incapaz de sofocar la compasión que sintió hacia Lily Bede al ver la palidez de su rostro. Él también había experimentado la frustración de sentirse despreciado, de que se ignorasen sus opiniones y sus sugerencias al ser incapaz de ganarse físicamente el respeto de los demás.

Y por supuesto, los trabajadores, sin lanzar ni un solo vistazo en dirección a la que era evidentemente su jefa, dejaron las ovejas y empezaron a salir del estanque. Se dirigieron a un bosquecillo junto a la pradera, donde les aguardaba la comida.

Drummond les siguió dando grandes zancadas. Parecía el rey victorioso de los trolls rodeado de su plebe. Su andar vigoroso demostraba que estaba convencido de haber ganado el asalto. Lily les miró mientras se alejaban, incapaz de disimular su furia y frustración. Después volvió la vista hacia Avery. Alzó la barbilla en actitud desafiante, preparada para plantar cara a su compasión y para enfrentarse a un nuevo adversario. Él también sabía qué era el orgullo.

De pronto, sintió que no quería pelearse con ella.

—Lily —dijo extendiendo la mano.

Ella bajó la vista como si le estuviera ofreciendo pintarla entera de óxido.

—Lily —intentó Avery de nuevo, manteniendo su tono de voz suave y conciliador.

Se dio cuenta de que ella temblaba ligeramente.

—He venido a decirle que tiene visita —dijo ella retrocediendo.

—¿Qué visita?

—Las señoritas Camfield, que casualmente pasaban por aquí con su querida amiga, la vizcondesa Childes, a la que usted conoció en Londres, y con su querida amiga, la señorita Beth Highbridge, y su hermano, Ethan Highbridge, al que conoció en Harrow.

—Ah.

—Sí, el señor Highbridge se muere literalmente de ganas —continuó dulcemente Lily— de tenerle como invitado en su casa. Y junto con otros amigos están organizando una fiesta para la semana que viene.

—No recuerdo a ningún Highbridge —dijo Avery entrecerrando los ojos—. ¿Dónde vive?

Lily hizo una indicación hacia el sur con las manos.

—A unos kilómetros de los Camfield. Me han dicho que la casa es muy bonita y que está muy bien decorada. Los muebles no están cubiertos de polvo.

—¿Y? —dijo él, intentando averiguar qué pretendía decir—. Yo me siento estupendamente en Mill House, a pesar del polvo.

Lily paseó la mirada deliberadamente por el cuerpo cubierto de lodo de Avery.

—Entiendo.

—¿Y qué es lo que quiere decir con eso?

—Solo que quizá quiera aceptar la invitación y desistir de su empeño en continuar con estas ostentaciones masculinas. Estos claros intentos de exponer lo mucho mejor preparado que está usted para ser el dueño de Mill House solo le impresionan a usted mismo.

—¿Mis qué? —exclamó Avery.

—Todos estos proyectos que emprende —dijo Lily, subiendo de nuevo el tono de voz y acercándose a la orilla del estanque—. No crea que no sé qué pretende. Merry, Teresa, Kathy y Bernard no dejan de hablar de las hazañas diarias de sus músculos. No voy a abandonar el mando solo porque ha trasladado algunos muebles y ha sacado algunas paladas de cieno del estanque...

—¡Espere! —gritó Avery.

No sabía de qué demonios estaba hablando. Pero sí sabía que, si ella heredaba Mill House, todo el agotador trabajo que él había estado realizando acabaría beneficiándola. Y en lugar de apreciar su esfuerzo, como era su deber, por no hablar de su varonil control de la suciedad, ¡le estaba reprendiendo!

—¿Unas cuantas paladas? ¡He sacado por lo menos dos toneladas de cieno!

—Parece que gran parte lo tiene todavía encima.

Avery respiró hondo y despacio.

—Señorita Bede, es usted una arpía desagradecida con una lengua viperina.

Por increíble que pudiera parecerle, cuando acabó de pronunciar la última palabra, el labio inferior de Lily empezó a temblar y sus negros ojos se oscurecieron aún más por el efecto de las lágrimas. Por un segundo, Avery temió que se pusiese a llorar. Pero seguidamente pareció controlar la emoción que la había embargado.

—Y usted, señor Thorne, es un patán indecente, gritón y dominante. Y no es un caballero.

Antes de que Avery pudiera responderle, Lily se dio la vuelta y chocó repentinamente con una oveja que se hallaba justo detrás de ella. Sorprendido, el animal levantó sus inmensos cuartos traseros, golpeando a Lily de costado y lanzándola de cabeza por la orilla empinada del lago hasta llegar a la zona más profunda, donde cayó con un contundente ruido y se hundió en las oscuras aguas.

No salió. Avery esperó. Unos segundos bajo el agua fría y sucia podían servir para mejorar su talante.

Pero siguió sin emerger. Con un suspiro, Avery se dirigió hacia la zona donde había caído y buceó un poco hasta dar con su cabeza, su cuello y finalmente su camisa. Con un gruñido, tiró del cuello de la prenda y la sacó. Totalmente calada y vestida con aquellas ropas gigantescas, pesaba muchísimo, a pesar de que el agua en aquella zona del estanque apenas llegaba a Avery por los hombros.

—No es un juego limpio eso de esconderse en el fondo del estanque —dijo.

—No me estaba escondiendo —dijo ella—. No lograba hacer pie, ¡y quíteme las manos de encima!

—Encantado —dijo él dejándola ir.

Se hundió inmediatamente como si fuera una tonelada de ladrillos, y antes de que su cabeza desapareciese bajo la superficie del agua, sus pantalones bombachos se hincharon momentáneamente. Avery contó hasta cinco antes de buscar bajo aquella agua llena de lodo.

No estaba allí.

Buceó debajo del agua tocando el fondo del lago con las

manos y haciendo grandes círculos con los brazos. Intentó abrir los ojos pero se le llenaron de lodo y ya solo percibió la oscuridad. Empezó a moverse haciendo círculos cada vez más rápidos y amplios. Llevaba un minuto debajo del agua. Un minuto.

Sintió que le invadía el pánico. Intentó desterrarlo, centrarse en el siguiente movimiento de su brazo, el siguiente círculo. Tocó la base de los lirios y buscó entre ellos con frenesí. Si había nadado hacia ellos sin darse cuenta, podía haber quedado prisionera en una red más intrincada que la de cualquier pescador y haberse ahogado.

¡No!

Un minuto y medio después, su mano tocó algo sedoso. Cabello. Alargó los brazos hacia allí al mismo tiempo que los brazos de Lily se movían débilmente.

Gracias a Dios.

A ciegas, pasó las manos por el cuerpo de Lily, localizando rápidamente la red de raíces que le rodeaban el torso. Casi sin fuerzas, ella intentaba ayudarle mientras él rasgaba los lirios que la tenían prisionera, hasta que finalmente lograron que quedase libre de aquel mortal abrazo. Él la tomó por las axilas y con un último estirón la arrastró hasta la superficie.

Ella empezó a toser compulsivamente. Él le cogió la cintura con un brazo y Lily pataleó débilmente, todavía inspirando aire violentamente y con el cuerpo tembloroso. Avery la llevó hasta la orilla.

En cuanto pudo apoyar los pies sobre el limo, la cargó en sus brazos y la llevó hacia el prado. Se arrodilló y la depositó sobre la hierba. Respiraba con dificultad y tenía los ojos cerrados.

Avery apartó con delicadeza los mechones de cabello que le cubrían el rostro, mientras la observaba con preocupación. ¿Se habría desmayado?

Se sentó a horcajadas sobre ella y, enmarcando su rostro con sus antebrazos, comenzó a quitarle tiernamente el barro de su delicada boca, las mejillas y la nariz. Los párpados de

Lily se abrieron y Avery pudo ver en el negro iris una mirada extrañamente tranquila e inescrutable. De pronto fue del todo consciente de cómo el pecho de Lily se movía con su respiración. Su forma y su figura se revelaron bajo la húmeda capa de ropa como si hubiera estado desnuda, y sintió los huesos de las caderas de ella clavándose contra la parte interna de sus muslos. Tenía las manos abiertas y tendidas por encima de la cabeza y, dada la postura de Avery, Lily se hallaba totalmente a su merced.

El deseo sustituyó a la preocupación y le invadió con una fuerza dolorosa. Ella murmuró algo, tan débilmente que apenas pudo oírla. Él agachó la cabeza un poco más y su mirada barrió la distancia entre la fascinante piscina de agua rojiza que se había formado en la base de su cuello hasta fijarse en sus carnosos labios rojos.

Avery también empezó a tener dificultades para respirar.

—¿Qué? —logró preguntar con un gruñido—. ¿Qué ha dicho?

—Le preguntaba si tenía intención de tomarse la revancha ahora —susurró débilmente.

Avery se irguió y se dejó caer sobre su espalda apartándose de ella.

Lily observó el rostro frío e inescrutable de Avery y pensó que habría sido mejor que su voz no hubiera delatado su ansia. Pero al abrir los ojos y ver su boca tan cerca, se había preguntado si...

Volvió a cerrar los ojos y se sintió tan mortificada por el hecho de haber tenido que ser rescatada por Avery Thorne que quiso que se la tragase la tierra. Solo quería enseñarle una lección, demostrarle lo bien que sabía nadar después de que él la dejase ir. Así que se había hundido en el agua pensando en emerger con un grito victorioso al otro lado del estanque. Pero aquella agua llena de lodo la había confundido y había acabado prisionera en las raíces de los lirios.

Miró de reojo y vio que Avery estaba sentado junto a ella rodeando una de sus rodillas con un brazo con pose despreocupada. Si no hubiera sido por los tensos músculos de su mandíbula y de su garganta, podría haber parecido que estaba disfrutando tranquilamente de la vista.

De hecho, había muchos músculos tensos en su cuerpo. Bajo la capa de pringoso lodo, podía verse el latido de sus bíceps y podía distinguirse la tensión de los músculos de su vientre bajo la brillante piel morena. Era como contemplar una estatua de bronce bañada en aceite que hubiera tomado vida. Lily sintió que se quedaba sin aliento.

—Gracias —musitó.

Él ni siquiera volvió la cabeza. Estaba viva. Avery había cumplido con su deber. En lugar de responderle, se levantó y le dio deliberadamente la espalda. Dio un paso al frente y luego vaciló, mirando a través del estanque. Ella dirigió la vista en la misma dirección.

A lo lejos, los trabajadores habían empezado a ponerse en pie.

—Déjeme que la ayude —dijo Avery tendiéndole la mano.

Lily le ignoró e intentó ponerse en pie.

—Supongo que puedo llevarla hasta casa si no puede caminar —dijo Avery.

No podía haber hecho una oferta más ofensiva. ¿Tocarla? ¿Llevarla en brazos? ¿Cómo a Merry y a Teresa y a Kathy y sabía Dios a cuántas mujeres más en aquella casa?

Por mucho que lo deseara —y por el amor de Dios, no iba a engañarse en aquellos momentos—, no iba a lograr su imparcial roce con engaños. Todavía le quedaba un mínimo de orgullo.

—No —dijo, negando con a cabeza.

—No sea estúpida —la reprendió Avery, tendiéndole de nuevo la mano para ayudarla a levantarse.

—¡No! —gritó Lily, apartándole la mano de un bofetón.

—Está bien —repuso Avery.

Sin echarle otro vistazo, cogió su camisa de un matorral cercano y dio un paso hacia delante. Después se detuvo. Lily se quedó clavada.

—¡Por todos los diablos! —le oyó decir entre dientes.

—¿Ha dicho usted algo, señor Thorne? —le preguntó suavemente.

Avery se volvió ciento ochenta grados, se agachó, la tomó en sus brazos y la puso en pie de golpe. Y como un halcón que cae en picado sobre su presa, la boca de Avery descendió hasta la suya.

El beso anterior podría decirse que había sido fraternal al lado de aquel. Todo el cuerpo de Avery pareció tensarse y con un brazo de hierro le rodeó las costillas, atrayéndola hacia él y haciendo que sus caderas quedasen ancladas entre sus piernas extendidas. Movió la lengua dentro de sus labios, acogiendo la de Lily con profundos, exuberantes y carnales golpes.

Nada nunca le había sabido tan bien a Lily. Abrió más la boca, dejando que la lengua de Avery jugase con la suya y que sus manos le recorriesen la espalda con largas caricias que se moría de ganas de devolverle. Intentó acercarse más a él.

Y de pronto, estaba libre. Casi la había apartado de un empujón. Por un instante, la miró de frente con la respiración entrecortada. Sus extraordinarios ojos brillaban intensamente.

—Ahora estamos en paz —dijo.

Y recogiendo su camisa, se dio la vuelta y atravesó el campo a grandes zancadas en dirección a Mill House.

Le vio marcharse sumida en un mar de sensaciones que confundían sus pensamientos. El sol había logrado abrirse paso con fuerza entre las nubes que amenazaban tormenta y cubrió el torso de Avery con su resplandeciente luz, revelando cada detalle de su esbelta y delgada figura, cada músculo, cada nervio, la prominencia de los músculos de los brazos, la dureza y tensión de su vientre, la amplitud de...

Lily bajó la vista e inmediatamente cerró los ojos. Su vestido empapado y lleno de lodo hacía que su cuerpo quedase también totalmente expuesto. A la vista de cualquiera, pensó mirando a su alrededor.

Los hombres volvían del almuerzo y estaban ya a medio camino del estanque. Con un gemido ahogado, Lily se puso en movimiento con dificultad, a causa del peso de la tela mojada de sus pantalones bombachos llenos de barro. Anduvo dando traspiés detrás de Avery. Si lograba darle alcance, podría utilizar su camisa para cubrirse el cuerpo.

—¡Espere, Avery! ¡He dicho que espere! —gritó, mirando por encima del hombro en dirección a los hombres que la observaban con los ojos abiertos de par en par.

Avery siguió al mismo ritmo a campo través y ella continuó persiguiéndole.

—¡Espere! —suplicó, oyendo risas y cacareos que cruzaban el campo en su dirección.

No la esperó. Ni siquiera aminoró el paso. Aquel beso... había sido su revancha. Su venganza.

Lily fue aminorando el paso conforme se acercaba a casa y se dirigió hacia la entrada de servicio de atrás. Se detuvo. Él nunca debía saber lo que aquel beso había significado para ella. Para él no había significado nada. Probablemente se pasaba el día besando a las mujeres. No debía sospechar que lo que él había realizado a modo de castigo, para ella había sido algo maravilloso.

No iba a colarse por la puerta de atrás como si fuera su... su amante, como si hubiera hecho algo malo.

Se dirigió hacia la entrada principal, llegó hasta la puerta y le dio un fuerte y decidido empujón. Se cerró con un sonido contundente. Lily sonrió satisfecha, pero entonces la puerta retumbó con el ruido de cristales rotos.

Asustada, Lily volvió a abrir la puerta para ver qué había ocurrido. Los escalones de granito estaban cubiertos de los miles de diminutos trozos de la vidriera. Era cuanto quedaba del ventanal del último piso.

17

—¿Cien libras? ¿Eso es todo? —preguntó Francesca tras dar un sorbo a su vaso de oporto y apoyar la cabeza sobre el diván.

—Eso es lo que ha dicho el cristalero —contestó Lily desde la recargada silla en la que estaba sentada frente a Francesca.

Una repentina corriente de aire hizo descender la luz del candelabro encendido que se erguía entre ambas, produciendo un movimiento de sombras en las paredes de la sala de estar. Todo el día había amenazado tormenta y esta había finalmente estallado, alterando la iluminación de la casa. Aquella oscuridad había hecho que tanto Evelyn, como Polly, Bernard y Avery se retirasen a sus aposentos poco después de la cena.

Lily no quería encerrarse en su cuarto y sumergirse en pensamientos a los que no deseaba atender, así que se quedó a pasar la velada en la sala donde Francesca despacio, sin descanso y en silencio había dado cuenta del vino que había sobrado de la cena y acababa de servirse un vasito de oporto.

Francesca emitió algo parecido a una risa.

—Ahora entiendo por qué el viejo Horatio no la arrancó para subastarla.

—Menos mal que no era más cara —dijo Lily—. Puedo hacerme con cien libras, pero no podría conseguir mil.

Una fuerte corriente de aire golpeó violentamente las contraventanas.

Francesca ladeó la cabeza para escuchar el gemido del viento a través de la chimenea y acto seguido agarró la copa de oporto que había depositado en la mesita de té junto a ella.

—¿Cuánto falta para que los buitres del banco se abatan sobre los libros de cuentas y empiecen a cuadrar tus números?

—Seis semanas.

—¿Vas a conseguirlo? —preguntó Francesca, al tiempo que echaba una buena cantidad de licor en la copa.

—Si no ocurre nada más, sí. Dos potenciales desastres en solo dos días realmente le hace a uno cuestionarse la fe en una deidad benevolente.

—¿Verdad que sí? Me pregunto —continuó Francesca tras dar un buen trago a su bebida— si estos hechos han sido meros accidentes. ¿Y si alguien deliberadamente hubiera roto el jarrón y hecho trizas la ventana?

Lily movió la cabeza con gesto negativo. La tormenta, la oscuridad y el oporto estaban haciéndole ver visiones a Francesca. Lily había visto cómo la mujer se dejaba llevar por la imaginación y abandonaba el sentido común, especialmente cuando había bebido y se ponía «sentimental».

—¿Y si alguien hubiese roto el jarrón adrede y luego hubiera subido a la buhardilla y aflojado las bisagras de la ventana de las vidrieras? De ese modo, al mínimo movimiento, por una tormenta o por un portazo, se habría roto en mil pedazos —musitó Francesca.

—¿Por qué haría nadie algo así? —preguntó Lily, intentando ser razonable—. ¿Quién tendría una razón para hacer algo así?

—¿Quién crees tú? —preguntó Francesca solemnemente.

—¿Avery Thorne? —cuestionó Lily incrédula y rompiendo a reír.

La expresión de Francesca dando a entender que le daba la razón desató su indignación.

—Yo no he sugerido que fuera él —dijo Francesca, hundiéndose un poco más en la silla y dejando reposar la copa en su pecho.

El rostro de la mujer adoptó una expresión maliciosa y conspiradora.

—Pero Avery Thorne, por si acaso lo has olvidado, tendría un interés personal en que tus gastos excedan tu habilidad para hacerles frente. Quizá debería tener una pequeña charla con él.

Lily intentó no volver a reírse. Al fin y al cabo, Francesca solo velaba por sus intereses. Pero era difícil contenerse.

—Lo lamento, Francesca —dijo—, pero la imagen de Avery Thorne entrando sigilosamente en las habitaciones no me cuadra. No puede dar dos pasos sin que tiemble el suelo, y además, ir de tapadillo no es su estilo.

Levantó la mano para detener la protesta que se estaba formando ya en los labios de Francesca.

—No negaré que Avery Thorne tiene buenas razones para destrozar esta casa, pero si decidiera romper una ventana para hacerse con Mill House, se limitaría a coger el mueble que tuviera más a mano y estrellarlo contra el cristal. Y le daría igual que hubiera testigos.

—Hum. De todos modos, sigo pensando que deberías enfrentarte a él, ahora mismo.

—¿En medio de la noche? —preguntó Lily.

Relacionar a Avery Thorne con la oscuridad produjo pensamientos de lo más ilícitos en su mente.

—Además, ya he comentado que Avery Thorne no haría nunca algo así —añadió.

Francesca movió la cabeza y dejó escapar un ahogado suspiro.

—Tanta fe, tanta confianza en el honor de un hombre... Yo nunca fui tan simplona.

—Conozco el carácter de ese hombre —le aseguró Lily.

—O su corazón —sugirió Francesca.

Aquellas palabras le hicieron reaccionar. No sabía nada del corazón de Avery Thorne. Solo sabía del suyo. Su beso había acabado con la paz de su espíritu y le había hecho intuir su insospechada capacidad pasional, y quizá algo aún menos probable.

Había fracasado en su lucha contra aquel encaprichamiento, pero el caso es que ya no estaba segura de poder seguir llamándolo encaprichamiento. En aquel momento, su única protección contra Avery Thorne era la falta de interés que él sentía por ella y aquella autoconfianza agresiva y masculina, algo que la fascinaba tanto como la sacaba de sus casillas.

¿Cómo debía de ser estar siempre tan seguro, siempre convencido de estar en lo cierto, sin dudar nunca de uno mismo, del lugar de uno en el mundo, de la habilidad personal para mantener esa posición? ¿Quién podría no encontrar seductor aquel poder? Suspiró y se dio cuenta de que Francesca la estaba mirando de reojo.

—Eres una romántica, Francesca —dijo.

La mujer le devolvió una sonrisa maliciosa.

—¿Yo? —preguntó.

—Sí, una romántica algo cansada ahora mismo —añadió Lily.

Francesca levantó la copa hasta la luz y miró la vela a través del cristal como si contuviera los misterios del universo.

—¿Por qué no te vas a la cama?

—¿Y tú? —replicó Francesca con aire ausente.

—Porque tengo libros de cuentas que cuadrar, facturas que pagar y números con los que hacer malabarismos —respondió Lily poniéndose en pie.

—Y yo tengo un pasado que cuadrar, deudas que pagar de nuevo y recuerdos con los que hacer malabarismos —dijo mirando en dirección a Lily pero sin verla—. Esto de ser una romántica fracasada es un trabajo muy arduo.

—Yo nunca dije que fueras fracasada —dijo Lily dulcemente.

—Lo sé. Yo lo he dicho —dijo Francesca sonriendo—. Márchate tranquila, niña. Esta noche estoy a gusto conmigo a solas, algo tan extraño que creo que justificaría una investigación.

—¿Estás segura? —preguntó Lily, que no deseaba dejar sola a Francesca con una copa llena y un pasado vacío.

Francesca le hizo un gesto de despedida y Lily finalmente se marchó y recorrió la escasa distancia que separaba la sala de estar de la biblioteca, donde le aguardaban montones de facturas y cuentas que no parecían reducirse nunca.

Avery no podía concentrarse. Dejó caer la revista donde habían publicado su última historia por entregas y miró melancólicamente a través de los cristales cubiertos de lluvia de la ventana de su habitación. Ella bailaba en sus pensamientos, aplastaba su cordura, trastocaba su sentido común. Estaba allí, simplemente. En su cabeza, en su sangre... en su corazón.

Aquel día, tendida bajo su cuerpo, con sus ojos devorando el alma de Avery, con sus caderas apretadas de manera tan íntima entre las suyas, cuando le había preguntado con aquella vocecita quebrada y sin aliento si iba a tomarse la revancha, casi lo había hecho. Solo le había salvado su ejemplar código de conducta. Pero solo durante tres minutos.

Y es que en cuanto ella le lanzó la burlona provocación, él se había agarrado a aquella endeble excusa y a la igualmente falaz historia de la revancha, robándole un beso. El cuerpo de Lily resultaba tan atractivo como si hubiera estado desnudo y el de Avery estaba tenso de tanta ansiedad.

En cuanto notó que ella intentaba liberarse, la había soltado, temeroso de lo podía hacer a continuación, de lo que podía decir. Y se había marchado.

No se reunió con las chicas Camfield y sus queridas amigas. Estaba caminando en dirección al fregadero de la cocina para lavarse, cuando un tremendo ruido le había anunciado la llegada de Lily. Había ido corriendo hasta el vestíbulo de la entrada y allí estaba Lily, con los ojos abiertos como platos y chorreante de lodo. Entonces llegaron los demás.

Durante la cena había esquivado su mirada y había mantenido su adorable y furibundo rostro clavado en el plato. Él había tenido que hacer un esfuerzo para comportarse civilizadamente. La llevaba en la sangre con más fuerza que si se tratara de una enfermedad. Era como la malaria, una enfermedad que permanecía dormida y aparentemente inofensiva durante semanas, meses y, en ocasiones, incluso años, antes de rebrotar con su virulenta y devastadora intensidad. Y al igual que la malaria, Avery dudaba que tuviese cura. Solo podía confiar en controlarla hasta cierto punto.

Se levantó de la silla y se acercó cansino hasta la ventana. Miró al exterior. Se veía que había luz en la biblioteca, dos pisos más abajo. Sacó el reloj de oro de Karl del bolsillo. Incluso aquella pieza que debía ser un recuerdo de su querido amigo le recordaba más a Lily que a Karl.

Cerró la cubierta de oro. ¿Quién podía estar despierto a esas horas? ¿Bernard? El muchacho había comentado en una ocasión que le gustaba mucho quedarse leyendo hasta tarde. A lo mejor le apetecía tener compañía y a él le podía servir de distracción para alejarle de aquellos perturbadores pensamientos.

Se puso la camisa sin molestarse en abrocharse los botones, salió de su habitación y bajó las escaleras. No encendió vela alguna. Tenía una visión excelente en la oscuridad.

Al pie de la escalera, otra luz más débil que venía de la sala de estar llamó su atención. Frunció el ceño. ¿Es que toda aquella maldita familia era trasnochadora? A lo mejor se trataba de Lily. Con cuidado, para no asustarla, asomó la cabeza.

Francesca estaba tendida en el diván en una postura poco decorosa, con la mejilla apoyada en el brazo, la boca abierta y roncando suavemente. En la mesa que había frente a ella había dos velas parpadeantes rodeadas de un charco de cera derretida. Se le había soltado el cabello y su caro vestido estaba arrugado y mal puesto. Junto al diván, en el suelo, había una copa medio vacía y caída, y a su lado había también una copa de vino que había dejado una pequeña mancha oscura en la moqueta.

Avery ladeó la cabeza y observó a Francesca. Incluso dormida, tenía un aspecto marchito y exhausto. En el pasado, no tanto tiempo atrás, se había enfrentado a las expectativas de Horatio, a sus críticas y a sus exigencias, con una valentía que él no había creído poder emular. En aquel momento podía ver el precio que había tenido que pagar y se preguntaba si había merecido la pena.

Por extraño que pudiera parecer, la encontraba mucho más atractiva en aquel estado desvaído que en su papel de sirena mala, salvaje e irresistible que incluso sus compañeros de colegio habían llegado a comentar.

Se acercó hasta ella despacio, se agachó y la tomó en sus brazos. Con cuidado, la llevó a través del vestíbulo, pasó delante de la biblioteca y se dirigió a la zona de la casa que ella utilizaba. Con suma delicadeza, la dejó sobre la enorme y exquisita cama y encendió una vela para que, caso de despertarse, no se sintiera desorientada. La cubrió con una sábana y le retiró el cabello de la cara.

—Buenas noches, señorita Thorne —murmuró dándose la vuelta.

Lily estaba de pie en el vano de la puerta y en sus ojos negros se reflejaba la luz de la vela. Avery se llevó un dedo a los labios y se dirigió hacia ella. La tomó por la muñeca y la arrastró hasta el vestíbulo. Con cuidado, cerró la puerta detrás de él y condujo a Lily hasta la biblioteca.

—¿Suele estar así a menudo? —preguntó.

El tono de su voz era suave, no había en él ni un asomo de reprobación, solo tristeza. Lily nunca había sabido, nunca había imaginado, que un hombre pudiera tener un corazón tan tierno. Había visto cómo miraba a su prima. Había esperado un gesto de desprecio hacia alguien más mayor y más débil que él, una mínima expresión de frustración o de desaprobación. Pero solo había visto ternura.

Se sintió aterrada. Poder y compasión.

—¿Suele estar así? —preguntó de nuevo Avery.

Estaba de pie junto a ella, tan cerca que Lily podía ver las motas color cobre que cubrían como una capa el centro de sus ojos.

Negó con la cabeza para contestarle pero también para aclarar sus pensamientos y dijo:

—No, no suele estar así muy a menudo. Parece ser que esta tormenta de verano la ha deprimido un poco.

Avery se pasó la mano por el pelo y Lily se dio cuenta de que llevaba la camisa desabrochada sobre su pecho. El hecho de que no se percatara de que estaba medio desnudo era una muestra clara de lo preocupado que estaba por Francesca.

Era hermoso. Su pecho era ancho y estaba cubierto por un pequeño triángulo invertido de fino vello oscuro. Su piel prieta sobre el musculoso cuerpo era tersa y clara. En ella destacaban cuatro líneas profundas, irregulares y moradas que le cruzaban el torso violentamente en paralelo al pecho izquierdo y desaparecían por debajo de la camisa.

Tocó la cicatriz sin darse cuenta de lo que estaba haciendo. Él dio un respingo y se echó hacia atrás como si le hubiera tocado con un atizador al rojo vivo. Levantó la mano como si estuviera preparándose para repeler un ataque. Lily ignoró el gesto de su mano y de su cuerpo y se adelantó para volver a tocar aquella zona de su cuerpo alterada y dañada. En aquella ocasión, Avery se quedó totalmente quieto.

—Había un tigre realmente.

—¿Qué? —dijo él, mirando los dedos de Lily apoyados suavemente sobre su pezón izquierdo y rezando para mantener la compostura—. Un tigre, sí, realmente había un tigre.

—¿Y el animal te hirió?

—Sí, bueno, era una tigresa.

Tenía que apartar la mano de él. Avery no podía hilar sus pensamientos. El aroma de Lily, siempre algo tan placentero pero tan esquivo, invadía su nariz y hacía que la cabeza le diese vueltas. Casi podía decirse que estaba saboreando su aroma. Llenaba el espacio que había entre ambos, invadiendo el aire, mezclándose con otra fragancia más sutil. Avery dio de nuevo un paso hacia atrás y esta vez Lily no se movió.

—¿Por qué lo hiciste? —preguntó volviendo a su escritorio y dejándose caer sobre el asiento pesadamente, como si acabara de perder una batalla.

Avery se encogió de hombros. La encontraba problemática, enigmática y deseable.

—No lo sé —contestó con honestidad—. No había mucho más que hacer. Supongo que era una manera de llenar el tiempo. No me veía apoltronado en Londres durante cinco años esperando Mill House. Ya llevaba mucho tiempo esperando.

Lily apoyó las manos en sus rodillas y dejó que saliera a la superficie el sentimiento de culpa que llevaba cinco años conteniendo. Por supuesto, siempre había sabido que en algún lugar de Inglaterra había alguien cuya herencia había puesto en juego un hombre viejo y egocéntrico. Pero Lily nunca había querido pararse a pensar en cómo debía de haberse sentido aquel hombre cuando supo lo que Horatio le había hecho. Lo hizo entonces. Aunque seguía teniendo la intención de luchar por aquella casa y lograr hacerse con ella finalmente —era su hogar— se veía obligada a reconocer la monumental injusticia que suponía y la maldad que había en ello. Si hubiera algún modo de que los dos pudieran ganar...

—No puedo... no voy a dejar que te la quedes; lo sabes, ¿verdad? —dijo agotada, mirándole directamente a los ojos.

—Lo sé —dijo él. Sin despotricar, sin improperios, un simple reconocimiento de sus posiciones a ambos lados de un abismo insalvable—. Y yo no dejaría que te la quedases si de algún modo pudiera evitarlo —añadió.

Ella asintió. Avery empezó a abrocharse la camisa y se dirigió hacia el escritorio, paseando la vista por los cuadros y los muebles con la misma expresión de ternura que Lily le había visto cuando había mirado a su prima.

—Tú también la amas —dijo.

—Sí —contestó él despacio—. Mill House es como un amigo de la infancia que no estás seguro de seguir queriendo. Pero entonces vuelves a encontrarte con él y descubres que los cambios que los años os han provocado a ambos no solo no os separan, sino que os hacen más íntimos si cabe. No volví a la casa que había conocido de niño. El recuerdo que tenía era de un palacio en medio de un prado verde. Pero esta Mill House, la que he descubierto desde que estoy aquí, es aún mejor que el castillo de un cuento de hadas. —Mirándola fijamente para ver si entendía lo que quería decirle, añadió—: Es de verdad. Es como una persona, con sus peculiaridades y sus rarezas, con la hiedra que se resiste a abandonar su espacio sobre la puerta principal, el viento del nordeste que hace que el fuego de la sala de estar canturree. Hasta tiene sus amaneramientos, como la ventana con su vidriera y el salón de baile en el segundo piso. —Avery sonrió con ironía y siguió hablando—: Es simple y está bien construida, sólida y resistente, sin el peso de una herencia excesiva sobre sus moradores, ni el lustre de la novedad enmascarando su calidad. Es un lugar donde uno puede vivir, trabajar y descansar. Un hogar. —Encogiéndose de hombros, sin asomo de autocompasión, exponiendo simplemente unos hechos, Avery confesó—: Yo nunca tuve un hogar, nunca tuve una familia. Mill House será las dos cosas, mi hogar y mi legado, un lugar donde criar a mis hijos y donde mis hijos criarán a los suyos.

Lily no se ofendió ante la afirmación de Avery. Ella habría utilizado las mismas palabras.

—¿Quieres una familia? —le preguntó.

—¿Te sorprende? Oh, sí, quiero tener hijos, muchos hijos, suficientes para tener que abrir todas las habitaciones de la casa y hacer desaparecer todos esos trapos que cubren los muebles.

Ella sonrió.

—Todo niño debería tener un hermano mayor al que querer emular y uno pequeño al que instruir —continuó—, una hermana a la que admirar, otra a la que tomar el pelo y un bebé al que mimar. En el colegio, oía cómo mis compañeros se quejaban de sus hermanos y yo les maldecía. Eran tan tontos y yo tenía tanta envidia... Deseaba tanto tener una fami-

18

—No lo entiendo —dijo Avery.

Era demasiado tarde ya para retirar la afirmación, demasiado tarde para sofocar el dolor que nacía de una vida entera siendo testigo del tormento de su madre.

—Mi madre se casó cuando tenía dieciséis años. —Al ver la expresión de Avery, Lily negó con la cabeza y continuó—: No con mi padre, con el señor Benton, un encuadernador. Tuvo dos hijos con él, un niño y una niña, Roland y Grace. Le abandonó cuando ella tenía diecinueve años.

—¿Por qué?

—No lo sé —respondió Lily. Había tantas cosas que no sabía, tantas que sí sabía—. Mi madre solo me dijo que no podía vivir con él. Si hubieras conocido a mi madre, una mujer fuerte y comprometida con principios, sabrías que debía de tener razones de peso para marcharse.

Él asintió. No conocía a la madre, pero conocía a la hija. Si Lily había heredado su carácter, la madre debía de haber sido una mujer valiente.

—¿Dónde están tus hermanastros? —preguntó—. ¿Por qué nunca les has conocido?

—No sé dónde están.

El vacío que sentía por aquella eterna situación se reflejó en sus palabras.

—Después de marcharse, el señor Benton la encontró y

se llevó a los niños. Juró que ella no volvería a verlos, y no mentía.

Avery no podía concebir que una madre pudiera permitir que le quitaran a sus hijos.

—¿Por qué no intentó luchar por ellos?

—¿Intentarlo? —repitió Lily—. Su lucha le rompió el corazón. Se pasó semanas delante de la puerta de su casa y cada día la policía se la llevaba. Ella regresaba a la mañana siguiente. Aquella situación duró el tiempo que tardó el señor Benton en lograr que un juez la encerrase en un manicomio. —Lily colocó las manos despacio sobre el escritorio y continuó—: Mi padre era uno de los directores que supervisaba el manicomio. La conoció e inmediatamente se dio cuenta de que no estaba loca o que, si estaba loca, solo era de tanto sufrir. Consiguió que la soltaran, un caso célebre en la época. Pero para cuando mi madre estuvo en la calle, el señor Benton había emigrado a Australia con sus hijos.

Era inconcebible, una barbarie.

—No puede ser que la encerrasen en un manicomio solo por querer ver a sus hijos.

La triste sonrisa que Lily le dio por respuesta era mucho más sabia de lo que debía haber sido para una joven de su edad.

—Las leyes han cambiado —protestó Avery—. Hoy en día una mujer tiene derecho a pedir el divorcio, a firmar contratos y a tener propiedades...

—Pero no tiene derechos sobre sus hijos —interrumpió Lily, y viendo que no le convencía, añadió—: Los hijos legítimos son propiedad del hombre, él los posee. Si un hombre decide que su mujer no es buena madre, puede quitarle sus hijos y la ley ampara esa decisión.

Sí, pensó con pesar. ¿Cómo podía haberlo olvidado? Aquellos largos meses de colegio, las aún más largas semanas de vacaciones, él y otros huérfanos de la aristocracia deambulando por los patios vacíos de Harrow. Él había sido una propiedad, una propiedad irrisoria. Un bien despreciable.

Lily tenía la vista fija en sus manos. Las había unido y las apretaba, como si fuera un fanático religioso retorciendo sus nudillos con fervor.

—Debía de haber algún resquicio, algo que pudiera hacer —insistió Avery.

—No, una mujer ni siquiera puede pedir que se revise un caso. No tenía ningún recurso, excepto... —se interrumpió de pronto y enrojeció.

Pero Avery lo entendió perfectamente, igual que si Lily se lo hubiera explicado. Vislumbró en el azoramiento confuso de la joven el legado de tristeza y amargura que le había dejado su madre, una mujer injustamente encerrada en un manicomio, a la que habían robado sus hijos. Miró a Lily y supo a ciencia cierta cuál había sido la venganza de la madre de Lily. Se había asegurado de que el señor Benton nunca más pudiera tener una relación legal con otra mujer.

Fuera la lluvia caía suavemente y dentro la luz de las velas iluminaba la oscuridad de la habitación como si fueran estrellas.

—Nunca se divorciaron.

Lily asintió.

¿No se daba cuenta de lo que le habían hecho? Se quedó horrorizado ante tamaño egoísmo.

—¿Por qué no? —preguntó—. Podría haber disuelto fácilmente el matrimonio alegando que la había abandonado. ¿Por qué no se casó con tu padre?

No tenía ningún derecho a hacer esas preguntas, ningún derecho a exigir respuestas.

—¿Es que no quieres entenderlo? —preguntó Lily levantando la vista. Parecían los ojos de un gato, con aquel brillo dorado resplandeciendo en ellos—. Una madre soltera tiene la custodia exclusiva de sus hijos. Mi madre había perdido ya dos hijos. No podía arriesgarse a perder un tercero.

—Pero tu padre, sin duda él debió de querer...

—Mi padre era un hombre extraordinario. Aceptó su decisión.

Y con sus palabras quiso frenar el apasionado rechazo que Avery sentiría hacia la actuación de su padre, al haber consentido una situación intolerable.

—Él lo comprendió.

¿Lo comprendió? Entenderlo no significaba aprobarlo. Para Avery la situación era inaceptable y le molestaba, le hería. Él jamás habría tomado la decisión del padre de Lily. Y Lily lo sabía.

Se paseó nervioso por la habitación, y a su paso, las velas titilaban silenciosas.

—¿Intentó encontrar a sus hijos? —preguntó.

Lily abandonó su postura combativa y se relajó. Al agachar la cabeza, dio muestras de su agotamiento. Avery deseaba extender su mano y suavizar las líneas de su ceño fruncido, pero no podía. Ella estaba marcada muy profundamente y la distancia que les separaba era más grande que el espacio que abarcaba la mesa de caoba.

—Hizo lo que pudo —dijo Lily—. Mi padre mandó a emisarios en busca de los niños. Pero nunca tuvo demasiado dinero; solo era el hijo pequeño, y sus pesquisas no llevaron a ninguna parte.

—Debió de amar mucho a tu madre.

—Sí.

Avery observó su cabeza gacha, las profundas sombras bajo su barbilla y sus mejillas, su cabello negro, brillante y ondulado como la seda, y lo que más deseó fue protegerla. Aquella necesidad le sobrecogió y le confundió. Sintió que le invadía una inmensa rabia al pensar que nunca antes ningún hombre la había protegido. Incluso su propio padre le había fallado en los principios más básicos. No dudaba en absoluto que el padre de Lily hubiera amado a su madre ni que la madre de Lily no hubiera dejado nunca de sufrir por los dos niños que había perdido, pero ¿dónde encajaba Lily en ese maremágnum de dolor y pérdida? ¿Quién la había amado a ella?

—Debería haberte amado más a ti —murmuró con crudeza.

—No le juzgues. No juzgues a ninguno de los dos —le advirtió duramente Lily.

Él ignoró su advertencia.

—Debería haberse asegurado de que disfrutaras de todos los derechos y privilegios, de todas las propiedades y el respeto que solo su apellido te habría garantizado. Sin embargo, dejó que fueras una persona alienada, sin los recursos legales que te correspondían por tu nacimiento. Debería haberse casado con tu madre.

—¿Como lo habrías hecho tú? —preguntó.

—Sí.

—¿Es que no lo entiendes? —continuó Lily pasando del enfado al ruego—. No podía arriesgarse a que le rompiesen el corazón de nuevo. No habría podido sobrevivir. No podía casarse. —Su voz tembló y se convirtió en poco más que un susurro—: Y yo tampoco.

¿Por qué había de importarle? ¿Por qué se sentía como si Lily acabara de agarrarle el corazón con la mano y estuviera retorciéndoselo? Ni que hubiera albergado la más mínima esperanza... No había imaginado ningún tipo de futuro...

—¿Nunca te casarás, Lily?

—No —musitó—. No hasta que cambien las leyes. No hasta que la seguridad, la salud y el futuro de una mujer sean considerados tan importantes como los de un hombre. No hasta que la mujer tenga los mismos derechos con respecto a sus hijos que un hombre.

—Y si te enamorases, ¿no podrías confiar tu futuro al cuidado de un hombre? —preguntó—. ¿No es eso el amor?

—¿Confiarías tú tu futuro a tu esposa? —preguntó amargamente.

—No es lo mismo.

—No, no lo es —contestó fría y deliberadamente—. Tú solo necesitas depositar tu confianza en ella hasta el momento en que quede probado que no está justificada. Entonces las leyes te proporcionan los medios para deshacerte de tu esposa pero para conservar al mismo tiempo esa parte de la unión que todavía tiene valor: los herederos. Por supuesto, jamás se considera ni se plantea si los hijos estarían mejor al cuidado de su madre que del tuyo.

—¿Y crees que es mejor que vivan como hijos ilegítimos? —preguntó con incredulidad—. ¿Que les cierren las puertas en las narices? ¿Abandonados a su suerte? ¿Que sean considerados indignos por su nacimiento?

Lily irguió la cabeza y preguntó:

—¿Así... así es como me ves?

—Maldita sea, Lily —dijo con dureza Avery—. No importa cómo te vea yo. Lo que importa es cómo la sociedad vea a los hijos de uno. Nunca permitiría que mi hijo sufriera de ese modo.

—Puedo asegurarte que no he sufrido. He disfrutado de una educación liberal, interesante, no, fascinante —dijo—. Tuve unos padres que me amaban y que me educaron en la tolerancia. He tenido una formación que muchos hombres envidiarían y disfruto de una posición de respeto entre mis hermanas...

—No tienes hermanas, Lily. Tienes una organización —la interrumpió Avery—, tus causas, tu educación, pero en lo que a lazos de sangre se refiere, no tienes más familia que yo. Menos.

Vio que Lily se estremecía como si acabara de darle un bofetón. Sin embargo, continuó, buscando desesperadamente que se viera forzada a reconsiderar sus creencias.

—Incluso tu presencia aquí —dijo—, en esta casa, es condicional. Yo tengo muy poco, pero puedo reclamar legítimamente Mill House. A pesar de lo que hizo Horatio, a pesar de su testamento, puedo reclamar un derecho que tú jamás podrás reclamar porque tu padre nunca te dio su apellido.

Lily respiraba con dificultad y por un momento Avery pensó que iba a levantar la mano e iba a darle una bofetada. Habría agradecido el gesto porque, en cierto modo, habría significado que estaba de acuerdo con él y que debía actuar violentamente para negarlo.

—Es una casa —dijo, sintiendo la traición de sus palabras—. Una cosa, una posesión. Yo no necesito paredes de piedra ni suelos de madera para saber quién y qué soy.

—Tonterías —replicó Avery—. No es solo una casa. Es una campana de cristal que contiene la historia de una familia, sus vivencias, sus conductas.

—Es una casa, no una catedral —insistió Lily, y a pesar de la pálida luz, podía notarse el rubor en sus mejillas—. ¿Crees que poseyendo Mill House podrás adquirir de algún modo la familia que nunca has tenido? Pues la familia no va incluida en la herencia, Avery.

Las palabras de Lily eran como navajas afiladas cargadas de verdad, y ella lo sabía. Confiaba en que con ellas conseguiría hacerle callar, pero no iba a ser tan fácil.

—¿Familia, Lil? —dijo Avery apoyándose en la mesa y mostrando una sonrisa sarcástica—. ¿Quieres hablar de familia? ¿Por qué no? Somos como hombres ciegos describiendo una puesta de sol, ¿no?

—No, yo... —replicó Lily asustada.

—Sí —continuó Avery—. Quizá entre los dos podamos llegar a hacer una descripción aproximada. Tú al fin y al cabo tuviste a unos padres que te adoraban, ¿verdad? Da igual, eran padres de todos modos. Yo, que no tuve padres, tenía el boato, el nombre, la casa, los parientes de apoyo...

—No quiero hablar de esto —dijo Lily, denotando pánico en su voz.

—Maldita sea, Lily, ¿es que no ves qué estás haciendo aquí? —preguntó Avery—. Has adoptado mi familia, la mía, como has adoptado a esas sufragistas, a los sirvientes. Toda esa gente quiere algo de ti y tú te aseguras su lealtad dándoles trabajo, asilo y sobornándoles. La lealtad no es amor, Lily. No son tu familia.

—Lo son.

—No.

Avery movió la cabeza en señal de negación y en esos momentos Lily le odió. Su porte alto y fuerte le daba un aire de superioridad, y lo poco con lo que la naturaleza no le había equipado podía proporcionárselo la ley británica.

Pero sobre todo le odiaba por hacer que cuestionase a sus padres. Su familia paterna no había querido saber nada de ellos, ¿había sido su elección o la de su padre? Lily había sufrido al querer pertenecer a algún sitio, a cualquier sitio, en algún grado.

Sintió que toda ella era pura hostilidad, que la rabia la poseía al pensar hasta qué punto la vida de su madre la había afectado, no, dañado, de manera tan irrevocable. A la rabia le siguió la culpa. Sabía que a su madre su propia opción le había causado un enorme tormento, que la decisión de no casarse no la había tomado a la ligera. Pero aún así, no pudo contener la rabia.

—No tienes ningún derecho a plantarte delante de mí y decirme lo que mi padre debería haber hecho y lo que mi madre debería haber estado dispuesta a sacrificar —dijo con voz queda y furiosa al mismo tiempo—. Tú no sabes qué es que te arranquen a tu hijo como si la muerte se lo hubiese llevado, no, peor que si hubiese sido la muerte. Mi madre murió sin saber siquiera si sus hijos vivían o no. Vi el efecto que aquello tuvo en ella. La oía por la noche, torturándose con preguntas que no tenían respuesta.

Avery permaneció en silencio.

—¿Puedes imaginarlo? Temía por las heridas que ella podría haber evitado, por los abrazos que no podía dar. Cada mañana y cada noche hacía ver que les daba los besos que no podía darles. Se imaginaba a sus hijos preguntando por ella y se preguntaba qué les respondería su padre, si les diría que había muerto o simplemente que no les había querido lo suficiente para volver.

La expresión de Avery seguía siendo resolutiva y sus ojos se habían oscurecido.

—¿Y tú, Lily?

—¿Yo? —replicó Lily liberando sus dedos—. Me pregunto si saben siquiera si existo.

—Lily —musitó Avery alargando la mano y rozándole la mejilla con el dorso.

Ella ni siquiera se dio cuenta del gesto. Levantó la vista y le miró con ojos furiosos y vacíos.

—Si las leyes hubiesen sido diferentes... Si ella hubiera tenido derechos sobre sus propios hijos... Pero no es así. No había nada que pudiera protegerla —concluyó endureciendo el tono de voz.

Avery no sabía qué decir. Notaba que la amargura le invadía, amargura por la actitud del señor Benton, por la cobardía de la madre de Lily y por la debilidad de carácter de su padre. Sin embargo, no podía odiarles.

—Avery, tienes que reconocer que tengo todas las razones del mundo para desconfiar del matrimonio. Cualquier mujer debería tenerlas. Solo una tonta consentiría una unión en la que, según las leyes, los hijos de la mujer son productos de su cuerpo que pertenecen a su esposo.

—Pero si hay amor por ambas partes... Si una pareja respeta y confía...

—Sentimientos efímeros —dijo ella—. Es difícil que merezca la pena arriesgar los propios hijos por ellos. Es una cuestión de lógica, Avery. Pensaba que los hombres valoraban la lógica. Una mujer no puede permitirse emociones volubles.

Le estaba rasgando el corazón, y como cualquier animal herido, Avery reaccionó salvajemente, repeliendo el ataque instintivamente:

—¿Lógica? ¿Emociones volubles? —Soltó una carcajada burlona—. Eres una criatura con un corazón de hielo, Lily Bede. Podrías haber sido un brillante general, tan dispuesta a sacrificar todo por tus principios. Me descubro ante ti. Pero me alegro infinitamente de no tener que acostarme contigo, no vayan a salirme sabañones.

—Sí —replicó Lily irguiendo la cabeza y mirándole con aquellos ojos de resplandeciente ébano—, puedes sentirte afortunado.

No había conseguido provocarle y Avery necesitaba,

Dios, cuánto lo necesitaba, encontrar algún indicio de pasión en respuesta al fuego que le estaba devorando a él por dentro.

El ruido de unos pasos apresurados sonó por encima del repiqueteo de la lluvia. La puerta de la biblioteca se abrió de golpe.

—¡Por el amor de Dios! ¡Ayuda! —gritó Merry.

19

—¡Teresa está de parto! —exclamó Merry sin aliento.

Fuera cayó un relámpago, muy cerca de la casa. Como si obedeciese a su orden, la lluvia empezó a arreciar con fuerza. La muchacha llevaba una lámpara de aceite colgando que le golpeó la falda e hizo que la pared se llenase de juguetonas sombras.

—¿Dónde está la señora Kettle? —preguntó Lily levantándose y pasando deprisa junto a la asustada joven.

La señora Kettle había hecho de comadrona con otras chicas a las que se les había adelantado el parto.

—Está en casa de su hija en el pueblo.

—Maldita sea.

Teniendo en cuenta que Francesca estaba profundamente dormida en su cuarto, solo quedaban Merry, Kathy, la señorita Makepeace, Evelyn y ella misma.

La señorita Makepeace estaba sujeta a su silla de ruedas y Evelyn se desmayaba ante una gota de sangre. Merry se movía de un lado a otro musitando oraciones.

—Por el amor de Dios, Merry —exclamó Lily—. Va a tener un bebé, no un demonio.

—No puedo evitarlo, señora —se lamentó Merry—. Lo siento pero no puedo. No puedo soportar ver lo que tiene que pasar cuando a mí me queda tan poco. ¡No quiero saber cómo es! Estaré en su lugar muy pronto y, oh, señora, ¡grita cómo si la estuviesen abriendo en canal! ¡No me haga entrar ahí dentro, señora, por favor!

—Cálmate, Merry —le ordenó Avery—. Nadie va a obligarte a nada. Haz lo que te ordene la señorita Bede, y sin gritar.

Su tono implacable tuvo el efecto deseado. Merry se limpió los ojos con el vestido y gimió sonoramente, pero se volvió hacia Lily a la espera de instrucciones.

—¿Dónde está Teresa? —preguntó Lily.

—En su habitación.

—¿Y Kathy?

—La última vez que la he visto, se dirigía hacia los establos, señora —dijo Merry.

—¿En medio de la noche y con esta tormenta? —exclamó Lily.

—Ella, bueno, ella —dijo Merry después de asentir enérgicamente e intentando tragar saliva— temía por los caballos.

—Es Billy Johnston, ¿no? Y el mes pasado era aquel maquinista del pueblo —dijo Lily dirigiéndose hacia las escaleras de servicio—. No le basta con estar embarazada. ¿Qué idiota va de relación fracasada en relación fracasada? ¿En qué está pensando esa muchacha?

Se daba perfecta cuenta de que Avery la seguía en silencio, como si fuera un paladín protegiendo a su dama. Delante de ellos, Merry les iluminaba el camino sosteniendo la lámpara en alto, en silencio, algo incompatible por definición con el carácter de Merry.

—¿Merry?

—Me temo que no piensa demasiado —contestó Merry servilmente—. Lo que surge entre un hombre y una mujer es algo muy poderoso.

Lily se detuvo y se quedó mirando con aire de disgusto a la joven criada.

—¡Tú también, no, Merry! ¿Es que todas las mujeres en esta casa han perdido el juicio?

—Bueno, Todd Cleary, el del pueblo, dice que no le im-

portaría tener un hijo en esta casa si yo fuera su madre...
—continuó la muchacha. Se puso colorada, agachó la cabeza
y no reprimió una risita de felicidad.

—¿Que no le importaría? Ya veo que es difícil rechazar
una oferta tan maravillosa —soltó Lily con sarcasmo.

Solo el quejoso y rotundo gemido que se oyó al final de la
estrecha escalera de servicio impidió que Merry fuese objeto
de amonestaciones más severas.

—Vete a la cocina —ordenó Lily, y cogiendo la lámpara
de la mano de Merry, añadió—: Tienes luz de sobra para llegar.
Quiero agua caliente y jabón, trapos limpios, muchos trapos,
el cuchillo más afilado que puedas encontrar y un brasero con
carbón caliente.

—Sí, señora —contestó Merry desapareciendo por el vestíbulo.

Lily empezó a subir las empinadas escaleras. A medio tra-
mo Avery topó con ella.

—¿Dónde crees que vas? —le preguntó.

—Parece que te falta ayuda. Yo puedo ayudarte, he...

Por alguna razón se calló, y cuando volvió a hablar, su
voz sonaba extraña. Debía de ser por la acústica de la estrecha
escalera.

—He estado presente en otros partos, así que puedo servir de ayuda.

—No será necesario, puedo manejarme —dijo Lily.

Avery no discutió. Frunció el ceño intensamente, como si
estuviera teniendo una lucha consigo mismo, y luego contestó:

—Estaré fuera, en la puerta. Si necesitases ayuda, cualquier cosa, una mano fuerte, más agua, una navaja más afilada, pídemelo.

Lily le miró directamente a los ojos.

—Así lo haré —dijo, y subió el resto de las escaleras.

Cuando Lily empujó la puerta de la habitación de Teresa,
esta emitió otro gemido desesperado que hizo temblar las
paredes. La pobre muchacha estaba tendida sobre un colchón
empapado, apoyada en los codos. El volumen de su vientre

era tan grande que casi le tapaba el rostro y el cabello le caía tieso como las trenzas de una muñeca de trapo.

—¿Dónde está todo el mundo? —preguntó.

—¿Perdón?

—Llevo una hora aquí gritando como una loca —anunció Teresa con impertinencia—. ¿Es que tengo que tener este niño yo sola?

Sus palabras acabaron en un grito furioso, al tiempo que se doblaba agarrándose el vientre.

—¡Por el amor de Dios! —oyó Lily gritar a Avery desde el quicio de la puerta abierta—. ¿Se está muriendo? ¿Llamo a un médico?

—¡No! —exclamó Lily con impaciencia.

Cogió un trapo que colgaba del pie de la cama y secó la frente de la sufriente joven.

—Y no. El doctor más cercano está en Cleave Cross, a treinta kilómetros de aquí. Y no se está muriendo. Está de parto.

—¡Sí me estoy muriendo! —protestó Teresa a gritos.

Lily la ignoró. Había presenciado unos cuantos partos en los últimos cinco años, suficientes para saber que la debilidad de la parturienta era más preocupante que la ira.

—Creía haber oído que habías estado presente en partos con anterioridad —dijo Lily mirando por encima del hombro hacia donde se encontraba Avery.

—Así es —dijo él asomándose por la puerta. Su imponente figura brillaba en contraste con el oscuro vestíbulo—. Así es. Pero era... era bastante más tranquila que ella —concluyó señalando a Teresa.

—¿Podemos dejar la charla? —protestó Teresa—. Por si no lo han notado, ¡estoy intentado tener un bebé! Y además, ¿qué demonios hace él aquí? ¡No es más que un hombre falso y asqueroso!

Y cogiendo el trapo húmedo de las manos de Lily, lo lanzó contra Avery. Este se agachó y el trapo se estampó contra la pared.

Avery observó ofendido a la criada. Siempre había pensado que Teresa le tenía simpatía. La había llevado escaleras arriba y abajo en brazos, siempre le preguntaba por su estado de salud y la saludaba con educación. Y ahora la joven se retorcía sobre la almohada y le miraba fijamente como si fuese directamente responsable de lo que estaba sufriendo en aquellos momentos.

—Se quedará en el vestíbulo —le aseguró Lily para calmarla.

—No —dijo Avery con menos seguridad de la que habría querido.

Cogió el trapo mojado, entró en la habitación, lo depositó sobre la mano extendida de Lily y retrocedió de nuevo.

—Me quedaré aquí al menos hasta que venga Merry, por si necesitas ayuda.

Teresa dejó escapar otro grito de dolor.

Lily vio que Avery se había puesto pálido. Mira por dónde la aclamada valentía del intrépido aventurero se ponía en solfa, pensó Lily sin poder ocultar una sonrisa irónica. Dejó a Teresa, que juraba truculentas venganzas contra algunas partes de la anatomía masculina, y arrastró una silla de madera por el suelo en dirección a Avery.

—Será mejor que te sientes, no vayas a desmayarte —dijo.

—No voy a desmayarme —contestó Avery en un tono con el que parecía intentar convencerse más a sí mismo que a Lily—. Nunca me he desmayado y no voy a hacerlo ahora.

—¡Eh! —gritó Teresa, que había logrado recuperarse momentáneamente—. Has dicho que se quedaría en el vestíbulo.

—Encantado —dijo Avery dando un puntapié a la silla para empujarla al oscuro vestíbulo y apoltronándose en ella. En la penumbra del rellano parecía una gigantesca y huraña gárgola.

—Tranquila —dijo suavemente Lily, volviéndose para enjugar la frente de Teresa—. Lo estás haciendo fenomenal, cariño, de maravilla. Eres increíblemente valiente.

—¡Como si tuviera otra opción!

El rápido ruido de tacones en la escalera anunció la llegada de Merry. Pasó junto a Avery a toda prisa y entró en la habitación, derramando el agua de la tetera de cobre que llevaba en una mano y portando en la otra un pequeño brasero cerrado. Toda la parte superior de su cuerpo estaba cubierta de trapos y sábanas y tenía el aspecto de una momia recién vendada. De su cintura colgaba un afilado cuchillo de cazador.

—Ya lo tengo todo, señorita Bede —dijo sin aliento—. Todo.

Depositó el brasero y la tetera en el suelo, colocó la funda con el cuchillo a los pies de la cama y se desembarazó del montón de sábanas limpias que llevaba enrolladas en su cuerpo. Echó un vistazo a Teresa, que había empezado a gemir de nuevo.

—¿Puedo irme ya? —preguntó.

—¡Cobarde! —gritó Teresa.

—Será mejor que me vaya —dijo Merry moviendo la cabeza arriba y abajo con afectación—. La estoy molestando.

—Está bien —dijo Lily desenfundando el cuchillo y acercando la brillante superficie a la luz de la vela. Pareció satisfecha al comprobar la afilada hoja. La plata brillaba terroríficamente.

Avery sintió que la cabeza le daba vueltas.

Una vez recibió el permiso para marcharse, Merry salió escopeteada.

—¿No irás a usar eso? —susurró Avery horrorizado.

—No sentirá nada —le aseguró Lily, cerrándole la puerta en las narices.

A Avery se le hizo eterna la hora que siguió. A los arranques de maldiciones esporádicos le seguían largos y tensos silencios. En varias ocasiones, Avery pudo oír los imaginativos y gráficos juramentos de Teresa explicando lo que iba a hacer al tipo que la había preñado si tenía la desgracia de volver a cruzarse en su camino.

Enseguida cesaban las vociferantes amenazas y solo podían oírse los murmullos suaves y tranquilizadores de Lily, interrumpidos por ruidos que Avery solo podía asociar a un tremendo esfuerzo. Sacó el reloj de Karl de su bolsillo para controlar los minutos y se preguntó cuántos antepasados de Karl lo habrían mirado para cronometrar el nacimiento de sus vástagos. Se preguntó si quizá él también algún día miraría la minutera recorrer la esfera de marfil acompañado de los sonidos del parto de Li... de su esposa.

La puerta se abrió de golpe y Lily apareció en el umbral sosteniendo entre sus brazos bañados en sangre un diminuto fardo. Detrás de ella pudo ver a Teresa tendida en el lecho. Tenía los ojos cerrados y su pecho subía y bajaba debido a su entrecortada respiración. La cabeza le dio vueltas.

—Ten —dijo Lily—. Sujétala con fuerza. La niña necesita calor.

¿La niña? Avery bajó la vista hacia el fardo que Lily todavía tenía en sus brazos. No veía nada. Desde luego, nada que pareciese una niña, ni una preniña.

—Todavía no tengo el brasero a punto.

—¿Es que acaso vas a cocerla? —preguntó.

Lily dejó escapar una risa dulcísima.

—No, voy a montar una camita delante del brasero para que esté calentita y protegida. Lo normal sería ponerlos dentro del horno, en la parte donde se mantiene el pan caliente, pero ahora está frío.

—¿Ponerlos?

—Sí —dijo Lily sonriendo—. Teresa va a tener gemelos.

Teresa se revolvió en la cama y Lily la miró por encima del hombro.

—Toma. Cógela y mantenla pegada a ti —dijo a Avery.

Sin capacidad para hablar ni para reaccionar, aceptó la diminuta criatura y la colocó entre sus brazos. Lily se lo agradeció con una animosa sonrisa.

—Esta ha sido fácil, ¿no? La próxima parece que se está tomando su tiempo para salir —le confesó acercándose a él—. Pero todo irá bien. Ya lo verás.

¿Por qué le estaba consolando? Era solo un bebé, por el amor de Dios. Era capaz de sujetar a un bebé.

—¿Vas a ayudarme o vas a estar toda la noche hablando con ese...? —clamó Teresa, al tiempo que se erguía en el lecho, se sujetaba a las barras de hierro que se alzaban a ambos lados de la cama y, echando la cabeza hacia atrás, lanzaba un alarido.

—Me ha dicho Teresa que es irlandesa —comentó Lily, y después de semejante comentario tan informal como enigmático, cerró de nuevo la puerta.

Avery se quedó mirando fijamente el rostro violáceo del bebé, tan arrugado como un calcetín mil veces remendado. Con la palma de su mano podía cubrir toda la cabeza y casi todo el torso del bebé. Había visto cachorrillos de perro igual de pequeños.

Con cuidado, retiró parte de la ropa que rodeaba su rostro. La niña se removió y de entre la tela suelta surgió un minúsculo puño cerrado. Avery contempló alucinado aquella manita diminuta, la perfección de cada una de las uñas en las que terminaba cada uno de los deditos, la palma arrugada, la delicada muñeca.

Agachó un poco más la cabeza y se fijó en que las pestañas de la niña no eran más que provisionales antenas, meros apuntes que caían como plumas sobre las redondas mejillas violáceas. Avery cerró los ojos e inhaló aquel olor cálido y humano, el auténtico despertar al mundo. Tocó su mejilla, una suave calidez.

Aquella vida única, singular, que tenía en sus manos le sobrecogió y le imbuyó de una necesidad primigenia de protegerla y cuidarla. No cabía duda de que aquella necesidad sería aún más poderosa si se tratase de su propio hijo.

La puerta volvió a abrirse y allí estaba Lily, con el rostro relajado e iluminado por una sonrisa de triunfo. En sus brazos sujetaba a otro minúsculo bebé.

Avery miró el bulto que él sujetaba y dijo:

—Si fuera mía, haría todo lo que fuese necesario para protegerla y para mantenerla a salvo. Nadie me la quitaría. Nunca. Lo juro.

La sonrisa murió en los labios de Lily y sus ojos oscuros se quedaron sin vida. La tregua había terminado, y la hostilidad y el anhelo que dominaban la relación entre ambos se hacían de nuevo evidentes.

—Yo también —dijo ella.

20

A la mañana siguiente, no había rastro de la tormenta. Un viento fresco se llevó las indecisas nubes que todavía cubrían el cielo y lo dejó límpido, como recién lavado. Lily desayunó en la biblioteca con la puerta cerrada.

Había contado muchas cosas a Avery Thorne que no había explicado nunca a nadie anteriormente. Le había confiado las razones de su compromiso con el movimiento para la liberación de la mujer y de su difícil decisión de no contraer matrimonio. No había estado preparada para su apasionada reacción, su acusación de que su decisión era imprudente, irresponsable y egoísta, y por ende, también la de su madre. Se había mostrado tan moralista, tan insensible al significado de la pérdida de su madre... Y sin embargo... ella le entendía.

Se quedó en la biblioteca también a la hora del almuerzo.

No le habría hecho falta. Avery había salido de casa antes del amanecer y se había dirigido directamente a casa de Drummond para ofrecerle sus servicios en el trabajo que este considerara a Avery capaz de desempeñar, siempre que fuese vigoroso, extenuante y le mantuviese alejado de la mansión hasta el anochecer. Drummond aceptó encantado.

Mandó a Avery a trabajar recogiendo el heno que se amontonaba en una pradera detrás de los establos. El trabajo consistía en escalar las pilas de heno, tirar desde arriba de las balas que quedaban más abajo y subirlas cargadas a su espalda hasta formar montañas aún más altas.

Durante la semana siguiente, Mill House estuvo especialmente tranquila. Francesca se encerró en su habitación sin ofrecer ninguna excusa ni disculpa. Teresa mantenía a Kathy y a una llorosa y arrepentida Merry ocupadas admirando a sus bebés. Evelyn se sentía obligada a ofrecer su compañía a la señorita Makepeace hasta que su pierna mejorase, así que ejercía de anfitriona. Sorprendentemente, las dos mujeres empezaban a aguardar con agrado y ganas el tiempo que compartían. Su interés en promover la relación entre Lily Bede y Avery Thorne quedó en suspenso, ya que era difícil lograr orquestar encuentros entre dos personas que apenas estaban en la casa a la misma hora. Bernard seguía ocupado en sus asuntos.

Cuando Avery logró dominar sus emociones, se dio cuenta de que, al huir de la presencia de Lily, había dejado a su joven primo en compañía exclusivamente femenina.

Así que el día antes de la fiesta en casa de los Camfield, fue en busca de Bernard. El chico no estaba ni en su habitación ni en la biblioteca ni en la sala de estar. Cuando había llamado delicadamente a la puerta cerrada de la biblioteca, se había encontrado con la respuesta cortante y seca de Lily. La señora Kettle finalmente le dirigió a la buhardilla que había encima de la segunda planta del ala del servicio.

Mientras recorría el estrecho vestíbulo de los sirvientes, se dio cuenta de que tendría que pasar por delante de la puerta abierta de la habitación de Teresa camino de la escalera móvil que ascendía hacia la buhardilla al final del pasillo. Se acercó con precaución, casi esperando que en cualquier momento Teresa empezase a lanzar trapos húmedos o algún objeto más afilado en su dirección.

De su habitación le llegaba el arrullo de tres mujeres. Con la vista al frente, pasó de largo.

—¡Señor Thorne! —le detuvo la voz de Teresa, a solo unos centímetros de distancia de la escalera.

No sonaba especialmente furiosa, pero cualquier cautela era poca.

—Señor Thorne, venga a ver a los bebés. Al fin y al cabo, fue usted quien los trajo al mundo.

No podía dejar que corriese dicho rumor. Volvió sobre sus pasos y asomó la cabeza por la puerta. Teresa estaba sentada en la cama, apoyada en por lo menos media docena de almohadas, y tenía la cabeza cubierta por un sombrero de encaje propio de alguien mucho mayor, lo que le daba un aspecto de lo más extravagante. Un chal de hilo de un rosa chillón le cubría los hombros. Merry y Kathy estaban sentadas a ambos lados de la cama, sujetando cada una de ellas a uno de los recién nacidos.

—¿Cómo estás, Teresa?

—Oh, estoy bien, señor Thorne —exclamó Teresa entusiasmada, mientras jugaba coquetamente con los lazos del sombrero—. Venga a ver a los bebés. Usted los trajo al mundo...

—No —dijo firmemente, dando un paso adentro de la habitación—. Yo prácticamente no hice nada. Fue la señorita Bede quien los trajo al mundo. Yo me quedé sentado fuera.

Teresa movió el dedo índice juguetonamente.

—Vamos, yo no lo recuerdo así, señor. Lo que pasa es que es usted muy modesto. Usted fue mi apoyo, lo fue. Mi báculo en los momentos de necesidad. Me bastó con mirarle para saber que las cosas irían bien, que usted no dejaría que nada malo me ocurriese.

Bajó las pestañas en un gesto de adorable coquetería.

Aquella mujer estaba delirando. Si la última vez que le había visto juró hacer picadillo sus partes pudientes... Estaba claro que no había razón alguna para seguir con esa conversación.

—¡Mire los bebés, señor! —interrumpió Merry con su voz de pito, y abrió el brazo para mostrarle a la criatura.

Kathy, riéndose tontamente y con fuerza, hizo lo mismo. Avery se inclinó y echó un vistazo rápido a las criaturas. Parecían dos minúsculos nabos animados.

—Muy bonitos —dijo.

—¿Quiere sujetarlos, señor? —preguntó Kathy.

El bebé abrió la boquita y lanzó un aullido largo y reverberante para expresar su queja y su insatisfacción. Avery la miró desconcertado. Se quedó alucinado al comprobar que algo tan pequeño pudiera emitir un sonido tan agudo y pudiera tener un color tan encarnado —su arrugado rostro se estaba tiñendo rápidamente de color berenjena—, además de estar tan furiosa —dejó escapar otro aullido de descontento—. No había duda que había heredado los pulmones de su madre.

Por increíble que pudiera resultar, Kathy no parecía darse cuenta de que el bebé que sujetaba en los brazos se había transformado en un monstruo.

—Tenga —dijo empujando el niño hacia Avery.

—No —dijo él bajando la voz—. No, yo... mis manos. —Y señalando sus manos, sonrió y se disculpó diciendo—: Sucias, asquerosas, no están como para coger a un bebé.

Los rostros de las tres criadas se ensombrecieron.

—Oh —dijo Teresa desilusionada. —Después, encogiéndose de hombros, añadió—: Bueno, más tarde.

—Sí —asintió Avery—. Más tarde. Son unos bebés muy bonitos.

Hizo un saludo con la cabeza a Teresa y se escapó rápidamente. Antes de que pudiera reaccionar, ya había subido la mitad de las escaleras.

Oyó a Bernard antes de verle. Entre gruñidos, estaba arrastrando un inmenso telescopio de barco hacia una de las ventanas que había bajo los grandes aleros de Mill House.

Avery echó un vistazo a su alrededor. Sorprendentemente, la buhardilla no presentaba apenas desorden. Tan solo había algunos baúles en los que alguien había estado hurgando, un armario al que le faltaba la puerta frontal, un maltrecho aparador y una inmensa cama con dosel cubierta de polvo situada extrañamente en medio de la habitación.

Bernard, que no se había dado cuenta de la presencia de

Avery, había colocado el telescopio frente a la ventana y estaba absorto ajustando la abertura óptica.

—Hola, Bernard —le saludó amablemente Avery, acercándose al rincón que el muchacho había organizado a su gusto.

Como mesa, utilizaba una mantequera a la que había dado la vuelta y había un montón de libros sujetando un trotado sillón. A los pies de Bernard se alzaba un jarrón de cerámica del que salía un humo con aroma a sopa de pollo.

El chico levantó la cabeza y, dando muestras de sorpresa, le saludó sonriente:

—¡Primo Avery!, vaya, creía que estabas con los hombres de Drummond de nuevo. Iba a intentar localizarte con esto —dijo, dando unos golpecitos afectuosos al antiguo telescopio de tamaño gigantesco.

—Vienes aquí a menudo, ¿verdad? —comentó Avery, indicando los restos de bocadillos y los papeles aceitosos y arrugados que ensuciaban el área alrededor de la silla.

—Sí, eso parece —admitió Bernard—. Qué tontería, ¿verdad? Me refiero a que estoy deseando estar con mi familia y luego, una vez aquí, estoy tan poco acostumbrado a la compañía que tengo que aislarme de vez en cuando.

Avery lo entendía. Él había sentido lo mismo de niño, anhelando los días que pasaría en Mill House y, sin embargo, necesitado de esos momentos de soledad en los que poder absorber los acontecimientos del día: cada detalle, cada aroma, cada centímetro. Solo cuando fue ya un adulto, aprendió a sentirse a gusto con los demás, y desde luego, solo con unos cuantos buenos amigos. Nunca le había resultado fácil hacer amigos, y los pocos que había tenido eran un tesoro para él. La sombría cara de Karl se le apareció un instante ante sus ojos.

Le habría gustado poder salvarle. En ocasiones, por la noche, reproducía el día de su muerte, repetía el camino que habían recorrido por la nieve de Groenlandia, se preguntaba por qué Karl iba a su derecha y no a su izquierda, si debía haber insistido en que fuesen en fila india.

Después le sobrevenía el sentimiento de culpa, un visitante insidioso que envenenaba sus pensamientos, negándole el sueño, transformando su afecto por Karl en un encumbramiento doloroso. Entonces leía la carta de Lily, una perfecta combinación de certera compasión e infalible sabiduría.

Sin embargo, sus cartas, incluida la que para él tanto había significado, le habían dado una idea equivocada de aquella mujer.

Al fin y al cabo, no era infaliblemente inteligente. En sus fallos, era demasiado humana. Se había encadenado al pesar de una mujer que ya había muerto y había hecho una cruzada del dolor de su madre. En su corazón, no había espacio para él. Avery nunca había ocupado en el corazón de Lily el prominente lugar que ella sí había ocupado en el suyo.

—Por supuesto, eres bienvenido siempre que quieras —dijo Bernard—. Bueno, no es que sea yo quien tenga que dejarte venir o no...

Avery miró al muchacho sin comprender, hasta que se dio cuenta de que había malinterpretado su silencio.

—¿Eso te molesta? —le preguntó Avery, consciente de que, como heredero de Horatio, el muchacho tenía más derecho a Mill House que Lily o que él mismo.

—¡Oh! —exclamó Bernard sorprendido—. ¡No!

Avery sintió un gran alivio. Debería haber convencido a Lily para ceder el lugar al chico en caso de que lo quisiera, pero el hecho era que, de quererlo, como heredero de Horatio que era, podría haberse permitido comprarlo a Lily.

—Me refiero —continuó Bernard— a que es un sitio muy agradable y bonito, pero a decir verdad, a mí me gusta más la ciudad. La vida dura y aventurera no está hecha para mí.

—¿Ah, no? —preguntó Avery observando a su primo.

Había asumido que Bernard sería igual que él a su edad: deseoso de aventura, de probarse a sí mismo, de testar su valentía física, así que le comentó:

—Puede que descubrieras que te gusta la vida dura y aventurera si la probases.

—No, seguro que no. No es que no te admire profundamente. Tus aventuras son fantásticas e increíblemente valerosas, pero no es lo que a mí me gusta. Una cosa es darse un chapuzón en el estanque del viejo molino y otra es cazar cocodrilos en el Nilo.

Decía la verdad. No había el menor asomo de disgusto en su expresión o en el tono de su voz.

—¿Y qué quieres hacer, Bernard? —preguntó Avery sentándose en el brazo del sillón.

El muchacho agachó la cabeza avergonzado.

—Me gustaría ser actor.

—¿Actor? —preguntó Avery desconcertado.

—Sí —respondió Bernard—. Me gustaría representar un montón de papeles, ser cientos de hombres diferentes, el héroe y el villano. Algún día, incluso puede que escriba obras de teatro. Creo que podría escribir alguna obra decente. —Su expresión se ensombreció, y añadió—: Crees que es una bobada, ¿verdad?

—No —dijo Avery delicadamente.

No era lo que él habría elegido, pero dada su juventud y tras los años sufriendo el maltrato de Horatio, sabía que nunca iba a intentar obligar a nadie a seguir un patrón establecido. Fuera lo que fuese lo que Bernard quería ser, él le apoyaría en su búsqueda.

—No es nunca una bobada ir en pos de algo. Lo que es estúpido es esforzarse por lograr algo que nunca será nuestro.

Avery frunció el ceño sin saber si se refería a su deseo de tener Mill House, al deseo de Lily por la casa o a su deseo por Lily. No podía seguir negándolo; ella ocupaba su corazón. Siempre había presumido de ser un hombre honesto y quería ser honesto consigo mismo.

Se inclinó y limpió el cristal de la ventana con la manga. Desde aquel ángulo se podía ver casi al completo los terrenos de Mill House. Desde el estanque del molino, se abría en forma de cuña el huerto de manzanos. Más allá, las ovejas que pacían en el prado verde parecían flores de algodón maduro.

Avery miró hacia el sur y vio el campo que había junto a los establos salpicado por las balas de heno, que alcanzaban el tamaño de diminutas casas.

—Bernard, tus ambiciones merecen la pena —dijo Avery—. Las mías no son tan loables. Me he permitido entrar en competición con una mujer cuyo futuro depende de conseguir la única cosa en el mundo que siempre he deseado.

—No me parece que hayas tenido elección.

—Siempre hay elección.

—No le harás daño —dijo Bernard rápidamente—. Si ganas, no dejarás que le pase nada malo, ¿verdad?

Debería haberse ofendido ante la mera sugerencia, pero la sincera preocupación del muchacho por Lily debía ser acallada inmediatamente.

—Haré lo que sea necesario hacer —dijo cansinamente—. No se quedará desplazada, te lo prometo.

—¿Has... —preguntó el muchacho lanzándole una fugaz mirada y volviendo sus ojos al telescopio antes de continuar— has vuelto a considerar mi sugerencia?

—¿Qué sugerencia? —preguntó Avery.

—Que la señorita Bede y tú os caséis —dijo Bernard—. Sería la solución a muchos problemas.

—No lo creo —respondió Avery negando con la cabeza—. Somos como aceite y agua, como abejas y avispas, como hielo y fuego. No es que sea un hombre especialmente familiar, Bernard, pero sé que lo poco que tengo está irrevocablemente ligado y representado por el apellido Thorne. Estoy orgulloso de él. Para mí representa algo importante, algo que merece la pena mantener. A la señorita Bede no le importa absolutamente nada, ni el apellido ni el estatus ni nada de lo que para mí es trascendente. Utilizaría los archivos familiares para encender el fuego y diría que era el mejor uso que se podía dar a inútiles legajos.

—No, no lo haría.

—No valora nada de lo que yo valoro —dijo queriendo echarla de su corazón y de sus esperanzas, para obligarse a sí mismo a comprender lo inútil de su amor—. Lily Bede no valora nada de lo que soy, nada de lo que he hecho, nada de lo que haré.

—Eso no es verdad.

—¿Ah, no? —preguntó Avery con desolación.

Bernard se había puesto en pie y en su cetrino rostro se reflejaba su convencimiento.

—Ven conmigo.

Avery se quedó tan sorprendido ante su resolución que obedeció y siguió al muchacho escaleras abajo, despacio, más allá de la puerta de la habitación de Teresa, lejos del ala de los sirvientes, hasta llegar a los pasillos abandonados que había justo debajo de su habitación.

—¿Adónde vamos? —preguntó.

Bernard no le respondió. Se limitó a conducirle por el ala vacía de la casa hasta llegar a una puerta de doble hoja que conducía a lo que, según Avery creía recordar, había sido el salón de baile. El muchacho desapareció dentro de la habitación.

Avery esbozó una triste sonrisa. Incluso siendo un muchacho, se le había antojado una encantadora vanidad incluir un salón de baile en lo que evidentemente era una auténtica granja. Se preguntó cuántos bailes se habían celebrado en Mill House. Entró en la habitación en el mismo momento en que Bernard descorría la última cortina de satén color marfil que cubría las enormes ventanas.

Miró a su alrededor estupefacto.

Allí estaba el búfalo de agua adulto que, gracias al arte del taxidermista, había preservado para siempre; un tigre disecado situado entre un maniquí vestido con el traje de guerra maorí y otro vestido con ropas beduinas; la luz que entraba por las ventanas bañaba un cocodrilo cuyos ojos brillaban maliciosamente. Había también armarios de curiosidades y todo el perímetro del salón estaba ocupado por largas mesas donde se exponían filas y filas de objetos etiquetados.

Todo lo que Avery había enviado a Bernard estaba en

aquella habitación. Los objetos más delicados se hallaban cuidadosamente protegidos por campanas de cristal. Alguien había quitado recientemente el polvo a los que estaban sin cubrir. Todos los objetos portaban etiquetas donde una letra femenina familiar e inconfundible había escrito el año, la región y las circunstancias en las que había sido obtenido.

Avery no podía hablar, no tenía respuesta a la expresión desafiante en el joven rostro de Bernard. El muchacho no podía entender lo que acababa de hacerle. Ninguna mujer habría invertido tanto tiempo y esfuerzo en preservar la crónica de la vida de un hombre al que no tuviera aprecio solo por sentido del deber. Allí estaba la indiscutible prueba de que a Lily Bede le importaba, que siempre le había importado.

Pero eso no cambiaba las cosas en absoluto. ¿Qué futuro podían tener juntos? Él quería una familia, una familia que llevara su apellido.

Sin decir palabra, Avery salió precipitadamente de la habitación, perseguido por la enormidad de la pérdida.

21

Finalmente Bernard no fue a la fiesta de los Camfield. Dijo que se encontraba extremadamente cansado e hizo prometer a su madre que ella acudiría sin él. Los demás, incapaces de dar con una excusa para quedarse en casa, se prepararon para asistir a la fiesta.

Así que, cuando las damas entraron en el carruaje que había de conducirlas hasta casa de los Camfield, parecían tan tensas como si en lugar de dirigirse a una fiesta fuesen camino de un interrogatorio. Un estado de ánimo que compartía Avery completamente. El viaje transcurrió en silencio, solo interrumpido por los irritantes estornudos de este último. La intensidad y la frecuencia de los mismos llegaron hasta tal punto que Lily acabó rompiendo el silencio.

—¿Qué es lo que ocurre? —preguntó exasperada.

—Son los malditos caballos —contestó Avery, igualmente exasperado.

—¿Los caballos? —exclamó Lily.

El interior del carruaje estaba tan oscuro que Avery apenas podía verla. Llevaba una amplia capa con capucha que ensombrecía su semblante y solo podía distinguir sus oscuros labios rojos iluminados por las linternas que bailaban junto a la ventana del vehículo.

—Sí, soy alérgico a esas terribles criaturas —soltó.

¿Qué importaba que conociera su debilidad? Al fin y al

cabo, ya poseía su corazón, un órgano terriblemente vulnerable.

Aquella confesión sacó a Lily momentáneamente de su actitud de autocontención. Se inclinó hacia él y dijo:

—Pero yo pensaba...

Fuera lo que fuese lo que pensaba, no iba a descubrirlo, porque inmediatamente selló sus labios, se apartó de él y permaneció en silencio testarudamente durante el resto del trayecto.

Al llegar, Lily bajó por la puerta del carruaje que estaba más distante de Avery mientras este ayudaba a Francesca y a Evelyn a apearse y las acompañaba a la puerta. Lily se esfumó en el interior de la casa.

Avery entró y miró cautelosamente a su alrededor. Era evidente que Camfield había hecho grandes reformas. Desde el suelo de mármol adornado con marquetería del primer piso surgía una majestuosa escalera de caracol. A ambos lados de una puerta de doble hoja que conducía a un salón notablemente grande se alzaban grandes ramos de flores en enormes jardineras. En el salón, los muebles habían sido arrimados a la pared para dar cabida a los invitados.

Demasiados invitados. Había por lo menos un centenar, dándose empujones, cotilleando y pavoneándose con estudiada reserva. Parecían grullas en pleno cortejo, con los cuellos estirados, las barbillas altivas y los ojos ansiosos estudiando a aquellos que pasaban, al mismo tiempo que ellos mismos eran estudiados.

Lo increíble es que aquel rebaño parecía estar pasándoselo bien. Los rostros brillaban de expectación, los labios formaban sonrisas y se oía de vez en cuando una carcajada mezclada con el tintineo de las copas y la porcelana. En medio del barullo, sonaban como campanillas.

Y de Lily no había ni rastro. Consciente de su obligación y muy a su pesar, Avery siguió como un corderito a Francesca y a Evelyn para saludar a los anfitriones que les aguardaban en fila. Saludó con la cabeza a Camfield y luego la inclinó ligeramente sobre las manos de sus hermanas; entonces, con gran alivio, llegó al final de la fila.

Y bien, ¿dónde estaba Lily?

No la había visto en la recepción de la familia y enseguida se encontró con las jóvenes Camfield colgadas del brazo. Solo la intervención de su hermano pudo librar a Avery de sus atenciones. Consultó la hora en el reloj de bolsillo. Llevaban solo una hora en la fiesta y ya estaba aburrido.

—Debo reconocer, Avery, que tienes muy buen aspecto vestido de etiqueta —señaló Francesca divertida—. Y ha sido fantástico que hayas encontrado un sastre que te haya podido surtir de trajes con tanta rapidez.

—Hum.

—Ay, tan elocuente como siempre. ¿Quién escribe tus historias por ti, querido?

Francesca no esperaba respuesta. Tenía el rostro acalorado y los ojos brillantes mientras repasaba la multitud con mirada escrutadora. A Avery le recordó a un gato al que han soltado en medio de un palomar.

—Ya sé que esto te resulta muy aburrido —continuó—, pero por favor, intenta mostrarte encantador. Para Lily las cosas serían más fáciles si el condado pensase que cuenta con tu aprobación.

—Yo siempre soy encantador —respondió Avery—. Además, Lily no necesita mi aprobación. Está claro que no le importa lo más mínimo ni esta gente ni su aprobación. De no ser así, no andaría por el campo vestida con esos pantalones (y no me lo discutas, Francesca) ni incordiaría a los criados con sus arengas. Probablemente irá con esa maldita prenda ahora mismo, pero de color rosa.

—Hum —sonrió Francesca con ironía y suficiencia.

—De todos modos, ¿dónde diablos se ha metido? Pensaba que estaría un rato con nosotros.

—Ten cuidado, querido —le aconsejó Francesca—. Se te ve de mal humor. Si echas un vistazo por allí, la verás.

Avery miró a su alrededor y entre el gentío pudo ver a

Martin Camfield. En su rostro podía leerse el placer que sentía al hablar con una mujer de cabello oscuro cuya esbelta espalda estaba casi completamente al descubierto. Estaba claro de dónde provenía su animada expresión. La mujer empezó a darse la vuelta y Avery deseó que Lily estuviese observando la arrobada atención de Martin hacia... ¿Lily?

Era Lily. Lily vestida..., no, Lily desvestida con una prenda aterradoramente erótica, con el cuerpo de seda negra y una deslumbrante falda de satén color carne. Todo el vestido estaba adornado con unas rosas negras cubiertas de brillantes abalorios de azabache. Su garganta y sus hombros desnudos surgían como pulido ámbar amarillo entre la tela oscura y reluciente del vestido. ¿Dónde demonios estaban los bombachos?

—Tus ojos, querido —murmuró Francesca divertida—. Haz un esfuerzo para que no se te salgan de las órbitas.

—¿De dónde ha sacado eso? Lily no puede permitirse algo así.

—No, pero yo sí. Lo hemos arreglado para que se ajuste a sus medidas. Odio tener que reconocerlo, pero con esa melena oscura, le queda mucho mejor a ella que a mí.

—No, no es cierto.

—Baja la voz, querido. Pareces un marido. Y me temo que sí —dijo Francesca levantando la mirada hacia Avery y sonriendo maliciosamente—. No veo precisamente desaprobación en la forma en que el resto de los caballeros están observándola.

¿Los otros hombres? Avery recorrió el salón con la mirada y frunció el ceño con furia al descubrir a por lo menos media docena de caballeros mirando de cerca a Lily.

—Qué insolencia. ¿Es que no hay nadie en este condado con algo de educación? ¿Cómo se atreven a mirarla como si fuera...?

—¿Una mujer?

Por un instante, Avery no pudo responder. Estaba demasiado ocupado luchando por contener las ganas que sentía de quitarse el abrigo, llegar hasta Lily y, cubriéndola con él, conducirla hasta la salida.

—Tiene un aspecto delicioso, ¿verdad?

Delicioso. Maldita seas, Francesca. Era realmente delicioso el aspecto que tenía Lily. Morena, exótica, maravillosa, como una extraña, como un cisne negro en medio de un grupo de garzas.

—No deberías haberla obligado a vestirse así, Francesca. Has logrado que se sienta terriblemente incómoda llamando la atención.

Porque, por todos los diablos, llamaba la atención. Tenía los ojos brillantes y sus labios estaban abiertos ligeramente, como si fuera a decir algo, a susurrar algo, a recibir un beso, algo ridículo porque estaba en medio de un salón de baile, por el amor de Dios. Avery se pasó la mano por el cabello. Se sentía obligado a restablecer la relación que habían tenido antes, pero temía que no iba a ser capaz. Con ese pensamiento, se excusó ante Francesca y se abrió paso entre la multitud.

Los músicos empezaron a afinar los instrumentos al otro lado del salón. Podía bailar con Lily; era una oportunidad para abrazarla, para estrecharla ligeramente entre sus brazos. En aquel momento estaba sola, aunque había varios hombres mirándola furtivamente.

—Lil... señorita Bede.

Lily se volvió hacia él con una mezcla de alivio y de aprensión en el rostro.

—Avery.

No recordaba haber pronunciado su nombre con anterioridad. Sonaba maravilloso, íntimo. Transmitía conocimiento, historia, las dos cosas que Avery deseaba desesperadamente mantener.

—Tu vestido.

—¿Sí? —preguntó enarcando las cejas. —Al ver que Avery permanecía callado, insistió—: ¿Qué pasa con mi vestido?

—Es... —¿Delicioso? No podía decirle eso. ¿Bonito? Demasiado soso—. Francesca ha dicho que te queda mejor a ti que a ella. Creo que tiene razón.

—Esta noche estás adulador —comentó con un brillo especial en sus ojos negros.

Avery sintió que sus mejillas enrojecían.

—Solo quería decir que tienes muy buen aspecto esta noche.

—Como una correcta damisela.

¿Correcta? ¿Con aquel vestido con la espalda al descubierto?

—Bueno, muy femenina.

Lily se echó a reír y Avery se dio cuenta de que la cautela de la joven desaparecía.

—Realmente la diplomacia no es lo tuyo, ¿verdad? —dijo Lily negando con la cabeza—. Me refiero a que siempre vas a decir exactamente lo que piensas, cuando lo piensas.

—¿Crees... crees que es un defecto de mi personalidad? —preguntó Avery frunciendo el ceño.

Lily volvió a negar con la cabeza.

—No. Puede que resulte incómodo a los demás, y no estoy segura de que sea la conducta más adecuada socialmente, pero prefiero que me digas la verdad a que me mientas. —Y con una sonrisa agridulce, añadió—: Por lo menos sé a qué atenerme.

Avery se acercó para tomarla del brazo, y al hacerlo empujó a la joven que había junto a él.

—Lily... —empezó.

—¡Señor Thorne! —exclamó la joven—. Estoy tan contenta de volver a verle, aunque sospecho que soy muy mala al admitirlo así, tan claramente.

Avery pudo ver delante de él un montón de rizos rubios y después bajó la vista hasta unos ojos verdes. ¿Quién diablos era aquella jovencita? Detrás de ella se encontraban Francesca y Camfield. Francesca le lanzó una disculpa con la mirada.

—Ah, sí, hum, señorita —dijo Avery.

La muchacha hizo un mohín con sus labios color rosa y dijo:

—El señor Camfield nos ha presentado hará media hora.

Avery se quedó esperando.

—Andrea Moore, la hija de lord Jessup —dijo la muchacha con expresión divertida.

Mientras tanto, Camfield había agarrado una de las manos enguantadas de Lily y la conducía hacia la pista de baile. ¡Maldición! Seguro que se ponen a bailar.

—¿Señor Thorne?

Avery miró a la joven rubia que movía las pestañas arriba y abajo como si le hubiera entrado algo en el ojo.

—¿Jessup? Ah sí, ¿qué desea? —preguntó Avery.

Ella le miró confusa.

—Yo...yo...

¿Por qué no decía nada la maldita muchacha? Avery dirigió la vista hacia Francesca, que se encogió de hombros. La chica miró en la misma dirección que Avery y depositó su mirada aliviada en la señorita Thorne.

—Lo siento, señorita Thorne —dijo la muchacha—. No me he dado cuenta de que estaba aquí. ¿Qué tal está?

—Estoy, señorita Moore —dijo dulcemente Francesca—. Permítame felicitarla por los numerosos carteles con su encantadora imagen que he visto en los escaparates londinenses. No hay duda de que ha superado al resto de las bellezas de la ciudad.

La chica sonrió afectadamente, mientras Avery miraba por encima de ella en dirección hacia el lugar donde Camfield y Lily habían estado bailando. Porque ya no estaban.

—¿No es maravilloso, Avery? —preguntó Francesca.

¿Adónde diablos podían haber ido?, se preguntó. Fuese o no sufragista, Lily tenía que cuidar su reputación...

—¿Verdad? —preguntó Francesca.

—¿Verdad qué, Francesca? —preguntó Avery impaciente.

—¿No es maravilloso que la señorita Moore de Devon sea la más popular de las bellezas profesionales?

—¿Bellezas profesionales? La verdad, Francesca, es que siempre te he tomado por una mujer sensata, pero ahora no tengo ni idea de qué estás hablando. Si me disculpan, señoras.

Hizo una elegante reverencia ante Francesca y la muchacha rubia que le miraba boquiabierta y se fue a buscar a Lily.

—¡Por Dios! —exclamó Andrea Moore, la hija de lord Jessup, la reina de la temporada y la criatura más atractiva que nunca había salido de Devon. Y en cuanto Avery no pudo oírla, añadió—: Qué tipo tan maleducado. Leyendo sus historias nunca me habría imaginado que era así.

—Está buscando a Lillian Bede —le explicó Francesca—. Puede que la hayas visto. Cabello color azabache, una piel que parece mantequilla, ojos oscuros como la medianoche, una figura como una griega...

—¿Es que no sabe quién soy? —la cortó Andrea bruscamente—. Pues según me han dicho, señorita Thorne, hay al menos cinco clubs privados masculinos en Kensington en los que brindan cada noche a mi salud.

—Estoy convencida de ello, querida —dijo Francesca dando unos golpecitos en la mano de Andrea—. Pero Avery no suele ir mucho a la ciudad. Una pena, ¿verdad?

Avery se pasó diez minutos buscando a Lily y a Camfield. Finalmente se asomó al vestíbulo. Empezó a abrir las puertas. Habían habilitado algunas de las habitaciones de la zona del vestíbulo para jugar a cartas, otra como guardarropía, y una mujer de pelo cano le indicó con rotundidad que una de las habitaciones en las que había intentado entrar estaba reservada para las damas. Al menos sorprendió a tres parejas en situación comprometida, pero el caso es que no encontró a la que estaba buscando.

Solo quedaba una habitación en la planta donde no había buscado. Miró hacia la escalera de caracol y se dijo a sí mismo que Lily no podía ser tan osada como para haber subido a la primera planta.

Así que abrió la puerta de la última habitación y asomó la cabeza. Con el rabillo del ojo percibió un movimiento furtivo, así que forzó el oído y atravesó el umbral. Si Camfield la tenía allí, en la oscuridad...

—Deje que le encienda la luz, caballero.

Avery se dio la vuelta de golpe y casi chocó con el anfitrión. Camfield pasó junto a él y encendió el aplique de gas de la pared. La habitación se iluminó. Era una biblioteca atiborrada de sillones de piel, con las ventanas cubiertas por unas pesadas cortinas de color burdeos y paredes decoradas con un papel a rayas color aceituna.

—¿No entra? —preguntó Camfield, extendiendo un brazo ante él.

Avery entró.

Camfield sacó una caja de puros del bolsillo interior de su camisa, abrió la tapa de plata adornada con sus iniciales y se la tendió.

—¿Un puro? Cubano.

En el rostro del hombre no había la más mínima animosidad. Tenía un aspecto completamente afable, el anfitrión absoluto. Si Avery hubiese descubierto a algún tipo fisgando por Mill House, abriendo y cerrando puertas, desde luego no le habría invitado a fumarse un puro. Parecía que iban a comportarse como caballeros. Y por una vez en la vida, Avery odiaba tener que hacerlo.

—Gracias —dijo Avery, aceptando el puro y el fuego. Lo aspiró con cortas y rápidas caladas. Desde luego, era un buen puro.

—¿Coñac? —preguntó Camfield.

—No, gracias.

—Supongo que, después de sus aventuras, este tipo de actos le resultan de lo más aburrido e insulso —comentó Camfield encendiendo su puro.

—En absoluto.

—Por si no se ha dado cuenta, mis hermanas están locamente enamoradas de usted.

—¿Y quiere advertirme al respecto? —preguntó Avery, expectante y feliz ante la posibilidad de una buena discusión.

Así pues, finalmente había una razón para que pudieran tener una conversación civilizada en la biblioteca como dos caballeros.

—No, por el amor de Dios —exclamó Camfield—. En absoluto. A decir verdad, sería un alivio que por lo menos una de ellas estuviera colocada. No se me ocurre objeción alguna hacia su persona; un buen apellido, una familia antigua y respetable. Desde luego, si está interesado, haga lo que tenga que hacer.

—Oh —musitó Avery desilusionado. Y dando otra calada al puro, añadió—: Bueno, siento decirle que no estoy interesado.

—No —dijo tristemente Camfield—. Ya lo suponía. —Y después de un instante de silencio, le preguntó—: ¿Qué le parece mi casa?

—Muy bonita.

—La tenemos desde hace... cuatro años —dijo soltando una carcajada—. Los Camfield somos de Derbyshire. Nuestras posesiones son restringidas, así que soy yo el que tengo que empezar la dinastía. Debo decir que, de momento, me está yendo bastante bien. De hecho, estoy a punto de incrementar mis propiedades. El problema es que todas las tierras de por aquí tienen dueño. Todas excepto Mill House.

—Mill House tiene propietario.

—Sí —le concedió Camfield—. Pero ¿quién es? ¿La señorita Bede o usted? Supongo que en unas semanas sabré con quién tengo que negociar.

—¿Quién le ha explicado eso? —preguntó Avery.

—La señorita Bede.

—Son ustedes íntimos, ¿verdad? —comentó Avery, apartando el cigarro de su boca y dejando caer la ceniza en un cenicero de plata con actitud despreocupada.

—¿Íntimos?

—Usted y la señorita Bede. Se hacen confidencias el uno al otro y todo eso.

—Oh —musitó Camfield, parpadeando nervioso como si el rumbo de la conversación le hubiera cogido desprevenido—. Sí, la señorita Bede es una buena mujer. Es muy inteligente y está bastante al tanto en todo lo referente a la metodología agrícola.

De momento, Avery no se lo tragaba. Tenía una obligación para con Lily como su... como su nada, pensó con rabia. No tenía derecho alguno a cuestionar la relación de Camfield con Lily. Pero tampoco eso iba a detenerle.

Solo había una razón por la que un hombre buscaría establecer una relación íntima con una mujer con la que no tuviera intención de casarse. Por su bien, era mejor que Camfield no estuviera al tanto de las opiniones de Lily con respecto al matrimonio. ¡Maldito sea!

—¿Cuáles son sus intenciones para con la señorita Bede? —preguntó Avery, impacientándose con aquella conversación tan poco clara.

—¿Mis intenciones para con la señorita Bede? —preguntó boquiabierto Camfield, con los ojos como platos. El cigarro se le quedó colgando del labio inferior—. No le entiendo.

—Vamos, hombre. La señorita Bede no tiene a nadie que vele por sus intereses, y puesto que vive con mi familia... —continuó Avery.

—No tengo relación alguna con la señorita Bede —dijo Camfield, todavía con expresión sorprendida—. La admiro y la respeto, eso es todo.

—Entonces ¿por qué vino con su familia a visitarla?

Camfield enrojeció.

—Mis hermanas querían verle a usted y, claro, eso implicaba presentarse ante la señorita Bede. Les dije que no podían mostrarse tan insufriblemente altaneras —continuó—, me refiero a que nadie les estaba pidiendo que se convirtieran en íntimas amigas de la muchacha, ¿entiende? Pero alguna visita ocasional, invitaciones a las fiestas más multitudinarias y más populares, ese tipo de cosas a ellas no les haría ningún daño y a mí, sin duda, me ayudarían.

—¿Ayudarle? —preguntó Avery con una voz engañosamente neutra.

—Sí —confesó Camfield—. Creo que a estas alturas ya sabrá que tengo intención de hacer una oferta por Mill House y sus tierras. Mantener una relación cordial con el propietario de un bien que uno desea se diría que es simplemente un buen negocio. —Y con una sonrisa, concluyó—: Con cualquiera de sus potenciales propietarios. ¿Le apetece ese coñac?

—No —dijo Avery, apagando el puro en el cenicero de cristal que había junto a él—. ¿Así que su cortesía para con la señorita Bede ha sido una mera cuestión de conveniencia?

—Sí —asintió un pletórico Camfield—. Dios mío, amigo, ¿no habrá imaginado por un instante que era alguna otra cosa? Bueno, la señorita Bede es una mujer atractiva, un atractivo algo exótico, pero por supuesto no es alguien a quien uno pueda cortejar en serio. Y por el amor de Dios, soy un caballero. Yo jamás entablaría con una mujer algo que no fuese una unión respetable, incluso con una mujer como Lillian Be...

No pudo terminar de pronunciar su nombre.

Lily se atusó el cabello y se dio unos pellizcos en las mejillas para devolverles el color antes de abandonar el tocador de señoras. Afortunadamente, una de las criadas de los Camfield le había proporcionado aguja e hilo y así había podido coser el volante de encaje que se había soltado del vestido de Evelyn, un contratiempo causado por el pisotón de un caballero que no había parado hasta sacar a bailar a la viuda Thorne.

Lily miró el reloj de pared al salir de la habitación y se dio cuenta de que había tardado más de lo previsto, pero no le importaba.

Apenas había hablado con nadie en toda la velada, a excepción de algunas mujeres fascinadas que la habían arrinconado unas horas atrás para pedirle que les mandase información sobre la próxima reunión de la Coalición para la Emancipación Femenina. Un joven caballero la había sacado a bailar, pero la poca alegría que podría haberle proporcionado el baile se esfumó cuando se dio cuenta de que el joven alardeaba del logro lanzando miradas triunfales a sus amigos. Rechazó la siguiente invitación.

Una vez su vestido hubo recuperado la gloria inicial, Evelyn sintió una tremenda jaqueca y aceptó el ofrecimiento de los Camfield de retirarse a uno de sus dormitorios; Francesca bailaba en medio de un grupo de atentos caballeros. Parecía una luciérnaga planeando en un prado a medianoche. Y la última vez que Lily había visto a Avery, estaba inclinado sobre la preciosa Andrea Moore.

Se detuvo en la antesala que conducía al salón de baile, sintiéndose repentinamente vacilante. No deseaba ver a Avery en brazos de otra mujer, aunque fuese solo en un baile. Qué estupidez. No tenía ningún derecho sobre él.

Todas sus fantasías acerca del tierno corazón y de la compasión de Avery habían sido construidas a partir de un caso de alergia. Hizo acopio de fuerzas para entrar en el salón y en ese momento oyó la voz de Martin a través de una puerta entreabierta que había junto a ella:

—Por supuesto, no es alguien a quien uno pueda cortejar en serio. Y por el amor de Dios, soy un caballero. Yo jamás entablaría con una mujer algo que no fuese una unión respetable, incluso con una mujer como Lillian Be...

Su discurso fue interrumpido abruptamente por el ruido de un golpe sordo.

Lily sintió cómo todo su cuerpo se cubría de un vergonzoso sonrojo. Se dio la vuelta de golpe y prácticamente chocó con una de las hermanas Camfield. ¿Molly, quizá? En el rostro de la chica hubo una expresión de desagrado momentánea, sustituida inmediatamente por su sonrisa de anfitriona.

—Oh, señorita Bede, espero que esté disfrutando. ¿Buscaba un lugar donde tomar un poco el aire? Puede utilizar...

En ese momento la puerta se abrió de par en par. Martin

Camfield salió por ella a trompicones. Tapaba su mejilla izquierda con la mano pero no había forma de disimular la hinchazón que cubrían sus dedos. Miró sorprendido primero a su hermana y después a Lily, antes de que la palidez de su rostro se transformase en sonrojo.

—¡Martin! —gritó Molly Camfield—. ¿Qué te ha pasado en el ojo?

—Oh, bueno, qué estúpido soy, me he dado contra una puerta —murmuró—. Será mejor que vaya a la cocina y me ponga algo de hielo.

Bajó la cabeza un instante y atravesó el vestíbulo a toda prisa.

—Vaya. ¡Martin nunca ha sido especialmente patoso! Me pregunto...

La aparición de Avery interrumpió la frase de la joven. Salió de la biblioteca con el ceño fruncido y los nudillos de la mano derecha enrojecidos.

—¡Señor Thorne! —exclamó Molly—. ¿Qué le ha pasado en la mano?

—Me he dado un golpe con una estúpida puerta —musitó pasando de largo y sin detenerse.

22

—¿No crees que deberíamos haber insistido a Francesca para que volviese a casa con nosotros? —preguntó Lily
cuando el silencio en el interior del carruaje se hizo insopor-
table.

—Podríamos haber insistido —contestó Avery con la mirada perdida en el campo—, pero no habría sido buena idea.
Estaba siendo objeto de admiración.

—¿Y estás seguro de que Evelyn se había marchado ya?
Lily apenas pudo distinguir su gesto de asentimiento.

—Sí, algún vecino la habrá llevado a casa. No pensarías
que iba a dejar a Bernard solo más de una hora, ¿verdad?

Lily no supo qué responder, así que se quedó callada, satisfecha de contar con la oscuridad del rincón del carruaje en
el que se hallaba para estudiar a Avery.

La luz de la luna bañaba su rostro con una luminosidad
gélida que hacía que su tez morena pareciese aún más oscura
en contraste con el cuello de un blanco inmaculado de su camisa y su blanca corbata. El viento de la noche le había desordenado su cabello y le caía revuelto por la frente.

Para Lily, era la criatura más extravagantemente masculina que nunca hubiera podido soñar. Su elegante traje no va-
riaba esa impresión; solo conseguía acentuar su amplitud de
hombros, su altura y su musculatura.

Y tuviese o no su aprobación, por irracional o enfermizo

que fuese, Avery se preocupaba por ella. Sintió una oleada de placer y, por una vez, dejó que la embargase.

—No tenías por qué golpearle —le dijo.

—¿Golpear a quién? —respondió con tanta rapidez que Lily supo que había estado esperando que saliese el tema—. No sé de qué me estás hablando.

—Martin Camfield. Estaba en el vestíbulo. Oí lo que dijo; bueno, mejor dicho, lo que iba a decir.

—Qué acusación más extraordinaria —dijo Avery ahogando un estornudo—. Soy un caballero. No voy por ahí golpeando a los anfitriones. Te aconsejaría que refrenases esa afición que tienes a escuchar detrás de las puertas; solo consigue que se te desboque esa imaginación tuya tan vívida.

Pero Lily lo sabía y nada de lo que Avery pudiera decir iba a borrar esa certeza.

—Le golpeaste porque pensaste que había estado jugando con mi afecto —replicó.

Avery se dio la vuelta, pero sus rasgos seguían ocultos en la oscuridad del carruaje. Solo su cabello rubio parecía brillar a la luz de la luna como un extraño metal.

—Si tuviera intención de golpear a alguien —dijo despacio—, supongo que esa sería alguna de las pocas razones que lo justificarían. Hay que ser muy canalla para intentar hacer daño a una mujer.

—Puesto que estamos hablando de la hipotética circunstancia en la que un caballero golpea a otro justificadamente, ¿puedo añadir otra hipotética variante a la situación?

—Bueno.

—Supongamos que el caballero defensor ha malinterpretado la implicación de la mujer. Puede que la dama hubiera sabido desde el principio que el caballero la estaba adulando para allanar el camino de cara a una posible negociación futura. ¿Estaría igualmente justificado que el caballero defensor diese una paliza al anfitrión?

—Un puñetazo no puede considerarse de ningún modo una paliza —dijo Avery.

—Entiendo.

Se hizo el silencio, solo interrumpido por el ruido de los dedos de Avery golpeando el marco de la ventana y sus estornudos.

—¿Dejaste que Martin Camfield te adulase sabiendo que lo hacía para sacar algo de ti? —le preguntó finalmente.

—Sí.

Lily escudriñó en la oscuridad. A pesar de que la luz de la luna entraba por detrás de Avery, no logró leer la expresión de su rostro.

—¿Por qué lo permitiste?

—Es el único hombre que ha hecho algo parecido a cortejarme —admitió, confiando en que la oscuridad disimulase su sonrojo—. Y además, no puede decirse que sus tibias galanterías fuesen precisamente adulaciones. Tu beso fue mucho más...

Se calló, sorprendida ante lo que casi acababa de decir y de admitir. Confundida, se acurrucó más aún en su rincón.

Lily sentía que la abrumaba la presencia de Avery, la fragancia del lino fresco, el ángulo de su mandíbula, recién afeitada y suave como el mármol, iluminada por la luz exterior, su voz profunda y ronca.

—Camfield es un idiota —murmuró Avery.

Levantó una mano y ella contuvo la respiración. Despacio, pasó los nudillos por los rizos que le caían a Lily por el hombro.

—¿Tibias galanterías? Si yo fuera...

Avery acercó su boca y Lily sintió que era atraída hacia él. Pasó las puntas de sus dedos por la curva de la mejilla de la joven, las deslizó por su barbilla y levantó su rostro, haciendo que la luz de la luna lo iluminase.

Lo vería, se dijo Lily, se daría cuenta de cuánto le amaba. ¿Y de qué iba a servirles a ninguno de los dos?

—¿Cómo puede alguien reaccionar con tibieza ante ti? —preguntó con voz queda Avery.

Lily se acercó más y, aunque no quería, Avery volvió a tocar aquella mejilla con sus nudillos. Giró su mano y transformó aquel tacto en una caricia.

Ella cerró los ojos y movió su mejilla rozando las puntas de los dedos de Avery, que temblaron contra su piel, se deslizaron por encima de sus párpados y repasaron su labio inferior.

—Lily... —musitó Avery sonriendo—. Eres tan increíblemente hermosa. Desearía...

Ella también lo deseaba. Pero no quería oír cómo él daba forma a sueños que nunca podrían hacerse realidad. Les separaban demasiadas cosas: una casa, una herencia, y, sobre todo, un futuro que nunca podrían compartir. Él jamás viviría compartiendo una unión no legalizada, y ella jamás viviría sujeta legalmente a un hombre.

—Chist —imploró con los ojos llenos de lágrimas.

No quería que aquel instante acabase nunca. No quería dejarle marchar.

Lily volvió su rostro y besó la cálida palma de la mano de Avery. Oyó el ruido sordo de su respiración, y un momento más tarde él la había cogido en brazos, la había envuelto en su poderoso abrazo y se hallaba medio tendida sobre él en aquel oscuro y maravilloso carruaje, mecida suavemente en un vacío intemporal.

Avery le sujetó la nuca con una mano y con el otro brazo le rodeó la cintura. Le rozó la sien con los labios y los trasladó hacia su mejilla, hacia su boca.

—Dios mío, Lily, has encendido en mí...

—¡Fuego! —gritó Hob desde lo alto del carruaje—. ¡Dios Santísimo! ¡Hay fuego en los establos!

Lily se apartó de Avery de un salto, se puso de rodillas sobre el asiento y asomó medio cuerpo a través de la ventanilla del carruaje. Clavó sus ojos en los establos de Mill House. Detrás, una de las montañas más altas de heno brillaba como un faro y el viento hacía que las potentes lenguas de fuego que la cubrían se acercasen hasta los aleros del edificio situados más al sur, comenzando a devorarlos. Un humo intenso cubría ya el establo, penachos de aire malsano alzándose hacia el oscuro cielo nocturno.

—¡Deprisa!

Pero Hob ya había empezado a blandir su fusta sobre la yegua. Esta salió disparada y solo unas manos fuertes sujetándola por detrás impidieron que Lily, con medio cuerpo fuera, se cayese del carruaje.

—¡Vas a matarte! —dijo Avery, obligándola a sentarse frente a él y quitándose la americana. Se arrancó la corbata blanca de seda de un tirón, destrozando el cuello de la camisa.

El carruaje avanzaba a toda prisa por el desigual camino y Lily se agarraba al marco de la ventana con los ojos fijos en los establos.

—¡Mis caballos! —dijo entre sollozos—. Mis caballos.

Sintió que una mano la agarraba del brazo con fuerza y se vio obligada a mirar de frente a Avery.

—No te acerques a los establos —le ordenó—. Necesito gente preparada. Ve a casa de Drummond y que traiga a los jornaleros. Busca cubos, mangueras, pero mantente alejada de los establos. ¿Me has entendido?

—¡Mis caballos!

Avery la zarandeó.

—Sacaré a tus malditos caballos, te lo juro. Ahora prométemelo.

Lily asintió rápidamente y él la soltó. Abrió la puerta del carruaje justo cuando Hob empezaba a tirar del freno de mano. Dio un salto y cayó y rodó por el suelo. Se puso en pie enseguida y corrió en dirección al edificio en llamas. Para entonces, medio techo estaba cubierto de lenguas naranja de fuego que con su delicada apariencia y su voraz silbido estaban consumiendo la madera.

El carruaje se detuvo y Lily vio a Hob saltar y dirigirse hacia los establos. En algún lugar se oyó sonar una campana que alertaba del fuego a todos aquellos que estuvieran cerca. Lily abrió la puerta y cayó al suelo. Los tacones se le enredaron en la falda de seda y dio un grito de desesperación, rasgó el traje y corrió hacia el establo.

Ella era la persona más preparada de Mill House. Todos los cubos estaban en los establos y la bomba de la cocina se hallaba demasiado lejos para poder servir como fuente de agua. Pero el pozo que hacían servir para llenar los abrevaderos se encontraba junto a los establos.

Se levantó las faldas y echó a correr.

Fue una suerte que estuvieran los jornaleros. Aquellos veinte hombres que habían sido contratados para la cosecha de junio ya estaban revoloteando alrededor del montón de heno y de los establos, pero como si fueran hormigas atacadas por una termita, sus febriles movimientos resultaban desordenados e ineficaces. Algunos de ellos sacudían los rastrojos de heno que llegaban hasta el granero con mantas, mientras otros echaban agua en los lugares menos apropiados.

Si el fuego llegaba al granero, Mill House estaría perdida. Martin Camfield podría poner el precio que quisiera a lo que quedara en pie.

Avery empezó a dar órdenes a gritos con absoluta resolución. En diez minutos tenía a un grupo de hombres cavando un cortafuego entre los establos y el granero, otro grupo conteniendo el heno en llamas y una fila de muchachos echando agua sobre el techo del establo. Tenía el aire atravesado en el pecho, aprisionándole la garganta, una capa de acero apretándole los pulmones.

El viaje en el carruaje, rodeado de una atmósfera equina, el humo y el olor del heno, el aire seco y caliente, le conducían inexorablemente a un ataque. Pero no tenía tiempo para eso.

Por encima del fuego, llegó el sonido de relinchos desesperados. Los cascos de los caballos golpeaban las puertas de las cuadras y las paredes laterales de sus encierros. Los caballos de Lily.

Se quitó la camisa, la hundió en un cubo de agua y se la

ató alrededor del rostro. Notaba el aire escasear en sus pulmones. Lanzó un sinfín de maldiciones, dándose cuenta de que casi no tenía aliento siquiera para maldecir. Hundió el rostro en su antebrazo y entró en los establos.

A su alrededor todavía había solo un humo blanco. Pudo identificar los pestillos de las cuadras. Corrió uno de ellos y se hizo a un lado. La yegua se quedó dentro. Estaba desorientada, encabritada y con los ojos desorbitados.

Avery movió el brazo pero la yegua retrocedió mostrándole los dientes y bajando las orejas.

—¡Maldita estúpida burra! —gritó Avery. Apartó la camisa de su rostro y envolvió con ella los ojos del animal, utilizando las mangas para hacer el nudo. Tiró con fuerza de aquella herramienta cegadora provisional y consiguió sacar la mitad de su cuerpo de la cuadra. Le arrancó la camisa y le dio un buen golpe en la grupa. La yegua corcoveó una vez más y salió disparada afuera del establo.

Avery se agachó aspirando algo de aire. Notó que todos sus músculos temblaban por la falta de oxígeno, que la visión se le nublaba.

—¡No! —gritó salvajemente.

Renqueante, se dirigió hacia la siguiente cuadra. Por suerte, ese caballo no puso objeciones para huir. Avery movió el pestillo y el animal saltó, resbalando y tropezando en sus prisas por escapar.

Otra cuadra, otro caballo. Con cada paso, la niebla de humo blanco se hacía más espesa. Avery comenzó a toser, dejando escapar el poco y preciado aire que le quedaba en sus pulmones paralizados. Alargó su mano temblorosa y empapada en sudor para alcanzar el pestillo, pero estaba demasiado débil.

Dentro podía ver la figura fantasmal de un caballo luchando desesperadamente por un poco de aire en su prisión llena de humo.

Lily le mataría si les pasaba algo a sus caballos. Cayó de rodillas. Dos caballos más. No podía oírlos, no podía oír nada.

Un pitido sordo había sustituido el silbido y el crepitar de la madera ardiendo. Las llamadas frenéticas de los últimos caballos habían remitido. Notó la paja clavándose en la palma de sus manos y el dolor le hizo tener un último momento de lucidez.

Lily no tendría que matarle. Ya estaba muerto.

Lily vio a Avery entrar en los establos. Incluso iluminada por el rojo intenso del fuego y medio cubierta por la camisa sucia y empapada, su cara estaba pálida como la cera. Tenía el torso y los musculosos brazos empapados en sudor y andaba medio agachado, como si estuviera doblado por el dolor.

Un minuto más tarde, salió India de los establos. Sus pezuñas y sus cascos parecían golpear el suelo a ritmo de picado. Después se perdió en la noche. Le siguió un enorme caballo castrado e inmediatamente salieron, uno detrás de otro, cinco de los siete caballos restantes. Los demás estaban en el prado.

Lily siguió trabajando. Le dolían los brazos de tanto bombear agua en los cubos. A su alrededor, ardían sus sueños, acompañados del crepitar de la madera —como una risa maníaca— y del dulce y espeso aroma de la hierba quemada. Los hombres gritaban, las campanas repicaban sin cesar pidiendo ayuda, y dentro de los establos se oyó aullar a un caballo.

Uno de los jornaleros, con el rostro lleno de ampollas por haber estado demasiado cerca del fuego, acudió y se hizo cargo de la bomba de agua. Llamó a sus compañeros y empezó a mover la manivela con una fuerza que Lily no podría igualar. Se apartó de su camino y sus pies la llevaron junto a la entrada del establo. Asomó la cabeza para intentar ver algo en medio del humo.

Hacía varios minutos que había salido el último caballo. El irritante humo se movía despacio, más espeso junto al techo y sobre el suelo. Lily se agachó y aguzó la vista.

Uno de los caballos se movía dentro de la cuadra. En los oídos de Lily resonó el ruido de la madera al astillarse y sus relinchos desesperados. ¿Dónde estaba Avery? Se metió dentro del establo y abrió la puerta de la cuadra.

—¡Vamos! —gritó.

El caballo liberado salió gimiendo del establo con la boca llena de espuma y los ojos desorbitados. Lily se dirigió a la última cuadra y liberó a su ocupante. Avery... Dios mío, era alérgico. Desesperada, miró a su alrededor.

Entonces le vio, tumbado en el suelo al final del establo. En un instante, Lily había corrido por el pasillo y se hallaba de rodillas junto a él. Le agarró de los brazos y le dio la vuelta. Tenía la cara oscura, cubierta de suciedad.

—¡Avery! —gritó, abofeteándole la cara dos veces con fuerza—. ¡Avery!

Avery lanzó un gemido y su cabeza cayó a un lado. No iba a ser capaz de salir de allí por sí mismo.

Lily gritó. Gritó tan fuerte y tanto tiempo como pudo, pero el rugido del fuego consumió su chillido con la misma facilidad con la que estaba consumiendo el tejado. Sus gritos de ayuda se transformaron en espasmos de tos ahogada.

Nadie podía oírla. No había tiempo para salir en busca de ayuda. Los ojos le picaban y la garganta le quemaba. Tenía que sacarle de allí.

Cogió las bridas de India, que colgaban junto a su cuadra, y se arrodilló. Ató las botas de Avery, primero una, después la otra, a las bridas. Dejó unos centímetros de cuero suelto en medio y, colocándose entre las piernas de Avery, levantó las correas de cuero y tiró de ellas. El cuerpo inerte se levantó unos milímetros. Lily reajustó las bridas alrededor de sus caderas y, como una mula con sus arreos, tiró hacia delante, rezando para que las correas aguantasen el peso del hombre.

Se movió. Lily dio un paso, después otro, ahogándose y tosiendo, con los ojos bañados en lágrimas y sus secos pulmones suspirando por una gota de aire. Paso a paso, le arrastró por todo el pasillo y finalmente salieron al exterior. Cayó rendida junto a él, chorreando de sudor y con el vestido destrozado.

No había tiempo para desmoronarse. Con piernas temblorosas, se arrodilló junto a Avery y apoyó una oreja en su pecho desnudo. Lejano, pudo oír el latido de su corazón, un latido rápido pero acompasado. En sus oídos resonó un silbido que parecía el sonido del viento intentando atravesar una chimenea con el tiro taponado.

Todavía sin haber recuperado el aliento, Lily se arrastró detrás de él, le levantó y le apoyó en su regazo. La cabeza le cayó inerte sobre el hombro.

—Vamos, Avery —musitó Lily con voz quebrada, dejando que las lágrimas le rodasen por las mejillas—. ¡Despierta, maldita sea!

Meció su cuerpo entre gemidos, rodeando toda su corpulencia fuertemente con sus brazos.

—Hombre autoritario y dominante, ¿es que no quieres gritarme por haberte desobedecido?

Cerró los ojos y se mordió el labio con fuerza. Avery no podía morir. Era demasiado terco, demasiado vital, demasiado fuerte. Y ella no podía perderle. Le amaba demasiado.

—Soy... soy un caballero —oyó decirle entre ahogos—. Nunca grito a las mujeres.

23

Dos días después del incendio, el aire seguía teniendo el acre olor a ceniza húmeda. Lily deambulaba por la silenciosa galería del segundo piso. Se detuvo a observar el establo carbonizado. Parecía arder de nuevo a la luz del anochecer.

Gracias a Dios, Avery se iba a poner bien. Solo pensar en la imagen de su cuerpo tendido en medio de aquel horror de madera y ceniza, se ponía a temblar. Apartó la imagen de sus pensamientos.

Avery se pondría bien. Ya se estaba recuperando. Su respiración era más acompasada y la sombra gris había ido desapareciendo de su piel. Las únicas cicatrices visibles que le quedaban eran las largas y duras marcas en la espalda y en los hombros causadas por las correas con las que Lily le había arrastrado por el suelo.

De algún modo habían logrado que se quedara en la cama todo el día anterior. Cierto era que había acribillado a insultos a todo el que había osado entrar en su habitación, pero se había quedado en la cama de todos modos.

Pero aquella mañana se había levantado mucho antes que ella, se había apropiado del carruaje y se había marchado. No sabía adónde había ido ni cuándo volvería.

Ah, bueno —pensó Lily—, tenía mucho que hacer, muchas cosas que ver y, sobre todo, tenía que encontrar a alguien para reconstruir sus establos.

Sus establos.

Lily dirigió la mirada hacia el prado del sur. A la luz del ocaso, las balas de heno brillaban como si fueran lingotes de oro expuestos sobre el verde tapete de una mesa de juego. Afortunadamente, no había habido mucho viento dos noches atrás. El fuego no logró llegar al granero ni extenderse a las otras balas de heno. Podría haber sido peor. El nuevo propietario de Mill House podría haber heredado una ruina.

Pero para el actual propietario de Mill House, el fuego había resultado desastroso. Lily no podía, de ningún modo, permitirse el gasto de reconstruir los establos, ni siquiera recuperar el dinero que representaba la pérdida de una partida entera de heno. La propiedad había entrado en pérdidas bajo su dirección.

Había perdido Mill House.

Se sentía ajena a aquel enunciado, como si estuviera enterándose de un episodio desgraciado de la vida de un extraño. ¿Por qué había ocurrido? La pregunta resonaba en su cerebro con monótona regularidad. ¿Cómo era posible que se hubiera prendido fuego en el heno tras una tormenta tan reciente?

No hacía suficiente calor y el heno no llevaba tanto tiempo apilado como para que ardiera espontáneamente como ocurría a veces con el forraje compacto. No había explicación alguna para que hubiera habido fuego cerca de la pila de heno, y mucho menos para que alguien le hubiera prendido fuego deliberadamente. Y esta última posibilidad no quería ni contemplarla.

¿La lámpara de algún encuentro furtivo? ¿Alguno de los hijos de los jornaleros que quería fumarse un cigarrillo donde sus padres no pudieran encontrarle? Salta una chispa, el fuego prende, el chiquillo se asusta y los sueños y la vida de Lily se convierten en humo. Había perdido Mill House.

Y había perdido a Avery Thorne.

Había creído que nada podía dolerle tanto como la pérdida de Mill House, pero estaba equivocada. Cuando abandonase aquel lugar, no solo dejaría atrás su hogar, sino cualquier razón para ver a Avery Thorne. No habría pretexto alguno para que volviesen a encontrarse, ninguna excusa para intercambiar palabras, ni escritas ni habladas. La tenue ligazón que les había mantenido juntos durante cinco años había desaparecido, se había roto; no, se había quemado.

Sintió que de lo más profundo de su ser surgía un escalofrío que iba expandiéndose y ganando fuerza. Acabó temblando de los pies a la cabeza frente a la ventana, con la mirada perdida en el exterior y sin poder evitar copiosas lágrimas, consciente de la desolación que la envolvía.

Nunca volvería a verle. A no ser que se plantase como una vagabunda en el camino principal, mirando fijamente hacia la calzada de piedras a medianoche, buscando su silueta recortada en la ventana brillantemente iluminada. Y eso no lo haría jamás. Porque si lo hacía, puede que él la viese, viese a la mujer con la que podría haberse casado, la mujer que podría haberse convertido en la madre de sus hijos, su amante y su compañera. Y era una angustia que no podía ni imaginar.

Había perdido a Avery Thorne. No es que antes hubiera tenido nada suyo, tan solo su ingenio, su apasionada oposición, y todos aquellos momentos tan breves en los que la había abrazado. Y, claro está, el saber que le amaba, una certeza que se había apoderado de ella mientras luchaba para que respirase.

Probablemente había empezado a amarle poco después de iniciar su correspondencia, pensó. Cada vez que ella había lanzado el guante en actitud desafiante, Avery lo había recogido. Había discutido acaloradamente cada tema que ella había sacado a colación. Y aunque la había irritado a menudo y la había provocado intencionadamente, una vez sumidos en la discusión, jamás había tratado las opiniones de Lily con condescendencia.

De hecho, cada una de sus palabras sobre el papel había sido muestra del respeto que Avery sentía por ella. Jamás había ignorado sus observaciones ni había infravalorado sus opiniones a causa de su género. Es verdad que a veces las me-

—Mill House no es el mejor sitio para el romanticismo ahora mismo —añadió Polly—. Los establos ardiendo no son un buen acicate para los abrazos. Esos dos han estado dando vueltas el uno alrededor del otro como dos gatos en un granero. —Y echando un vistazo a Bernard, que seguía sumergido en un grueso volumen forrado en piel, añadió—: Creo que podemos olvidarnos de que la señorita Bede y el señor Thorne se hagan amigos.

Evelyn negó con la cabeza.

—Eso es lo que yo esperaba, pero quizá, por el bien de Lily, todo esto sea lo mejor.

—Tonterías —dijo Polly, con tanto énfasis que Evelyn echó un vistazo a Bernard y después hizo un gesto de advertencia a su compañera.

Polly enrojeció, pero, por el gesto de su barbilla, Evelyn supo que su intención era pasar a la acción o dar una opinión comprometida.

—Si la señorita Bede ama a ese hombre (y parece un hombre decente), pero no hace nada al respecto, estará... mal. —Hizo una pausa y se aclaró la garganta—. El amor no es una recompensa, es una oportunidad. Una oportunidad de ser algo más. Cuando un hombre o una mujer tienen esa oportunidad, deben aceptarla, sea cual sea el riesgo. El amor es importante, Evelyn.

—Sí —dijo Evelyn asintiendo despacio.

—¿Estás de acuerdo?

—Sí —dijo con voz más rotunda.

—Bien.

Polly exhaló un suspiro y su momentánea vulnerabilidad desapareció bajo su expresión de consternación.

—La señorita Thorne era la persona más indicada para convencer a la señorita Bede de esto, pero se ha marchado y no hay nadie en esta habitación que, por naturaleza, posea los dones o la experiencia para ejercer de Cupido.

—Totalmente cierto —suspiró Evelyn—. ¿Qué vamos a hacer?

Polly golpeó sus muslos con la palma de las manos y Bernard levantó la vista.

—Oh, no se preocupe por equivocarse de vez en cuando con un punto, señorita Makepeace —dijo Evelyn elevando el tono de voz—. Lo está haciendo maravillosamente bien. —Y bajando la voz, añadió—: En voz baja. Bernard estaría tan disconforme si supiera lo que tramamos...

Polly asintió, indicándole que se daba por enterada.

—De acuerdo —susurró—. Volviendo a la señorita Bede, lo primero que tenemos que hacer es saber cuáles son sus planes para el futuro más inmediato. ¿Por qué no le dices que entre, Evelyn?

—Por supuesto —dijo Evelyn, levantándose y lanzando una mirada furtiva hacia el rincón donde estaba su hijo. Bernard pasó una página del libro.

Fue directamente a la habitación de Lily y llamó a la puerta discretamente. No hubo respuesta. Pensó que Lily debía de estar en la biblioteca, así que se dirigió hacia las escaleras, pero en ese momento oyó pasos en el pasillo superior. Se detuvo, preguntándose quién sería.

Avery dormía en ese piso, pero los pasos eran demasiado suaves para ser suyos. Era demasiado tarde para que Merry o Kathy estuvieran trabajando y, además, Teresa y sus gemelas necesitaban su cortejo nocturno y no estarían nada satisfechas si hubiera ausencias. Solo quedaba Lily.

¿Lily? Evelyn debía averiguar si era ella. Despacio y con cuidado, subió al tercer piso. Asomó con cautela la cabeza y miró fijamente al pasillo poco iluminado.

Lily caminaba por delante de la puerta de Avery Thorne con nerviosismo, arriba y abajo, retorciéndose las manos con ansiedad y hablando consigo misma. De vez en cuando, se detenía de forma abrupta, cuadraba los hombros y miraba con resolución hacia la puerta cerrada. Después, de forma igualmente repentina, dejaba caer sus hombros y empezaba a andar arriba y debajo de nuevo.

¿Por qué Lily haría...?

¡Pero claro!

La sonrisa que se estaba formando en el rostro de Evelyn se congeló. La chica nunca haría... algo... con todos ellos deambulando por la casa. Bueno, entonces —pensó Evelyn con una resolución muy poco propia de ella— simplemente tendrían que dejar la casa despejada, armando un buen barullo y dejando claro que no iban a volver enseguida.

Se levantó las faldas y, de puntillas, bajó rápidamente las escaleras; al llegar a la planta baja, por primera vez desde que era una chiquilla, arrancó a correr. Cogió el sombrero y la capa del perchero de la entrada y entró rápidamente en la sala de estar.

—¿Qué pasa, Evelyn? —preguntó sorprendida Polly, poniéndose en pie sin acordarse del yeso que cubría su pierna.

—Tenemos... tenemos que ir a la ciudad —dijo una jadeante Evelyn.

Bernard levantó la vista.

—¿A Little Henty? —preeguntó, refiriéndose a cuatro calles que albergaban una tienda de ultramarinos, un almacén y un pub que hacía las veces de posada—. ¿Para qué?

—A Little Henty, no, a Cleave Cross —dijo Evelyn.

—Pero Cleave Cross está a treinta kilómetros de aquí —dijo Bernard alucinado—. Son las ocho de la tarde. ¿No podemos ir mañana por la mañana?

—No, quiero estar allí a primera hora para ver el amanecer en el puerto. Es una especie de fiesta para... para la señorita Makepeace.

Polly abrió los ojos de par en par sin poder dar crédito.

—Se pasa el día aquí aburrida sin poder moverse, y con este olor nauseabundo a ceniza mojada, se está encontrando fatal. ¿No es verdad, querida?

—Ah —dijo Polly con un bostezo—. Sí.

—¿Ves, Bernard? Ve a preparar una maleta, una bolsa para pasar la noche fuera simplemente, y ve a buscar a Hob.

—Bueno, está bien —dijo Bernard, desperezando su larga figura. Se levantó de la silla y dejó el libro a un lado—. Le diré a la señorita Bede que se prepare también.

—¡No! —gritó Evelyn.

Después lanzó una sonrisa nerviosa al desconcertado Bernard.

—Bueno, no, no será necesario. La señorita Bede no viene.

—Ah.

—Mañana vienen los carpinteros para ver cómo reconstruir el establo.

—¿Y el primo Avery? —preguntó Bernard, denotando cierta sospecha en la voz.

—También se queda —dijo Evelyn dulcemente.

Una vez lanzada la primera mentira, descubrió que el resto le venía a la boca como por arte de magia.

—Supongo que eres consciente de que será él quien corra con los gastos de la reconstrucción, Bernard. Es evidente que querrá estar y ayudar en las decisiones que haya que tomar.

Hablaba con bastante más autoridad de lo habitual y podía darse cuenta de que Bernard estaba perplejo. En el fondo, estaba rezando para que su hijo no le hiciera más preguntas. No eran muchos los obstáculos que podía saltar en un solo día, y en aquella ocasión le daba la impresión de que ya había saltado más de la cuenta.

Bernard la observó durante un largo minuto y finalmente, encogiéndose de hombros —o eso pareció—, hizo una educada reverencia en dirección a Polly.

—Iré a por mi bolsa.

Veinte minutos más tarde, Bernard, Polly y Evelyn estaban en medio del vestíbulo de entrada dando muestras más que evidentes de que iban a pasar la noche lejos de Mill House.

24

Era como si se hubiesen desatado las iras del averno. Se oían portazos, voces dando órdenes, y el ruido de botas resonando por todas las plantas de la casa. Avery se aventuró hasta lo alto de la escalera y vio a Merry apresurándose escaleras abajo, con la barriga bamboleándose de un lado a otro. Llevaba un par de botas femeninas en una mano y un botiquín de viaje en la otra.

—¿Qué está pasando? —preguntó.

—¡Que se han vuelto locos, eso es lo que pasa! —dijo Merry levantando la cabeza—. Se les ha metido en la mollera irse a Cleave Cross.

—¿Esta noche? —preguntó Avery sin dar crédito.

—No esta noche, ahora mismo. Hob ya está esperando en la puerta con el carruaje. Ah, en fin, por lo menos puede que esta noche todos podamos dormir un poco. Los bebés de Teresa tienen buenos pulmones —dijo con semblante taciturno, y se marchó dejando a Avery solo.

Avery regresó a su habitación y se dio cuenta para su desgracia de que no podía ver la entrada principal desde su ventana. Sin embargo, se mantuvo firme en su decisión de no ir al piso de abajo para pegar la nariz al cristal de los ventanales y verles marchar. Pero la sensación de que le habían abandonado, no, de que ella le había abandonado, no remitió.

Le daba rabia que se hubiera marchado sin decirle ni una

palabra, aunque fuera solo por una noche. Entonces se dio cuenta de que pronto se habría marchado no para una noche sino para siempre. Se preguntó si se iría también así, en silencio, sin una palabra de despedida. Sintió una emoción intensa apoderándose de él y, mientras recorría la habitación arriba y abajo, sin descanso, sus pasos iban acompañados de la desesperación y la tristeza. Oyó el último portazo, el sonido del reloj que marcaba las nueves de la noche, algunos sonidos familiares provenientes de las escaleras traseras y, después, silencio.

El silencio le envolvió, se apoderó de él, un silencio absoluto y totalmente odioso. Se sentó en una silla y cogió un libro que había en la mesita junto a él. Al marcharse Lily, Mill House se había convertido en un mausoleo. Ya no era la casa que había imaginado. Tan solo un continente de objetos funerarios; los momentos de una vida que ya había sido vivida.

Ridículo. Abrió el libro y empezó a pasar las páginas, fijando sus ojos distraídos en una sucesión de palabras sin sentido.

Probablemente estaba dejándose llevar por el romanticismo. Quizá todo hombre que hubiera estado tan cerca de dar su último suspiro haría lo mismo. Mill House sería pronto suya, como debería haber sido desde el principio. Se encargaría de que Lily tuviera la ayuda necesaria, lo aprobase ella o no, y viviría en esa casa y se casaría con una mujer respetable que no tuviera el cabello negro, ni los ojos negros ni una boca de ensueño. Una mujer que trajese al mundo niños rubios y anémicos...

De la mesa cayó una carta sobre el regazo de Avery. La miró fijamente. Sus bordes estaban sucios, manchados por el polvo de tres continentes. La cogió con ternura. Era la carta de Lily, claro está. La había llevado consigo desde la primera vez que la había leído. Lanzando una maldición, se puso en pie de golpe y la carta le resbaló de los dedos. Lanzó el libro a través de la habitación.

No podía quedarse allí. Aunque ella nunca había estado en su cuarto, la sentía allí, como si estuviera con él, en las palabras de aquella carta, en el aire que compartían, en cuerpo y en espíritu.

Se dirigió hacia la puerta, dispuesto a seguirla y traerla de vuelta, y obligarla a despedirse de él; no podía soportar que le dejase de aquel modo.

Abrió la puerta de golpe y frente a él se encontró con el rostro de Lily.

Aunque un rato antes Lily no había tenido valor suficiente para llamar, había dado con una excusa para volver. Le preguntaría si había cenado. No había razón alguna para molestar a Merry o a Kathy...

—No puedo dejar de pensar en ti —dijo Avery.

Al oírle, Lily sintió que dentro de ella se hacía la luz. Le pareció que se hallaba en un sueño del que no quería despertar jamás. El rostro de Avery tenía una expresión intensa y contrita, y su voz queda sonaba implorante.

Lily dio un paso hacia delante, levantó la barbilla e intentó leer los ojos de Avery.

—Yo... —musitó Avery, levantando los ojos hacia el techo como si buscara fuerza o inspiración—. Tengo tantas ganas de besarte...

Era lo último que Lily esperaba oír. Escudriñó, fascinada, el rostro de Avery. Sin darse cuenta, se había acercado más a él, atraída por el más puro magnetismo. Con una embriagadora sensación de incredulidad, esperó el siguiente momento. Se sentía como un viajero en su propio cuerpo; podía notar cómo le latía el corazón ansiosamente y podía oír su rápida y entrecortada respiración. La promesa de sus palabras y la salvaje ansia en sus ojos la tenían deslumbrada. Lily se veía a sí misma desnuda, expuesta ante lo que Avery quisiera o deseara de ella.

Aquello era abandonarse. En ningún momento se le pasó por la cabeza resistirse.

—Déjame besarte —le dijo él.

Alzó una de sus fuertes manos y, con la punta de los dedos, levantó la barbilla de Lily. Ella se puso de puntillas y cerró los párpados al oír a Avery emitir un sonido a caballo entre el suspiro y el gruñido.

Con cuidado, Avery rozó con sus labios los de Lily. Después los apartó por una milésima de segundo, para volver con otro beso exquisito, y después otro, y otro, una vez y otra más. Con cada beso, los labios de Avery se detenían un instante más y la acariciaban con más profundidad. Abrió la boca lo suficiente para robar a Lily la respiración, aunque casi parecía que le estuviera robando el alma.

Eran besos suaves, cálidos, húmedos, besos que hacían que la cabeza le diese vueltas y solo quisiera más. Eran besos juguetones, prometedores, placenteros. Docenas de besos. Besos que valían por todos los besos que nunca se habían dado y que nunca habrían de darse. Y cada uno le arrebataba el corazón.

Avery deslizó delicadamente la yema de sus dedos por la mandíbula de Lily. Rozando la comisura de su boca, jugueteó con ella hasta convencer a sus labios para que se abriesen. Lily sintió una sensación de gratitud, casi de alivio, cuando Avery deslizó su lengua por la comisura de su boca y después dentro de ella.

Sin aliento y con la cabeza dando vueltas, casi no podía mantenerse en pie. Le temblaban las piernas aunque él solo la estaba tocando con la punta de los dedos, jugando con su rostro, bajo su barbilla, dirigiendo la inclinación de su cabeza con el tacto más ligero, para poder llegar a ella con más profundidad, una profundidad que ella aceptó gustosamente.

Los besos de Avery se tornaron más exigentes, sumergiendo a Lily en una vorágine de sensaciones. Ella se agarró a él, sujeta solo por su boca, por sus besos y por el tacto casi plumífero de sus dedos callosos. Se le doblaron las rodillas y empezaba a caerse cuando él la sujetó.

La cogió en sus brazos, sujetándola fuertemente contra su pecho e interrumpiendo aquel beso abrasador.

Lily ya no pensaba, sus ideas no seguían ningún discurso coherente. Solo había una imagen que la estimulaba, que tiraba de ella como una cuerda tensa. Necesitaba acercarse más a él. Sentía una abrumadora necesidad de ser parte de él, de estar en él, de ser una sola persona con él.

Febrilmente, luchó para quitarle la camisa que se interponía entre los dos. Sus manos desabrocharon torpemente los botones. Avery la observaba con la boca tensa y la mirada rígida, y su pecho subía y bajaba con irregular respiración. Con un gritito triunfal, Lily logró al fin descubrir su torso y pasó las manos por su ardiente piel. Bajo la palma de sus manos, el pecho de Avery, suave y musculoso y moreno, palpitó con fuerza.

—Quiero...

Avery la hizo callar dándole otro beso. Su cuerpo tembloroso solo era una muestra clara de la fuerza que apenas lograba contener. Lily deslizó las manos bajo su camisa abierta y le rodeó la cintura.

Con un gruñido ahogado, Avery deslizó las manos detrás de Lily y tomó sus nalgas con ellas, levantándola contra él, haciendo que sintiese con una cercanía rayando en lo temible el poderoso abultamiento bajo sus pantalones. Lily pasó las manos por aquella piel de satén, por los rizos oscuros y enredados de su pecho, por su plano y tenso vientre, y aquellas caricias que repasaban minuciosamente su masculinidad produjeron en ella una rica variedad de sensaciones.

—Bésame —le ordenó Avery sin aliento.

Ella obedeció ávida y fervientemente.

En una ocasión Lily había desdeñado su masculinidad exagerada. Se había mentido a sí misma y le había mentido a él. En ella, se sentía en la gloria.

Amaba su fuerza, aquel poder para amoldar fácilmente el cuerpo de Lily al suyo, el sabor de su lengua, cálida y con un regusto a coñac, explorando su boca, aquel almizcle masculino de animal en celo. Avery inundaba sus sentidos, la abrumaba, y ella gozaba de ello, de su potencia y de su agresividad, de su ansia y de su contención.

Rodeó el cuello de Avery con los brazos y de manera instintiva e inconsciente rodeó también sus caderas con las piernas, apretando su carne contra la promesa de su evidente excitación, frotándose contra él. En sus ojos cerrados pudo sentir el estallido de auténticas chispas de excitación sexual. Una espiral juguetona de placer carnal se apoderaba de ella con el roce.

De manera repentina, Avery separó su boca de la de ella y Lily sintió que, casi desvanecida, se caía. Pero él la sujetó colocando una mano en su nuca y su fuerte brazo detrás de sus caderas, atornillándola. Movió sus caderas contra el cuerpo de Lily, dejando que su respiración se convirtiese en un silbido de placer.

Lily abrió los ojos de golpe. No quería simulaciones. Quería que fuese de verdad.

Él quería que fuese de verdad.

Todo les había llevado hasta allí. Error tras error. No debía haberla besado. No debía haberla tocado. No debía haberla cogido en brazos y, por el amor de Dios, ella no debía haber abierto las piernas de ese modo sobre su erección.

La cabeza de Lily caía pesadamente sobre la palma de su mano y bajo la camisa de lino el pecho de ella subía y bajaba; su cuerpo se movía agitado bajo aquellos finos pantalones. Cuando abrió los ojos y al mismo tiempo que Avery se decía a sí mismo que debía dejarla, sus miradas se encontraron.

Avery contuvo el aliento, esperando ver en los ojos de Lily un atisbo de raciocinio, alguna señal que le permitiera escapar de aquella seductora languidez. Mirándole fijamente y de manera deliberada, Lily se apretó contra él en una simulación de su instintivo empuje.

Avery gruñó. Debía marcharse. Lily debía marcharse. En alguna parte de su cerebro, una oscura premonición intentaba hacerle entrar en razón. Todo lo que Avery siempre había creído ser, todo sobre lo que había construido su vida, su código de honor, los principios a los que se había aferrado cuando no tenía nada que valiese la pena, todo estaba siendo partido en dos por un huracán de deseo.

—Hazme el amor —susurró Lily.

La mirada de Lily era, como siempre, directa, y le atravesó con su candor, retándole a renegar de la emoción que callaba dentro de su ahogado pecho. No podía. No podía rechazar el corazón de Lily, como tampoco podía rechazar el suyo, pues eran el mismo.

Lo intentó. Solo Dios sabe cuánto lo intentó.

—Qué locura —dijo dándole dulces y voluptuosos besos—. Qué absoluta locura —susurró dejándose llevar por el placer—. Qué desastre.

Sumergió con rapidez la lengua en la suave calidez de la boca de Lily y la retiró, quedándose sin aliento.

—Por favor —dijo Lily.

—Sí, mi amor —dijo él contra su boca.

Con las bocas pegadas, Avery sintió las manos de Lily buscando entre sus cuerpos la cintura de su pantalón. Sus dedos estaban fríos cuando logró introducirlos por la prenda y tocar su piel.

Avery se agachó y la tomó en brazos. No quería tomarla allí mismo, como una cualquiera en un pasillo, así que, silenciando sus quejas con más besos, la llevó hasta la cama. La dejó sobre el lecho con más prisas que gracia y con aún más prisas, se arrancó la maltrecha camisa completamente y se quitó el cinturón de los pantalones.

Ella alzó los brazos para tocarle y Avery lo olvidó todo. Solo pudo ver la forma en que ella le miraba, más hermosa que nunca, femenina y lasciva, fundiendo sus venas de pasión. Necesitaba sentir su piel contra la suya, absorber su textura, saborear su fragancia, oler su excitación.

Tendió la mano hacia ella al mismo tiempo que ella la tendía hacia él, despojándose el uno al otro de las ropas, acabando con cualquier barrera que pudiera entrometerse entre ellos, hasta que fueron carne contra carne y sus labios y sus manos se unieron y se entrecruzaron en una espiral de sensaciones, pensamientos y ensueños.

Sin demasiada experiencia, Avery siguió su instinto, lamió la curva bajo el pecho de Lily, mordisqueó la suavidad sedosa del interior de su muslo, la columna de su cuello arqueado, chupó la punta de su lengua, besó sus párpados, lamió la delicada carne de su brazo, y finalmente halló los brillantes pétalos del centro de su feminidad.

Los jadeos de Lily encendían su placer, le retaban con su señal de un clímax no completado. Avery era un aventurero en una búsqueda espiritual, sus pensamientos eran algo turbios y distantes, su cuerpo era un vehículo ardiendo y el cuerpo de Lily era su peregrinaje.

Los ojos de Lily, nublados por aquel asalto sensual, buscaban desesperadamente un ancla y solo encontraban los brillantes ojos de Avery. Lily reconoció aquel poder primitivo, su exaltación masculina, y contestó con su exaltación femenina.

Expectante, inocente, Lily rodeó la cadera de Avery con una pierna, derribándole sobre ella, y sintió el empuje duro y espeso de su masculinidad. De manera instintiva, Lily echó sus caderas hacia arriba y, también instintivamente, Avery empujó las suyas hacia delante.

Se quedaron helados por un instante, unidos lo más íntimamente que dos cuerpos pueden estarlo, con sus corazones latiendo al unísono y sus bocas abiertas ante la sorprendente sensación. Y entonces Avery empezó a moverse dentro de ella, rodeándola con sus musculosos brazos, penetrando profundamente con cada empujón, llenándola por entero para retirarse y luego volver a penetrarla. Lily sintió que aquel ritmo la incendiaba. Cerró los ojos con fuerza, apretó los talones con furia contra el colchón, buscando con todas sus fuerzas la cuerda de salvamento con la que sabía saciaría sus sentidos, la cuerda que bailaba allí, delante de ella, a su alcance.

—Sí —musitó él en su oído, unas palabras que eran un ronroneo ronco y suave—. Mi amor, así, dulce, dulce Lily, amor mío.

Las palabras de Avery la llevaron al clímax. El eje de su unión desató en Lily oleadas de placer que llegaron a todas sus terminaciones nerviosas. Sintió el cuerpo tenso, grande y masculino de Avery firme como una roca. Él se apartó un poco. Tenía los músculos del cuello tensos, la mandíbula apretada, y entonces oyó el sonido de su clímax y aquello le provocó una nueva oleada de placer.

Todo había sido demasiado rápido. Sintió que por todo su cuerpo y en el fondo de sus entrañas reverberaban los temblores posteriores al orgasmo. Tenuemente, fue adquiriendo consciencia de la pesada respiración de Avery junto a su oído. Lily levantó una mano temblorosa y apartó el mechón rubio oscuro que caía sobre la frente de él.

—¿Avery? —susurró.

Él la abrazó con fuerza y siguió con los ojos cerrados.

—¿Avery?

—Chist —dijo con una voz sorda e infinitamente triste—. Calla. El día de mañana nos espera detrás de esa puerta. Está ahí agazapado, un océano de palabras e incertidumbres. Pero todavía no ha llegado hasta aquí y nosotros sí. Lily, Lillian, amor mío, te lo suplico, déjame que te ame otra vez, déjame que te ame toda la noche.

Ella respondió con un beso.

25

El amanecer llegó cargado de dudas. Avery observó su llegada con estoicismo. Su corazón era como un centinela que
acepta la fatalidad frente a una legión de hechos inapelables.

Lily estaba acurrucada a su lado, saciada de pasión. Su
cabello suelto le caía por los hombros y los brazos, y su pecho subía y bajaba al ritmo de su respiración. Tenía la mano
extendida, relajada sobre su cadera. Avery cerró los ojos para
no verla; se la veía tan entregada a su sueño como lo estaba a
la causa de su madre.

Hora tras hora, Avery había estado argumentando y refu-
tando las ideas de Lily, intentando convencerla para que fuera su esposa. Él no podía aceptar ningún otro tipo de relación
entre ellos y lo cierto era que no parecía haber razonamiento
capaz de persuadirla para que se casase con él.

Las leyes que gobernaban la custodia de los hijos eran tan
atroces como la idea de convertir a uno de sus hijos en bastar-
do de manera voluntaria. Ella no aceptaba las primeras y él no
podía apoyar lo segundo. Que Dios le ayudase.

La lástima que sentía por la madre de Lily estaba teñida
de amargura. Lily la amaba tanto que estaba dispuesta a sacrificar su vida —no, sus vidas— en nombre de su dolor.

Como si hubiera intuido su animosidad, Lily se movió
para deshacerse de su abrazo y una sombra cruzó su rostro.
Avery la abrazó con más fuerza, con cuidado para no desper-

tarla. Abrió la boca que tenía apoyada sobre la enredada cabellera negra de Lily e inspiró profundamente aquel aroma a saciedad y sueño, plenamente consciente de que aquel momento podía ser el último que compartían de ese modo. ¿Cómo iba a perderla, su dulce antagonista, su fantasía carnal, su adversaria, su corazón? Sin embargo, ¿qué podía decirle para ganársela?

De lo más profundo de la casa surgió un largo y penetrante grito de frustración. Parecía un diablillo malhumorado y agobiado. Era uno de los bebés de Teresa reclamando su desayuno.

Sintió que Lily se despertaba. Fue como si hasta el mismo aire se pusiera en guardia, destruyendo la vigilia. Avery tembló bajo el peso de la elección execrable que debía tomar.

—Quédate —se oyó decir—. Lily, quédate conmigo.

Lily se desperezó, deshaciendo con sus brazos aquel íntimo abrazo, y volvió la cabeza al mismo tiempo que se envolvía con la sábana que la cubría. Ella también había oído al bebé. Aquel llanto inocente había hecho pensar a Avery en su rechazo a convertir por voluntad propia a sus hijos en bastardos; en cambio, para Lily se trataba de un aviso lanzado por su madre.

Se envolvió los hombros con la sábana y sus mejillas se enrojecieron ligeramente. Apartó recatadamente los ojos de la desnudez de Avery. Él se dejó caer sobre la almohada. Le parecía que su desnudez física era una nimiedad comparada con la desnudez monumental de su alma. Lily se apartó y se sentó en el borde de la cama, apoyando sus largas piernas sobre el suelo. Incluso en aquel momento, Avery podía sentir el deseo dentro de él, como una bestia independiente que le habitase.

El bebé volvió a lanzar un gemido exigente y más fuerte. Lily levantó la cabeza y, de perfil, Avery pudo ver su mirada helada al ser consciente de la situación. Él se estremeció al darse cuenta de que Lily se había apartado de su abrazo como introducción a una separación mucho más mortífera.

—Deberíamos despertarnos así cada mañana, el uno en los brazos del otro —dijo Avery, incapaz de ocultar la desesperación en su voz—. Deberíamos casarnos y pasar la próxima década despertándonos por los llantos de nuestros hijos...

—Avery, por favor... No puedo casarme contigo —susurró rápidamente Lily—. Ya sabes que no puedo.

—Sí, sí que puedes —dijo Avery controlando su furia. La cogió por las muñecas y la obligó a mirarle a la cara—. Dime, Lily, ¿qué puedo decirte? ¿Cuáles son las palabras que debo pronunciar para convencerte de que no voy a dejarte nunca, de que nunca voy a dejar de amarte, de que no habría fuerza en la tierra capaz de hacerme herirte o robarte a tus hijos?

Lily tragó saliva y en sus ojos se reflejó una intensa añoranza.

—No hay palabras, Avery. Hay leyes, y si fueran diferentes...

—¡Maldita sea, Lily! —exclamó Avery soltándole las muñecas y apartándose de ella—. ¿Confías más en las leyes que en mí?

Ella negó con la cabeza.

—No es por mí. Es por los niños que pueda tener.

Avery cogió los pantalones del suelo y se los puso con furia. Se levantó y se abrochó la prenda sin mirarla. Pero no podía abandonar tan fácilmente aquello que había hallado y que había tardado tanto en apreciar. De joven había aprendido a luchar, y ahora iba a luchar por ella.

—Entonces quédate aquí conmigo, en Mill House.

Lily volvió rápidamente la cabeza hacia él y sus rizos oscuros parecieron bailar sobre sus hombros, deshaciéndose sobre la espalda como una cascada negra.

—No como mi esposa, si no quieres, pero como tú quieras, como compañera, como ama de llaves, como amante, como querida. Juega el papel que tú quieras, pero quédate en mi vida, Lily —dijo Avery con voz tensa, suplicante—. No te vayas.

Los ojos de Lily reflejaban lástima y una ternura inconmensurable, además de una profunda tristeza. Pero estaba callada y, mientras permaneciese en silencio, Avery tenía una oportunidad.

—Tú quieres Mill House. Yo te quiero a ti. Los dos podemos tener lo que queremos, lo que necesitamos. Escupamos a los ojos de Horatio juntos —dijo con una sonrisa furibunda—, que su alma quede maldita por habernos puesto en esta situación.

Lily estrujó las sábanas y con los ojos abiertos de par en par y los labios contraídos dijo:

—¿Y los niños? ¿Qué pasa con ellos?

Avery podía darse por entero a Lily, pero no podía hacer daño a los hijos que pudieran tener, no podía negarles su protección y su apellido y los inmensos beneficios que ello implicaba. Y por desesperado que estuviera, no podía prometer eso a Lily, no podía mentirle. Se sentó junto a ella, le tomó una mano y pasó un dedo por sus nudillos.

—No dejaremos que haya niños.

Lily se soltó, se puso en pie y se apartó de él. El dolor de sus ojos los convertía en oscuras brasas.

—Quédate conmigo, Lily, y te prometo una vida plena, una vida rica y gratificante —dijo Avery alargando la mano, doblando los dedos en un gesto que la llamaba a regresar.

—No puedo. Quieres tener hijos, Avery, quieres una familia, una familia grande y bulliciosa, una habitación para cada niño... ¿recuerdas? No puedo... —Movió la cabeza en un violento gesto negativo—. No voy a hacerte eso.

—Sí, sí podemos...

—¡No! —exclamó Lily casi gritando—. No me tientes. ¡No! Al principio puede que mi compañía te compense, quizá durante unos años, quizá durante muchos años. Pero cuando nazcan los hijos de tus amigos, cuando Bernard bautice a los suyos, llegará un día en que el silencio de esta casa se convertirá en un ruido enloquecedor. Primero me guardarás rencor y luego me odiarás por ello.

—Nunca.

Pero su voz denotaba falta de seguridad, falta de verdad absoluta, y la ansiosa vigilancia con que le observaban los ojos de Lily fue reemplazada por una profunda y tranquila tristeza.

—Sí —dijo ella dulcemente—. Y yo no podría... Yo no podría vivir si supiera que te he hecho odiarme.

—Lily —musitó Avery extendiendo una mano suplicante.

—Debo marcharme —susurró Lily cogiendo las sábanas y cubriéndose el cuerpo con ellas—. Debo marcharme hoy mismo.

Incluso la muerte de Karl había sido menos dolorosa, una minucia comparada con la fuente torrencial de dolor que se abría ante él.

—No —dijo—. Me marcharé yo. Quedarme aquí sería como encerrarme en un osario. Tiene el olor de la muerte de mis sueños.

—¡Perdóname, Avery! —gimió Lily.

Y dándose la vuelta, salió de la habitación y se perdió en el pasillo en penumbra.

Lily giró la llave de la puerta de su habitación y entró a trompicones. Tenía las mejillas cubiertas de lágrimas y las manos le temblaban violentamente mientras intentaba ponerse el camisón. Con un gemido, dio por imposible abrocharse las cintas de seda y se dejó caer en el suelo a ciegas.

Se había despertado con el tacto de la mano de Avery acariciando delicadamente su cabello y sus sienes, oyendo el firme latido de su corazón contra su oído, y se había sentido bañada por la felicidad. Había levantado la cabeza y lo que había visto era un tierno amante que había pasado la noche entera adorándola con su cuerpo.

Por un instante, había considerado la posibilidad de decir que sí a su proposición de crear una vida juntos sin casarse y sin tener hijos. Pero le había mirado y había sabido que no podía exigirle ese sacrificio. Avery debía tener una familia, un montón de hijos altos y con ojos como piedras preciosas que le adorasen.

Y, a decir verdad, ella no creía que pudiera vivir con él sabiendo que existía la posibilidad de tener esos hijos y no hacerla realidad. Por primera vez cuestionó la opción de su madre; la consideró fríamente, como una adulta, examinando sus razones objetivamente, y no como la acompañante de su madre en una vida de remordimientos.

Seguía comprendiendo la elección de su madre. Simplemente no estaba tan segura como el día anterior de estar de acuerdo con ella. ¿Y no sería solo porque le resultaba conveniente para poder hacer lo que de verdad quería, casarse con Avery Thorne?

No lo sabía. Que Dios se apiadase de ella, no lo sabía. Solo tenía su pasado como guía y, en aquel momento, aquella guía le resultaba muy dudosa. Pero era la única que tenía.

Y él se marchaba. Puede que para siempre.

Lily hundió el rostro en las manos y las lágrimas fluyeron de sus ojos como un torrente de arrepentimiento.

Puesto que el único carruaje de la casa estaba en Cleave Cross, Avery decidió que iría andando a Little Hentley. Merry arqueó las cejas sin disimular su sorpresa, pero se ofreció a que su hermano llevase más tarde en su carromato la maleta y el baúl de Avery. Este aceptó el ofrecimiento y le dio las gracias. Después, fue a buscar a Lily.

La encontró en la biblioteca, sumergida en el eterno libro de contabilidad. Avery dio unos golpecitos en el marco para llamar. Lily levantó la cabeza. Avery no podía soportar verla tan herida y saber que no había nada que pudiera hacer para aliviar ese dolor, cuya causa, de hecho, era él.

—Me marcho —dijo deteniéndose en el marco de la puerta.

—Sí.

—Estaré en El Perro y la Liebre, en Little Hentley, unos días, por si necesitas localizarme.

—Sí —dijo Lily observándole detenidamente—. ¿Qué quieres que diga a Evelyn?

Avery se encogió de hombros y respondió:

—Lo que quieras. Dile que vuelvo a tener ganas de aventura.

La mirada de Avery se dirigió hacia la última página del libro de cuentas y recordó su relación como contrincantes por Mill House. Él era el ganador y ella la perdedora. No se sentía ni siquiera superviviente, así que mucho menos podía sentirse ganador de nada.

—Supongo que te veré en la oficina de Gilchrist y Goode el mes próximo.

—¿Dónde? —preguntó Lily, abandonando momentáneamente su cautela.

—En la oficina de los abogados de Horatio. Se acerca el final de tu prueba, ¿recuerdas?

—Oh —exclamó Lily.

Escudriñó su rostro intentando encontrar alguna señal que le recordase al hombre cuyos musculosos brazos la habían sujetado encima de él mientras él se hundía profundamente dentro de ella. Pero solo pudo ver a un hombre luchando desesperadamente por mantener el control.

—Entonces, nos vemos en Londres. Te deseo un buen día...

—No —dijo Lily presa del pánico—. No creo que nos veamos en Londres.

Avery enarcó las cejas con gesto interrogante.

—No hay motivos para que vaya. He perdido el reto y, desde luego, no tengo intención alguna de hacer un comunicado público proclamando mi abandono del movimiento sufragista.

—Claro que no —dijo Avery con una sonrisa desesperadamente triste—. Ahora, si me disculpas...

Hizo una reverencia perfectamente cortés, la reverencia de un caballero, como si se estuviera separando de una desconocida.

Se dio la vuelta dispuesto a alejarse de ella para siempre.

—¡Espera!

Su espalda se tensó.

—Bernard —dijo Lily—. ¿Y Bernard? Se preguntará... ¿También quieres que le diga a él... lo que quiera?

A ella le pareció que Avery había respirado profundamente, pero cuando se dio la vuelta para mirarla, guardaba la compostura.

—Me había olvidado del muchacho —musitó.

Con un movimiento que Lily conocía bien, Avery sacó el reloj de oro del bolsillo y casi mecánicamente lo abrió y cerró con el dedo pulgar, con el ceño fruncido en un gesto de concentración.

Sintió que el corazón se le llenaba de amor y de comprensión al ver cómo Avery estudiaba cuidadosamente el mejor modo de manejar a un chaval sensible.

Parpadeó rápidamente para repeler la amenaza de las lágrimas a punto de asomar a sus ojos. Avery levantó la vista y vio que una lágrima escapaba por una de las pestañas de Lily. Dio un involuntario paso hacia delante, pero inmediatamente su rostro se tensó y en su mirada se hizo el vacío más absoluto.

—Cuando vuelvan, avisa a la posada —dijo—. Me quedaré hasta que regresen y vendré a verle.

Lily se mordió el labio inferior con fuerza y asintió.

—Lil...

Ella bajó la cabeza, incapaz de mirarle, pues mostraba un control absoluto —los hombres siempre tenían control—, aceptando lo que amenazaba con destrozarle a ella la vida. Oh, sin duda sentía enormemente lo que había ocurrido, y sí, incluso la noche anterior le había advertido de que por la mañana llegarían las recriminaciones. Pero no le había avisado de que la desgarrarían, de que él sobreviviría y ella...

Pero no, ella no iba a dejarse llevar. Sería tan fuerte como él.

—Sí —dijo—. Se lo diré.

Cuando levantó la vista, Avery se había marchado.

26

La sala de estar y las habitaciones de Mill House estaban va-
cías, como también sus pasillos. Había llegado un mensajero
con una carta de Evelyn en la que anunciaba que tenían intención de quedarse en Cleave Cross a pasar el fin de semana,
junto con Bernard y Polly Makepeace.

Como Lily no tenía apetito alguno y no había nadie más
a quien atender, la señora Kettle abandonó la cocina. Las
únicas ocupantes que quedaban en aquella enorme y vieja
casa eran Merry y Kathy, quienes se instalaron en la habitación de Teresa para hacer carantoñas a los bebés y comparar
sus barrigas. Trataban a Lily con amable condescendencia,
como una sociedad de futuras madres de la que ella estaba
excluida.

Consumida por los recuerdos y contando las horas que
le quedaban en Mill House, Lily se puso a limpiar. Se pasó las
horas sacando brillo a la plata y puliendo la madera, hasta
conseguir incluso que desapareciera el dulce aroma de los so-
brecitos de Francesca. Solo el olor del tabaco de Avery seguía
pegado a las cortinas de la biblioteca. Lily la evitaba, como
también evitaba el tercer piso de la casa, y la sala de estar, y el
estanque del molino, y...

En realidad daba igual haber perdido Mill House. En solo
tres semanas, él la había hecho suya. La casa que durante cinco años ella había convertido en su hogar se había transfor-

mado de pronto en una prisión, el sueño en un agotamiento, los recuerdos en un tormento.

Una vez la casa estuvo tan vacía y reluciente como un sarcófago a la espera de su morador, Lily procedió a poner en orden los papeles. Empezó temprano por la mañana, y al caer la tarde todavía estaba en ello. Se ocupó del futuro de las criadas escribiendo cartas de recomendación y referencias sobre ellas, anotando nombres de personas que podrían darles trabajo, y de organizaciones que podrían intentar colocarlas. Finalmente, empezó a escribir una nota para Avery, suplicándole que se quedase con sus caballos. Sabía que lo haría por ella.

Casi había terminado cuando entró Kathy, jadeante y con los ojos como platos.

—Un caballero desea verla, señorita Bede.

¿Avery? Casi se puso en pie. No, Kathy no habría dicho algo así. De hecho, si hubiera sido Avery habría entrado sin anunciarse, probablemente con Kathy en brazos.

—Si es un vendedor, Kathy, dile que no necesito nada.

—No es un vendedor, es un caballero, quiero decir, un caballero de verdad. Y extranjero.

—¿Extranjero?

—Sí, moreno y delgado, con un enorme sombrero y con un hablar muy raro, y lo más raro es que ha venido a verla a usted específicamente. Dijo «La señorita Bede, por favor». Así que le he hecho pasar a la sala de estar.

—Muy bien —dijo Lily sin ánimo alguno.

Dejó la pluma junto a la carta y siguió a Kathy hasta la sala.

Cuando entró, un hombre joven y esbelto se puso en pie inmediatamente. Sujetaba con el puño cerrado un sombrero alto y de forma extravagante. Su tez morena por el sol se iluminó con una amplia sonrisa. Se inclinó haciendo una cortés y exagerada reverencia. Cuando levantó la cabeza, sus ojos marrones brillaron.

—¡Lillian Bede! —exclamó observándola con clara satisfacción—. Estoy encantado, absolutamente encantado de conocerla.

El hombre era americano.

—Me temo que me lleva ventaja, señor —dijo Lily.

—Perdóneme, señorita Bede —dijo él soltando una carcajada profunda y ronca—. Va usted a pensar que soy un tipejo sin modales. Permítame presentarme. Soy John Neigl. —Viendo que su nombre no aportaba muchas pistas, siguió hablando y en sus ojos el brillo se hizo más intenso, como invitando a Lily a compartir con él la diversión del momento—: Tengo el honor, bueno, a veces fue un honor, otras veces fue solo una mal... quiero decir, una enojosa suerte, y en otras ocasiones, simplemente una terrible experiencia, de haber sido el compañero de viajes de Avery Thorne durante prácticamente los últimos cinco años.

¿El compañero de Avery?, pensó Lily. Claro, le había hablado en sus cartas del líder americano de la expedición que había contraído la malaria y que más tarde se había unido otra vez a ellos para nuevas aventuras. Impulsivamente, le tendió la mano con una cálida sonrisa. El caballero dio un paso al frente y le cogió la mano moviéndola arriba y abajo entusiasmado.

—Llegué a Inglaterra hace un par de días y he venido inmediatamente. Y es que tenía que conocer sin falta a la formidable, a la única señorita Lillian Bede.

La sonrisa desapareció del rostro de Lily y frunció el ceño. ¿Acaso la malaria había afectado al cerebro de aquel hombre?

—Me temo que no sé a qué se refiere exactamente —dijo, e indicando el sillón del que se había levantado, añadió—: Siéntese, por favor.

Dirigió una mirada fulminante a la criada que daba vueltas alrededor con un plumero en la mano sin hacer nada de provecho.

—Kathy, ¿podrías servirnos el té al señor Neigl y a mí?

Kathy le respondió con una mirada adusta y, dejando escapar un resoplido para indicar su disconformidad, salió de la habitación.

—Avery trató de convencernos de que era usted un espantapájaros bigotudo con una mirada que lanzaba rayos amenazadores, pero yo sabía que no era verdad. Es usted tal como la había imaginado —dijo John tomando asiento y balanceando su sombrero de diez galones sobre las rodillas—. Por sus cartas, sabía que era usted una belleza.

Lily levantó las cejas sorprendida.

—¿Mis cartas?

—¿No se lo ha dicho Avery? —dijo volviendo a reír despreocupadamente—. Qué típico de él. Solía leernos sus cartas, señora. No todas, claro está, pero trocitos de algunas de ellas. Durante todos nuestros viajes y aventuras las llevó consigo. A veces, cuando las cosas se ponían un poco feas...

Apartó la mirada y Lily supo que las cosas se habían puesto más que un poco feas.

—Avery nos leía algo de lo que usted había escrito para levantarnos el ánimo.

Lily le miró fijamente y en silencio, totalmente alucinada, incapaz de creer lo que estaba oyendo. ¿Avery había guardado todas sus cartas? Ella había guardado las suyas, claro está, pero lo había hecho por Bernard, o eso se había dicho a sí misma. Se mordió el interior de las mejillas. No iba a desmoronarse. John Neigl siguió hablando alegremente, sin ser consciente del efecto de sus palabras.

—En fin, me acuerdo de una vez en Brasil en que los guías habían salido corriendo ante la presencia de enemigos y nos habían dejado abandonados. Tuvimos que seguir adelante nosotros solos por lo menos, Dios mío, por lo menos durante un mes. —El recuerdo hizo que John apretase los dientes—. No me importa reconocer que estábamos bastante abatidos. Pero Avery utilizó sus palabras para animarnos. Así que dijo: «Vamos, chicos, si la señorita Bede no está preocupada por nosotros, ¿por qué habríamos de estarlo nosotros?». A lo que alguien, probablemente yo mismo, preguntó por qué se mostraba usted tan mezquina con respecto a nuestro destino. Y Avery me respondió: «¿Por qué? Te citaré a la señorita Bede: "Dios cuida de los tontos y de los niños, así que ustedes, por el hecho de ser hombres, están doblemente protegidos de las desgracias"».

Lily sintió que el rostro le ardía. John rió entre dientes.

—En otra ocasión, estando en Turquía como invitados de un príncipe nómada, una de las hermanas del tipo, sin faltarle a usted, una auténtica princesa, se encaprichó de Avery. Bueno, de hecho quería casarse con él. Algo que nos sorprendió muchísimo a todos, claro —dijo John con una enorme sonrisa.

Lily había empezado a sentir cómo los celos le abrasaban el corazón. Parpadeó rápidamente.

—¿Por qué?

John parpadeó también, perplejo.

—Vamos —dijo—. A pesar de que él proclama que es la quintaesencia de la caballerosidad, nadie confundiría al viejo Avery con Oscar Wilde, ¿verdad? Me refiero a que es muy gracioso, tan gracioso como se puede llegar a ser, pero...

—Tiene muy buenos modales —cortó Lily.

—¡No tiene modales en absoluto! —se rió John sin la menor malicia—. Es brusco, intolerante, tan sutil como un buen porrazo en la cabeza, ese es Avery Thorne.

Lily no encontró respuesta ante semejante muestra de falta de lealtad, así que se limitó a fruncir el ceño.

—De todos modos —continuó John absolutamente indiferente al ceño fruncido de Lily—, Avery no quería saber nada de la princesa, así que cuando el príncipe le preguntó por qué, él respondió: «No soy un buen marido. Soy infantil e inmaduro e irresponsable. Y puede corroborarlo alguien muy entendido en el tema, la señorita Lillian Bede de Devon, Inglaterra. Ella argumenta que aunque he engañado al gran público haciéndole creer que estoy realizando una expedición a los lugares más remotos del planeta, en realidad voy en busca del primate más grande del mundo para desafiarlo a un concurso de golpes en el pecho...».

John prorrumpió en alegres carcajadas que duraron por lo menos cinco minutos y finalmente acabó enjuagando las lágrimas de sus ojos.

—Tendría que haber visto el rostro del príncipe.

—¿Confundido? —preguntó Lily fríamente.

—¡No! —exclamó John—. Eso fue lo más divertido. Lo entendió perfectamente. Asintió sabiamente, suspiró y después dijo que parecía usted su esposa.

—Me alegro de que mis palabras resultasen fuente de tanta diversión.

—Oh, desde luego, ya se lo digo yo, desde luego —dijo sonriendo, todavía con los ojos llenos de lágrimas de tanto reír—. No me extraña que Avery adorase sus cartas.

Lily se quedó helada.

Kathy escogió ese momento para reaparecer resollando bajo el peso de una recargada bandeja de plata con el servicio de té. John se puso en pie de un salto, cogió la pesada fuente y la depositó en la mesa.

—No puede ni imaginarse lo que llegábamos a esperar el asalto de sus cartas —dijo John despreocupadamente—. No sé quién las esperaba con más ansiedad, si Avery o nosotros.

—Estoy segura... —dijo lanzando una mirada a Kathy.

—Yo también. Avery las esperaba con más ansiedad —dijo John, cambiando su expresión divertida por otra de admiración—. A nosotros nos complacía.

—Puedes retirarte, Kathy —dijo Lily.

—Abriré las ventanas. Hace tan buen día...

—Márchate, Kathy.

Con un gesto desairado, Kathy desapareció por la puerta. Tan pronto como se hubo marchado, Lily se puso en pie.

—Señor Neigl, me temo que ha cometido usted...

—Lo siento, me temo que no tengo mejores modales que Avery, ¿verdad? —comentó con disgusto—. Irrumpir así en la casa y empezar a hablar de su historia. Pero es que siento que la conozco tan bien, como si fuera un miembro de la familia. Debo a Avery más de lo que nunca podré pagarle, y realmente me gusta ese hijo de... ese tipo. Podría decir que Avery Thorne es como un hermano para mí, pero mentiría. —Adoptó un tono solemne—. Avery Thorne es mi líder. Lo fue desde el principio, a pesar de que fui yo quien reunió al grupo en un primer momento. Si fuera uno de esos escoceses que hay aquí, sería mi señor. Si fuera un indio, sería mi jefe. No me gustaría que un momento duro me pillase con otra persona a mi lado, no confiaría mi vida a ningún otro hombre y, en realidad —añadió con gravedad—, ya lo he hecho en una docena de ocasiones. Nunca me ha fallado. Aunque él crea que sí.

Se retorció los dedos nerviosamente.

—¿Sabe? Usted le salvó la vida —dijo John.

—No entiendo a qué se refiere —dijo Lily moviendo negativamente la cabeza.

—La muerte de Karl. —Por un momento su expresión amistosa se transformó en tristeza—. Avery se estaba consumiendo por la culpa. No lo decía, claro; si lo hubiera contado le habríamos podido decir algo. Él no quería convertirse en una carga aunque nosotros lo fuéramos para él. —John suspiró como si el peso de los recuerdos pudiese con él—. No deberíamos habernos apoyado tanto en él, hacerle tan responsable, pero lo hacía todo tan fácil, ¿sabe?

Ella asintió en silencio.

—Siempre hacía lo que se tenía que hacer, siempre encontraba el camino, a través de un río, moviéndose entre las incertidumbres diplomáticas de las naciones hostiles, lo que fuera. Después de morir Karl..., bueno, estaba claro que se estaba consumiendo. Se volvió silencioso y retraído, dudaba ante las cosas más nimias y no trataba de protegerse de los peligros. Y entonces llegó su carta. —John alargó una mano y golpeó amistosamente la de Lily—. Que Dios la bendiga, no sé qué le dijo. Nunca nos la leyó en voz alta ni nunca se lo pedimos, pero durante un tiempo podía verle leyéndola cuando creía que nadie le veía, después de algún acontecimiento especialmente negativo o cuando pasaba algo que hacía que volviesen sus fantasmas. Su carta le liberó, ¿sabe?

Ante el silencio de Lily, John pareció recuperar la compostura y recordar que, al fin y al cabo, eran unos desconocidos. Su curtido rostro enrojeció y empezó a dar vueltas al sombrero que todavía tenía en la mano.

—No quería ponerme tan taciturno. Hoy es un día muy importante para mí porque por fin conozco a la esposa de Avery Thorne.

—¿Qué? —exclamó Lily aún más sorprendida que antes.

—¿Dónde está? —preguntó John—. ¿Cambiando el curso de algún río? Ese hombre tiene más energía de la saludable.

Finalmente, John se percató de la expresión de sorpresa de Lily, de sus ojos angustiados. Al instante, se dio cuenta de que se había equivocado.

—¿No están casados?

—¡No! —exclamó Lily, y su negación sonó como la irrupción de un avestruz en un palomar—. No lo estamos.

—Lo siento —logró balbucir John avergonzado—. Es que..., bueno, con las cartas, asumí... Era tan evidente que estaban ustedes... cortejándose. Y cuando di con su dirección y vi que era la misma que la suya, llegué a la conclusión de... Bueno, no habría sido tan raro en Avery, o por lo poco que sabía de usted, pasar por alto todas las convenciones y ¡casarse sin más! Siento haberle puesto en esta situación tan embarazosa, de verdad —concluyó apesadumbrado.

—No se preocupe. Me ha pillado desprevenida —dijo Lily.

La cabeza le daba vueltas pensando en el honesto error de aquel hombre. Y es que quizá no era un error al fin y al cabo. Las cartas habrían podido ser un cortejo.

—El señor Thorne está en El Perro y la Liebre, en Little Henty.

—Está bien —dijo John posando su avergonzada mirada en la punta de sus zapatos—. Bueno, será mejor que vaya a buscarle. Gracias por el té y por el placer de haberla conocido. Es usted más hermosa de lo que habría podido imaginar.

—Y sonriendo, añadió—: Y más callada. —Pero borrando su sonrisa, continuó—: Aunque ha sido culpa mía, ¿no? No puedo parar de repetirle cuánto siento haber irrumpido así y...

—De verdad, no importa. No le dé más vueltas.

—Que pase un buen día, señorita Bede.

Se levantó, dio un golpe con el inmenso sombrero en su cadera y se dirigió hacia la puerta. Se detuvo y le hizo una pequeña reverencia. Cuando se irguió, la sonrisa autosuficiente volvía a estar en su rostro y un brillo malicioso se reflejaba en sus ojos.

—Puesto que no está con Avery, señorita Bede, ¿quizá podría considerarme a mí como candidato?

El estado de ánimo de Lily era tal que ni siquiera replicó ante semejante absurdo. De hecho, ni siquiera lo oyó.

—Buenas tardes, señor Niegl.

Subió las escaleras y se dirigió al cuarto de Avery. Abrió la puerta y un montón de recuerdos y sensaciones la invadieron. Se quedó en el umbral con la respiración entrecortada como si la hubiese rodeado un vendaval. Allí la había cogido él, la había besado con cientos de dulces, tiernos, ansiosos besos. Allí la había llevado...

Se echó el pelo hacia atrás y se movió cuidadosamente por la habitación. Olía a Avery, un aroma con un toque a buen tabaco, a jabón de sándalo, a sábanas limpias, al sutil aroma boscoso de sus ropas de viaje gastadas.

Vio que había un libro en el suelo, cerca de la pared del fondo. Se dirigió hacia aquel rincón pero le llamó la atención un trozo de papel que había caído sobre la moqueta cerca del sillón. Los bordes estaban gastados por el tiempo y al tacto. Cogió la hoja y le dio la vuelta, desdoblándola con cuidado para no desgarrarla.

Era su carta.

Mi queridísimo enemigo:

Estoy preocupada.

En su última carta, en lugar de los cumplidos y las adulaciones a las que me tiene acostumbrada, le noté lacónico. ¿Qué debo pensar? ¿He perdido a mi más valioso contrincante en favor de su dolor? No, simplemente no debe permitir que su pérdida traspase océanos y continentes para convertirse en mi pérdida. Sería muy poco caballeroso.

Déjeme que sujete por un momento el flagelo con el que azota su espalda. No debe castigarse por la pérdida de su amigo. Resulta un poco presuntuoso, incluso viniendo de usted.

¿Va a ser eternamente el comandante del barco de Caronte, sujetando los remos en su lugar, para que sus amigos puedan quedar a salvo en la orilla? ¿Y quién hará eso por usted, Avery? ¿Acaso querría que alguien lo hiciera? ¿Acaso no guardaría rencor a todo aquel que le impidiese dar un solo paso en la dirección en la que había decidido avanzar? Osaría afirmar que ambos conocemos la respuesta.

Dice que Karl Dhurmann murió sin hogar, sin país y solo. Pero sé que esto es absolutamente falso. Usted, Avery, estaba allí. Karl Dhurmann había sufrido grandes pérdidas: una casa destruida, una familia asesinada, un país deshecho.

Y en su compañía no encontró el sustituto a esas pérdidas, pero sí encontró alternativas. ¿No le llamaba hermano? ¿Quién sabe mejor que usted y yo cuánto se parece esa palabra a «hogar»?

Me dice que Karl me había escogido como esposa. Pues bien, me niego a perder a mi enemigo y a mi pretendiente de golpe. No tengo suficientes relaciones para renunciar a alguna de ellas, especialmente a aquellas que han requerido una inversión intelectual tan intensa como la nuestra.

Así que déjeme adoptar el papel de su viuda y decir lo que cualquier esposa devota, con toda seguridad, confesaría. Karl murió como consecuencia de un accidente que nadie pudo prever. Murió en la plenitud de la vida, mientras buscaba su propio camino, no huyendo de él, y deja detrás a aquellos que han llorado su pérdida. Ojalá todos podamos ser tan llorados como él.

Ahora, mi queridísimo enemigo, quiero que sepa que he hecho algo más que sonreír. He enjugado mis lágrimas. Es hora ya de que enjugue usted las suyas.

Suya,

Lillian Bede

Era la carta de la que le había hablado John Neigl. Aquellas malditas, maravillosas, imposibles cartas. ¿Por qué, por el amor de Dios, no habían podido continuar así? Dejó la carta sobre la mesa y lloró.

27

Regresaron anoche.

Lillian Bede

Avery dobló la nota. Se refería, sin duda alguna, a Evelyn, Bernard y la señorita Makepeace. Con aquella escueta nota, Lily había cumplido con su obligación. Tratándose de una mujer que había escrito cartas tan voluminosas sobre temas tan importantes como «la librea de un lacayo», uno habría esperado que tuviese algo más que decir. Alguna palabra comedida, alguna indicación... ¡Dios mío!, pensó arrugando el papel y convirtiéndolo en una diminuta bola, ¡se habían entregado sus cuerpos! Podría haberle escrito algo más que cuatro palabras.

Dejó caer la carta sobre la estrecha cama de El Perro y la Liebre, que costaba seis chelines la noche. Echaba de menos Mill House. No, echaba de menos la Mill House que Lily había transformado, las comodidades distendidas y hogareñas, la atmósfera relajada.

Echaba de menos a Lily, a aquella extraña y extraordinariamente hermosa mujer que había desafiado sus prejuicios y había conseguido ganarse su más profundo respeto. Echaba de menos su lengua aguda, su astuta tacañería, su ridícula campaña para salvar a los caballos y su honesto desconcierto a la hora de manejar el enamoramiento adolescente de Bernard.

No sabía cómo iba a vivir sin ella.

Estaba claro que no iba a poder vivir en Mill House sin ella. La casa era de ella. Todo llevaba su sello, desde la barata reproducción del jarrón de Sèvres hasta la confortable sala de estar. Incluso los malditos retratos que colgaban en aquella galería pretenciosa hasta la saciedad, de algún modo pertenecían a ella. Era un hogar siempre y cuando Lily fuera el ama de casa.

Avery se agachó y sacó de debajo del camastro desvencijado su maltrecha maleta. De dentro extrajo un fajo prieto y enrollado. Por lo menos podría sacar algo bueno de aquel objeto impío.

Descolgó el abrigo de la percha y salió de la posada, saludando con la cabeza a la ruborizada muchacha que fregaba los escalones. Cogió el camino de tierra que conducía a Mill House.

—Aquí tienes. Con esto podrás reconstruir los establos y cuadrar las cuentas de nuevo —le dijo Avery lanzando el grueso fajo de billetes sobre la mesa.

Lily parecía serena, lejana y fría. Iba vestida con sus impecables pantalones bombachos y su tiesa camisa de hombre. Las prendas llevaban tanto almidón encima como si acabasen de salir de una lavandería china. La mujer miró el dinero.

—¿Qué es esto?

—Tu dinero.

Alzó los ojos, cautelosos y casi vacíos, hasta encontrarse con su mirada.

—Yo no tengo dinero.

—Tienes esto. Es el dinero que me has estado enviando durante estos cinco años. Es mi asignación. La he guardado.

Por un instante, un destello de sorpresa iluminó sus oscuros ojos vacíos. En aquel momento Avery solo tenía una cosa que ofrecerle. Puede que la convenciese para aceptarla, pero debía tener mucho cuidado, no fuera que esa pequeña ofren-

da, esa pequeñez que podía entregarle, acabase siendo recha-
zada.

—No te creo —dijo Lily.

—Me da absolutamente igual que me creas o no —mintió
Avery—. No reacciones como una despilfarradora primeriza
y piensa.

Sus palabras tuvieron el efecto deseado. De su rostro desaparecieron el dolor y la cautela y pareció como si todo su
cuerpo se desinflara. Si hubiera sido un caballo, habría agachado las orejas.

—No creo que haya despilfarrado —dijo elevando el tono
de voz y saliendo de detrás de la mesa—. Estoy segura de que
te parece que has actuado con la mayor de las noblezas ofre-
ciéndome el dinero...

—Escucha Lily —la interrumpió Avery, sacando la cajetilla de puros del bolsillo de la chaqueta y tomándose un tiempo para seleccionar uno de ellos—, hice una apuesta por ti y la
perdí. Puede que sea un egoísta, pero sigo siendo un caballero.

—Oh, sí —oyó que asentía Lily en tono suave—. Nadie
puede decir que no hayas sido un caballero.

Avery sacó cuidadosamente un cigarro del anillo que lo
sujetaba en la cajetilla y se dio unos momentos de margen antes de continuar hablando. Giró el puro entre los dedos, lo
mordisqueó y finalmente la miró fijamente a la cara.

Lily no se había movido. Tenía el cuerpo muy tenso y en
guardia.

—De cualquier modo —dijo con el puro en la boca—, si
lo piensas un poco, te darás cuenta de que es el dinero que me
mandaste. Piensa en mi orgullo, Lily. No has tenido nunca
problemas en señalar que era una cantidad excesiva. ¿No te
parece que este gesto se ajusta plenamente a mi personalidad?
¿A la de alguien con esa tendencia a...? ¿Cómo lo llamaste en su
día? ¿Con mi tendencia al histrionismo inspirado en Dumas?

—Escribí eso porque estaba enfadada —dijo poniéndose
colorada.

Qué hermosa, pensó Avery, y apartó la mirada.

—No quería ofenderte. Además, siempre estabas metiéndote en situaciones peligrosas.

Avery no quería oír hablar a Lily. No podía soportar saber que había estado preocupada por él, que él le había importado.

—Sabes que nunca habría aceptado la asignación que me enviabas —dijo—. Solo podía hacer una cosa con ese dinero: devolvértelo.

Tomó el fajo con los dedos y lo empujó por encima de la superficie de la mesa sonriendo.

Lily volvió a situarse detrás de la mesa y cogió el fajo de billetes con la punta de los dedos, como si fuera algo sucio.

—¿Y qué voy a hacer con esto? —preguntó ella.

—Reconstruir los establos. Cuadrar las cuentas. Ganar la partida, Lily —le dijo Avery—. Tomar posesión de Mill House.

—¿Por qué?

—Porque es tuya —dijo Avery con calma—. Tú has trabajado por ella, te has sacrificado por ella, has luchado por ella. Te la mereces.

—Y no olvides —dijo Lily levantando la barbilla— que también me he prostituido por ella.

El rostro de Avery perdió el color y su mano se quedó helada. No podía hablar, ni moverse.

—Es eso, ¿no? —preguntó Lily con voz tremendamente dolida—. Pago por los servicios prestados... ¿O es el dinero de tu conciencia?

Lily levantó el fajo de billetes y empezó a repasarlos con el dedo.

—Bueno, tu conciencia te pesa bastante. —Dejó el fajo de nuevo sobre la mesa—. Este dinero no es mío. Es tuyo. He perdido Mill House, pero prefiero marcharme sabiendo que cumplí con las obligaciones que tenía, y una de esas obligaciones era mandarte tu asignación. Lo que hagas con esa asignación no es de mi incumbencia. Construye un nuevo establo, cómprate un coche, quémalo todo, pero no cogeré el dinero.

—No seas tonta —dijo Avery quitándose el cigarro de la boca.

—No me des lecciones.

—Quieres Mill House. Y yo te estoy ofreciendo la posibilidad de asegurarte que la tendrás.

—Ya no quiero Mill House.

—Eso es mentira —dijo Avery.

El puro se partió por la mitad entre sus dedos y las dos mitades cayeron al suelo sin que se diera cuenta.

—¿Cómo pueden las mujeres resistirse a ese lenguaje exquisito suyo, señor Thorne? —preguntó Lily con sarcasmo, antes de darse cuenta de que ella misma no había podido resistirse.

Sintió que un ardor se apoderaba de su pecho y su garganta. Avery se mantenía rígido y la sangre golpeaba a Lily en las sienes.

—¿Adónde irás? ¿Qué harás? —preguntó él.

—No es de tu incumbencia...

—¡Claro que lo es! —gritó—. Todo lo que te concierne es de mi incumbencia.

Lily abrió la boca para rebatírselo, pero la mirada de Avery la detuvo. Durante un tenso instante, Avery se quedó observándola, y cuando habló, su voz sonó ronca, furiosa y anhelante.

—Me da absolutamente igual si nunca más comparto contigo la cama, el apellido o la casa, pero sigues concerniéndome. Puedes marcharte, puedo no volver a saber de ti, puedes desaparecer de mi vida para siempre, pero a pesar de ello, no puedes liberarte de mi preocupación por ti. Eso lo tengo, señorita Bede, y para ello, por lo menos, no necesito tener su permiso.

Lily estaba sorprendida por sus palabras. Se imaginó las décadas que se abrían ante ella y vio el fantasma que habría de perseguirla a cada momento, en todos sus actos, durante el resto de su vida.

—El objeto de tu preocupación no es el apropiado.

—Ese es problema mío —replicó firmemente Avery.

—No puedo... No puedo formar parte de este sinsentido —dijo una Lily agotada, recriminándose por el temblor de su voz—. No voy a contarte mis planes. Son míos. Solo tienes que saber que al final de esta semana me habré marchado.

Lily paseó la mirada por Avery; su respiración era terriblemente agitada. Él seguía en pie en el mismo sitio, amenazante, con aquellos hombros capaces de soportar cualquier peso, con la determinación en el rostro. ¿Quién podía enfrentarse a él? Siempre lograba lo que se proponía. Lily dio un paso hacia atrás.

—No te preocupes —dijo él—. Me marcho yo. Neigl va a emprender una ruta por el interior de África y necesita a alguien que le lleve el equipaje.

Una vez más, Avery se estaba poniendo en peligro, arriesgándose. Lily sintió que el corazón se le desbocaba atemorizado.

—¡No! —gritó—. ¿Es que no me oyes? ¿Es que no puedes entenderme? No puedes salirte con la tuya porque seas más fuerte, porque seas el hombre, porque tú quieras. ¡Me marcho yo!

Avery se apoyó en la mesa con los brazos en tensión.

—Esto no tiene nada que ver con un macho dominante y una víctima indefensa. Esto tiene que ver...

La puerta se abrió de par en par y un Bernard con el rostro desencajado irrumpió en la habitación.

—Lo he oído —dijo—. Venía a reunirme con Avery... He oído lo que ha dicho él, lo que has respondido. No puedes marcharte, señorita Bede. ¡No puedes!

Tenía el rostro muy pálido y los ojos brillantes y febriles.

Lily ahogó un gemido y aquel sonido acabó con el último ápice de control de Avery. Con un gruñido ahogado, cogió la chaqueta del respaldo de la silla y se marchó con grandes zancadas, pasando de largo junto al muchacho enmudecido.

—Oh, mi ingenuo chaval —dijo Avery al marcharse—, sí que puede.

Después de diez minutos aguantando el tipo, finalmente las piernas de Lily le fallaron y se hundió en la silla del escritorio estrepitosamente. Bernard se pasó su enorme mano —tan similar a la de Avery— por el cabello, mesándose sus húmedos y castaños mechones.

—No puedes marcharte, ¡no tienes adónde ir!

—Eso no es cierto, Bernard —dijo intentando convencerle—. Tengo amigos, mis hermanas sufragistas...

—¿Y? —la interrumpió abruptamente Bernard. El muchacho jadeaba alterado y con aspecto abatido—. Serás una invitada, una visitante, ¡esta es tu casa!

—No —dijo Lily—. Es la casa de Avery. Él ha ganado el desafío. Yo he perdido. Todo ha sido justo y...

—¡Debería haberte ofrecido que te quedaras! —exclamó Bernard—. Si es un caballero, no puede pedirte que te vayas. Juró que no lo haría.

—Nadie me ha pedido que me vaya, y además, sí, me ha pedido que me quede —dijo Lily—. Te aseguro que me marcho porque quiero marcharme.

—Amas esta casa —dijo Bernard al borde de la desesperación.

Empezó a jadear más fuerte y preocupado. Lily se levantó y se puso en pie junto a él.

—Sí —respondió Lily, cogiendo a Bernard del brazo y llevándole hasta una silla. Pero él se liberó de ella con ojos furiosos.

—Puede que Mill House haya sido mi casa durante cinco años —intentó explicarle—. Pero no es mía y yo... —No podía decirle al muchacho que la idea de vivir con Avery sin ser ni su esposa ni su amante, con el recuerdo de una apasionada noche ardiendo entre los dos, le parecía un infierno más terrible que cualquiera de los que había imaginado Dante—. No quiero vivir aquí como una invitada.

—¿Por qué no? —dijo el chico, caminando en círculos

por la habitación y mesándose los cabellos con ambas manos—. Se suponía que la idea te gustaría. Era la solución ideal.

—¿Solución?

Bernard levantó las manos en un gesto que suplicaba comprensión.

—¡Sí! Si tú perdías en la lucha que mi abuelo estableció, Avery heredaría Mill House. Él tiene los medios para restaurarla. Nadie tendría que vender ni la casa ni ninguna de sus propiedades. Los dos viviríais aquí. Me prometió que no te dejaría marchar.

—Oh, Dios mío, Bernard —murmuró Lily, dándose cuenta claramente de pronto de la verdad—. ¿Qué es lo que has hecho?

—¡Lo siento! —gritó el muchacho dirigiéndose hacia ella. La cogió de las manos—. Solo quería que te quedaras. Lo hice solo para asegurar tu futuro. Para protegerte.

—Rompiste el jarrón —dijo Lily con voz inexpresiva.

El muchacho asintió y las lágrimas empezaron a aflorar de sus ojos turquesa, tan parecidos a los de Avery.

—¡Sí! —exclamó.

—Y la ventana. Y prendiste fuego...

—Solo quería que se incendiase el heno. Nunca pensé que prenderían también los establos. Jamás habría puesto en peligro a los caballos...

Su confesión entre gemidos acabó en una tos ronca y espesa. De su pecho pareció escaparse el aire como un silbido que sale de una caja oxidada. Se dejó caer pesadamente sobre la silla y la cabeza le cayó hacia delante. Hundió el rostro en su regazo.

Por el amor de Dios, pensó Lily, había destruido todo por lo que ella había luchado. Jamás se había tomado en serio la sugerencia de Francesca de que hubiera un saboteador y, de haberlo hecho, habría pensado en Drummond, que odiaba trabajar para una mujer. Incluso Polly Makepeace, con sus miedos y su animosidad, era mejor candidata. Pero aquel muchacho... trabajando clandestinamente para hundirla... y... por su propio bien.

Qué rematadamente masculino.

Lily contuvo las ganas de soltar una risa histérica. El muchacho se sentía fatal. Tenía todavía la cabeza gacha y su delgada espalda se estremecía.

—Por favor, Bernard. No pasa nada. ¿Bernard?

No se movió. Lily le tocó el hombro y el chico cayó estrepitosamente al suelo. Los ojos se le quedaron en blanco y de su pecho salió un sonido parecido al de la cuerda de un violín al romperse.

—¡Bernard!

Estaba inconsciente. El pánico puso a Lily en pie de golpe y salió apresuradamente de la habitación guiada por el instinto. Corrió por el vestíbulo en dirección a la puerta principal. La abrió de golpe e inmediatamente identificó la imponente figura de Avery alejándose por el camino de tierra.

—¡Avery! —gritó con todas sus fuerzas—. ¡Avery! ¡Ayúdame!

Él reaccionó al instante. Se dio la vuelta de golpe y corrió hacia ella. En un momento, sus largas piernas subían los escalones y le llevaban junto a ella. Lily le cogió de la manga y le arrastró hacia el interior de la casa.

—¡Bernard! —dijo—. Está en la biblioteca. Se ha desmayado.

Avery la apartó de un empujón y corrió a la biblioteca. Cuando Lily llegó a la puerta, él estaba arrodillado y había colocado a Bernard reclinado sobre uno de sus brazos. El cabello fino del chico caía sobre la alfombra y tenía las manos inertes. La punta de sus uñas se había tornado de color azul. Con la mano libre, Avery golpeaba suavemente a uno y otro lado de la columna vertebral del chico.

—¿Bernard? —repetía con voz ronca y suplicante, llamando a su primo—. ¿Bernard?

Le levantó un poco más, sin alzar su cabeza y evitando apretarle el pecho.

—¿Qué puedo hacer? —susurró Lily.

Avery volvió la cabeza; de su rostro había desaparecido toda expresión de seguridad y prepotencia. En sus hermosos ojos solo brillaba el espanto.

—No lo sé —respondió roncamente, con lágrimas en el bronceado rostro—. No lo sé. Reza.

Lily se arrodilló junto a ellos y rogó con labios entreabiertos, viendo impotente cómo Avery seguía golpeando la espalda de Bernard, empujándole de vez en cuando hacia arriba y sin cesar de repetir su nombre para que recuperase la conciencia.

Pasaron unos minutos tensos y largos. Finalmente, después de lo que pareció una eternidad, Bernard hizo un ruido sordo y profundo y lanzó un gemido. Avery miró rápidamente a Lily y en sus ojos brilló de nuevo la esperanza. El muchacho empezó a toser.

—Agua —pidió Avery.

Lily llenó un vaso de agua y se lo tendió. Con delicadeza, Avery levantó a Bernard y, apoyándole en su pecho, le hizo inclinar la cabeza.

—Bebe, Bernard. Con cuidado, despacio, respira hondo, con el estómago. Cuenta hasta cinco e inspira, y vuelve a contar y espira. Así, muy bien.

Avery volvía a tener la situación controlada, como siempre. Su voz denotaba su habitual seguridad, ligeramente tamizada por aquel tono dulce. Pero Lily podía ver sus ojos, unos ojos indefensos, que todavía no habían sido cubiertos por la máscara del control.

Por primera vez Lily vio a Avery como lo que era, no un hombre extraordinario que obtenía de la vida lo que quería, sino un hombre con las mismas necesidades y dudas que ella podía sentir.

Vio a un hombre desesperadamente vulnerable, asediado por la certeza de que, hiciera lo que hiciese, nada nunca sería suficiente para cuidar y alegrar la vida de aquellos que quería. Incluso allí, incluso en aquel momento, no permitía que Bernard fuera consciente de cuánto le preocupaba, no iba a dejar que su inquietud llegase al muchacho y le hiciera sufrir una recaída.

Un hombre como Avery quedaría destruido si alguien le arrebatara a su hijo.

—Bien —dijo masajeando la espalda del chico con su fuerte mano—. Respira así un poco más y te dejaré sentarte en el sofá. Sí, Lily está aquí. La has asustado un poco, eso sí.

—¿Sí? —preguntó Bernard, parpadeando sorprendido y dejando escapar todavía un silbido de sus pulmones—. Lo siento. No pretendía quemar los establos. Solo quería que se quedase aquí. Este es su sitio.

—Calla —dijo Lily arrodillada junto a él y retirándole cuidadosamente el cabello de la frente—. Debes confiar en mí, Bernard. Yo sé cuál es mi sitio.

Pareció interpretar las palabras de Lily como una promesa y, con una sonrisa cansada, cerró los ojos y se dejó mecer por el abrazo protector de su primo.

28

Finalmente fue Polly Makepeace quien se puso al mando. Era hija de granjeros y tenía experiencia práctica en muchos asuntos médicos, así que, con calma, ordenó a Avery que trasladara a Bernard al piso más alto y le llevase a la habitación que daba al sur, en dirección al mar. Una vez allí, abrieron las ventanas para dejar que el aire fresco y puro limpiase sus obturados pulmones.

Avery se quedó en la habitación, aparentemente para hacer compañía a Evelyn, pero muy pronto fue evidente que su mirada imperturbable y vigilante permitía a madre y a hijo sentir la paz de espíritu suficiente para relajarse y por fin descansar.

Avery, pálido y demacrado, fue en busca de su particular respiro al huerto. Allí fue donde Lily finalmente le encontró, con la espalda apoyada en el tronco de un árbol centenario, las muñecas sobre las rodillas, las manos laxas y los ojos cerrados. En silencio, se sentó a unos pasos de él, inspirando profundamente el dulzón aroma a sidra fermentada de las manzanas maduras. No supo cuánto tiempo estuvo mirándole mientras dormía, pero cuando Avery abrió los ojos, el olor había desaparecido.

Al verla, se puso inmediatamente tenso.

—¿Bernard?

—Está bien. Está descansando. He venido a buscarte.

—Ya veo —dijo él asintiendo e irguiéndose contra el tronco del árbol.

Ahora que había llegado el momento, Lily no sabía por dónde empezar. Ya que ella no lo hacía, él tomó la iniciativa empezando la que suponía iba a ser una nueva conversación dolorosa e imposible. Y es que, tal como John Neigl había afirmado, Avery siempre haría lo necesario, fuera cual fuese su propio perjuicio.

—Sé que has dicho que vas a marcharte de Mill House, Lily. Está claro que no puedo obligarte a quedarte, pero espero sinceramente que te lo replantees. —Su mirada era tranquila y cansada—. No dice mucho a favor de Horatio —continuó— ponernos en esta situación, pero sobre todo fue injusto contigo. Asumió que perderías, contaba con ello, y sin embargo, estaba dispuesto a permitir que te dejases la piel en este lugar durante cinco años solo para demostrar que una mujer no era tan capaz como un hombre.

—Lo sabía y aún así acepté —dijo tranquilamente Lily.

—¿Y quién no? ¿Qué persona con amor propio, inteligente y ligeramente desesperada —y al pronunciar esta palabra, su sonrisa irónica quitó peso al adjetivo— no aceptaría una oportunidad así?

—Tú.

—Qué tontería —dijo él encogiendo los dedos y rodeándose con ellos las rodillas.

—Tú no la habrías aceptado —insistió Lily—. Porque habrías visto lo que era, un desafío que no buscaba ofrecer a una joven engreída y sin hogar la posibilidad de conseguir una casa, sino la humillación de un hombre. Y además, tú tampoco habrías aceptado el desafío porque, de haberlo ganado, habría sido deshonroso e injusto para el heredero desposeído.

—Pero nadie esperaba que ganases.

—Eso a ti, Avery, no te habría importado. Dime que estoy equivocada. ¿Habrías aceptado las condiciones de este reto?

La miró directamente a los ojos.

—No —respondió él.

Lily dejó escapar una carcajada temblorosa.

—Por lo menos no has proclamado que dicha actitud honorable sea propia de hombres.

—Quizá lo habría hecho. Antes de conocerte.

—¿Y yo te he enseñado que dicha actitud es propia del otro género, aunque no de mí misma? —preguntó Lily, consciente de que la amargura de su tono de voz le resultaba más dolorosa a ella misma que al propio Avery.

—No te castigues por haber aceptado el reto de Horatio hace cinco años, Lily —dijo Avery amablemente—. Te has preocupado por él, has vivido por él, y ahora, finalmente, has encontrado una excusa para alejarte de él. Por fin, puedes satisfacer tu honor.

—Dios mío, ¡qué ocupados hemos estado pensando en esto! ¿Verdad?

Avery miró por encima de Lily y ella le siguió la mirada. Vio Mill House, un edificio cuadrado y añejo, bañado por el dulce sol de verano. La hiedra que lo cubría iba adquiriendo un suave tono rojizo por la cercanía del otoño. Las ventanas brillaban y también la entrada de piedra. Era maravilloso.

—Es solo una casa, Lily. No será fácil para ninguno de los dos marcharse, pero lo que duele abandonar es lo que representa.

—¿Qué? —preguntó Lily mordiéndose el labio.

—Familia —dijo despacio, y al ver que no respondía, continuó con firmeza, sin atisbo de arrogancia o fortaleza en la voz—. Te amo, Lily.

Avery volvió a sonreír con una sonrisa triste y amable, como si acabara de barrer las esperanzas de Lily en lugar de hacer realidad sus sueños. Ella aguardó, enmudecida, confundida. Estaban a unos centímetros de distancia, él acababa de decirle que la amaba, y, sin embargo, era como si les separase un inmenso océano.

—Te he amado desde hace mucho tiempo, creo que antes de verte. Cuando te vi, me confundió tu aspecto, y todas mis inseguridades volvieron a apoderarse de mí. Porque entonces empecé a desearte y me parecía remotamente improbable que tú me desearas también. Entonces me besaste, y no puedes llegar a imaginarte la confusión que me invadió el corazón.

Lily se inclinó hacia él, atraída por su presencia como lo había estado desde un principio.

—Avery... —musitó.

Él se echó hacia atrás, un movimiento muy sutil pero que a ella le dolió.

—Nunca he sido un mujeriego, Lily. El deseo, el amor y esta absurda competencia que había entre nosotros me ha hecho hacer cosas totalmente estúpidas. Pero nada ha sido tan estúpido como hacerte el amor.

—No —replicó Lily alargando la mano hacia Avery—. No fue un error. Fue... maravilloso.

Avery miró la mano de Lily pero no mostró intención alguna de tomársela.

—¿Maravilloso? —repitió él como sopesando la palabra—. Sí, sí y sí, pero también estúpido, Lily. Y doloroso. Porque ya me habías dicho que no te casarías conmigo y sabía que jamás dirías algo que no creyeras de verdad.

Apoyó la cabeza contra el tronco y el sol pareció iluminar sus brillantes ojos turquesa.

—Te amo, Lily, pero no puedo vivir contigo sin hacerte mi esposa.

Lily escuchó en silencio y en su voz pudo hallar promesas y esperanzas. La verdad.

Avery continuó.

—No me consideraría digno de llamarme «padre» si no le diese a un hijo fruto de nuestro amor toda la protección, los beneficios y las ventajas que puedo otorgarle. No me podrías pedir que quisiera menos a un hijo nuestro que a ti misma.

Avery frunció el ceño y bajó la vista hacia sus manos con las que apretaba con fuerza sus rodillas. Lily pudo ver, sorprendida, que tenía los nudillos blancos.

—Lily, eres el centro de mi corazón, mi piedra angular, mi compañera, mi amante. ¿No puedes confiar en mí como yo confío en ti? El único modo en que podrías herirme sería abandonándome. Pero tienes que saber, Lily, que sería una herida mortal. Porque nunca podría encontrar a nadie como tú. He dado la vuelta al mundo esperando poder volver a casa. Estoy aquí y ahora; por favor, no me eches.

Avery no levantó la vista mientras hablaba y ella vio que tenía los ojos cerrados firmemente. Se dio cuenta de que estaba esperando, en tenso silencio, su respuesta.

Como si el espíritu de Lily hubiese descubierto que tenía alas, sintió que la invadía una liberación, una ligereza de corazón, la más pura y dulce alegría. Gateó hasta él y le rodeó con los brazos, apoyando su mejilla en el pecho de él. Él la rodeó con sus brazos, sujetándola con una fuerza brutal.

—Qué tonta, Lily —dijo él—. ¿No sabes por qué no te he tocado? ¿Es que no te has dado cuenta de que, una vez que te tuviera en mis brazos, no te dejaría marchar?

—No lo hagas, porque yo tampoco voy a soltarte, Avery. Te amo.

—Gracias a Dios —susurró apretándola con más fuerza, atrayéndola a su regazo mientras musitaba palabras de cariño con voz dulce y temblorosa.

—Aquí tienes mi corazón, Avery —susurró—. Aquí tienes mi pasado y mi futuro. Siempre han sido tuyos. Solo que estaba ciega y no lo veía.

Epílogo

El jardín trasero de Mill House estaba repleto de niños. Las gemelas de Teresa y algunas de las hijas mayores de Kathy perseguían al hijo mayor de Merry. Todos reían con una alegría irrefrenable. Las gemelas, siguiendo órdenes estrictas de su madre, habían dejado sola a la hija pequeña de Merry, que era de lágrima fácil. La pequeña se enfureció tanto que para impresionar a sus compañeros de juegos, más mayores y más creídos, decidió subirse al centenario ciprés que había en uno de los rincones del jardín.

Llegó a lo alto de la copa y empezó a gritar para presumir de su valentía, pero entonces se dio cuenta de lo alto que había subido y sus alegres gritos se transformaron en gemidos asustados.

Cuando se hizo patente que nadie iba a ir a rescatar a la chiquilla llorosa, Karl Thorne amablemente sucumbió a su caballerosidad, una predisposición genética, y empezó a subir al árbol. Pamela, su hermana pequeña, una mandona de ocho años, se dio cuenta y, dejando al bebé recién nacido de Kathy en el regazo de la tía Evelyn, se situó debajo de las ramas del gigante ciprés para dar consejos a su hermano mayor, que llevaba ya escalado medio árbol. Inexplicablemente, su hermano no pareció apreciar la generosidad de Pammy y su concisa respuesta a los gritos animosos de la niña habría hecho dar un respingo, probablemente divertido, a su madre.

Muy pronto el resto de los niños se situaron a los pies del árbol animando a gritos al galante y refunfuñante Karl.

Solo Jenny, la mayor de los hermanos Thorne y la más seria, parecía no estar interesada en los acontecimientos que se sucedían cerca de ella. Estaba tumbada sobre una sábana que había extendido junto al estanque del molino y tenía el ceño fruncido. Estaba leyendo la primera edición del libro de su tío Bernard, titulado *Biografía de un romance: el epistolario íntegro de Avery y Lillian Thorne*.

Alrededor de Jenny, los adultos charlaban relajados. Tía Evelyn acunaba contra su pecho al pequeño bebé de Kathy y discutía elocuentemente los avances en las leyes concernientes al trabajo infantil. Mientras tanto, tía Polly remendaba el bate de rugby de Karl.

Tío Bernard observaba fijamente a la madre de Jenny —pero tío Bernard siempre miraba igual a su madre— mientras su padre intentaba convencer a la tía-abuela Francesca para que viajara con ellos a Egipto aquel invierno. De momento, no lo había logrado, pero por la expresión del rostro de la dama, pronto capitularía. Su padre podía camelarse al sol para que brillase.

—No seas tonta, Francesca —le estaba diciendo—. Londres es una fosa séptica en invierno y ya acabaste enferma de gripe el invierno pasado. Lo mejor es huir. ¿O es que acaso te divirtió estar vomitando como una loca durante tres semanas?

—Lo que quieres es que vaya para que cuide a tus tres bichos.

Su padre miró a su madre con esa mirada que la familia universalmente conocía como «esa mirada».

—Bueno —musitó—. Ya lo has adivinado.

Tía Francesca se echó a reír.

—Bueno, quizá vaya. Pero solo si puedo tener alguna noche libre... —dijo.

Jenny no pudo oír lo que continuó diciendo porque cerró el libro con un enfático gesto para demostrar su disgusto. Acababa de terminar de leer el año 1891.

Al ver que se ponía en pie, Bernard empezó a remangarse el bajo de los pantalones.

—¿Vas a algún sitio, bonita? —le preguntó suavemente, volviendo su cabeza de brillantes cabellos oscuros en su dirección.

—Voy al estanque. A dar un paseo.

—¿Ah? ¿Vas a refrescarte un poco?

—Sí —respondió intentando ignorarle, algo que es bastante difícil cuando solo tienes diez años y un dios griego te está hablando. Y eso era Bernard, un maldito dios griego.

Alto, esbelto, distante, con una inteligencia casi tan aguda como la de su padre. Sin embargo, le había desilusionado enormemente descubrir hasta qué punto había malinterpretado a su madre en el libro que había escrito.

—¿Puedo saber por qué? —le preguntó Bernard.

Jenny sintió cómo le abandonaba la objetividad.

—Esas... cartas que dices que mi madre escribió a mi padre...

—Sí, ¿qué pasa?

—No son de mi madre.

—Siento tener que contradecirte, mi querida Jenny, pero sí lo son. Tu madre, amablemente, me dejó copiarlas al pie de la letra para el libro.

—Y por qué demonios te dio permiso, es algo que nunca entenderé —dijo el padre de Jenny que les había oído—. ¿Por qué iba a querer nadie leer las cartas de los demás? No es asunto de ellos.

—Vamos, Avery —dijo Bernard dejando escapar una de sus contadas sonrisas—. No es que seáis precisamente unos don nadie. ¿El noviazgo entre uno de los exploradores más célebres de Inglaterra y una de sus más célebres oradoras sufragistas? ¿Quién puede resistirse?

—Yo —replicó Jenny.

—¿Y por qué, preciosa? —preguntó Bernard.

Como respuesta, Jenny se dejó caer en el suelo de rodillas y empezó a pasar las páginas del libro hasta encontrar el punto que buscaba.

—Mirad, aquí, escuchad: «Mi queridísimo enemigo, déjeme replicar a esa estúpida teoría de que las mujeres deben contentarse con ser el calor espiritual en el que los hombres hallan refugio. Si un hombre siente frío, sugiero que invierta en una buena caldera. Si su espíritu está frío, le sugiero un buen trago de whisky».

Su padre echó la cabeza hacia atrás y lanzó una carcajada. Bernard sonrió más abiertamente.

—Esa es tu madre, sí —dijo Bernard.

—No, señor —dijo Jenny—. Mi madre jamás habría sido tan fina. Mi madre habría aniquilado a cualquier hombre que hubiese hecho una afirmación tan ridícula.

Los dos hombres miraron a Lily, quien, después de dejar el bebé de Kathy de nuevo con su madre, había vuelto a sentarse y estaba escuchando en silencio. Levantó sus oscuros ojos y miró a su hija.

—Tienes toda la razón, Jenny —dijo con serenidad y sonriendo a su esposo—. Pero cuando una encuentra al excepcional caballero que merece la pena instruir, puede permitirse ser amable.